Vivre
sans gluten
POUR
LES NULS

Vivre sans gluten POUR LES NULS

Danna Korn et Alma Rota

FIRST
Editions

Vivre sans gluten pour les Nuls
© Éditions First, un département d'Édi8.
Publié en accord avec Wiley & Sons, Inc.
« Pour les Nuls » est une marque déposée de Wiley & Sons, Inc.
« For Dummies » est une marque déposée de Wiley & Sons, Inc.

ISBN : 978-2-7540-7492-6
Dépôt légal : septembre 2015

Direction éditoriale : Aurélie Starckmann
Préparation de copie : Christine Cameau
Couverture et mise en page : Catherine Kédémos
Production : Emmanuelle Clément
Imprimé en Italie par La Tipografica Varese Srl, Varese

Éditions First
12 avenue d'Italie
75 013 Paris – France
Tél. : 01 44 16 09 00
Fax : 01 44 16 09 01
E-mail : firstinfo@efirst.com
Internet : www.editionsfirst.fr

À propos des auteurs

Danna Korn est également l'auteur de *Gluten-Free Cooking for Dummies, Wheat-Free, Worry-Free: The Art of Happy, Healthy, Gluten-Free Living* et *Kids with Celiac Disease: A Family Guide to Raising Happy, Healthy Gluten-Free Children*. Considérée comme l'une des spécialistes du régime sans gluten aux États-Unis, elle va régulièrement à la rencontre de professionnels de santé, de malades cœliaques, de parents d'enfants cœliaques et d'enfants autistes qui suivent un régime sans gluten et sans caséine. Elle a présenté à deux reprises le Symposium International sur la maladie cœliaque.

Danna a commencé ses recherches sur la maladie cœliaque en 1991, quand son fils, Tyler, a été diagnostiqué. Cette année-là, elle a fondé ROCK (Raising Our Celiac Kids), une association pour soutenir les familles d'enfants qui doivent vivre sans gluten. Danna est aujourd'hui consultante auprès des fabricants de produits, de diététiciens, nutritionnistes et auprès de personnes nouvellement diagnostiquées d'une intolérance au gluten ou de la maladie cœliaque. Elle coordonne également la Marche internationale pour la maladie cœliaque qui a lieu chaque année au mois de mai à San Diego.

Alma Rota est une professionnelle des médias numériques et a fondé, en 2012, après avoir découvert son intolérance au gluten, le site C-sansGluten. com, premier site français dédié à l'actualité et à la vie sans gluten. Dans le cadre de son travail, Alma a collaboré, entre autres, avec les magazines *Rollingstone, Les Échos, Men's Health, Coach, Shape, Questions de femmes et Runner's World*, la radio Europe 1 et la chaîne Santé Vie.

Elle s'implique fortement depuis pour sensibiliser le public au sujet de la maladie cœliaque, de l'intolérance au gluten et des intolérances alimentaires en général. Elle participe à des émissions radio, écrit des articles et participe à des conférences notamment au récent premier Salon international des allergies alimentaires et des produits sans. Elle travaille activement au lancement d'un magazine francophone de nutrition santé autour des régimes spéciaux ainsi qu'au développement d'applications mobiles pour faciliter la vie de toutes les personnes qui suivent des régimes spéciaux, dont le régime sans gluten.

Anne-Laure Schneider est éditrice et collabore avec de nombreuses maisons d'édition.

Dédicaces

Ce livre est dédié à tous ceux qui ont patiemment soutenu mes efforts pour sensibiliser le monde sur les intolérances alimentaires et le mode de vie sans gluten et qui ont accepté mon régime spécial sans jamais m'exclure.

Ce livre est dédié à ma grand-mère qui m'a appris à cuisiner et donné l'amour de la bonne chère.

Et à tous ceux qui vivent ou vont un jour vivre sans gluten, j'espère semer ici une petite graine pour vous inspirer et vous aider à aimer votre nouveau mode de vie.

Remerciements

Un grand merci à toute l'équipe de First Éditions, à mes éditrices Anne-Laure Schneider et Aurélie Starckmann qui ont eu l'idée et l'ont soutenue de faire un livre pour les Nuls sur la vie sans gluten et grâce à qui ce projet a vu le jour.

Je remercie mon amie restauratrice Marie-Madeleine Thomas pour avoir testé et créé avec moi certaines des recettes proposées dans ce livre. Merci pour ton infinie patience devant nos ratés et pour tous ces éclats de rire partagés en cuisine. Merci à mon amie Caroline pour les avoir goûtées avec nous. Et merci à Yannick Taes de la société Alantaya (www.alantaya.com) pour l'outil d'analyse nutritionnelle des recettes.

Je remercie vivement les responsables des associations d'intolérants au gluten francophones pour nous avoir accordé du temps, du soutien et pour toutes les informations précieuses qu'elles nous ont fournies pour réaliser ce livre : Brigitte Jolivet, Catherine Remilleux et Marie-Catherine Levrault de l'AFDIAG (Association française des intolérants au gluten) en France, Vicky Kuffer de l'ALIG au Luxembourg, Joëlle Leutwyler de l'ASRC en Suisse et Suzanne Laurencelle de la FQMC au Québec. Je remercie également le Dr Guillaume Le Bastard, psychiatre et praticien hospitalier attaché à l'hôpital de la Pitié-Salpêtrière, pour avoir fait une relecture technique et scientifique du chapitre sur les troubles de l'humeur et du comportement.

Un grand merci au Dr Nicole Maguy (et son assistante Laëtitia) grâce à qui j'ai pu être diagnostiquée et qui m'ont soutenue constamment dans ce changement de vie et de régime alimentaire.

Merci à toutes les personnes que je connais et qui font partie de la tribu des Noglus pour vos encouragements et votre soutien. Vous m'avez motivée à faire aboutir ce projet. Natacha, Clem, Solène, merci pour vos délicieuses recettes, votre soutien et pour tout ce que vous faites pour aider les autres grâce à vos blogs. Un grand merci à Sylvie Do, restauratrice fondatrice du Biosphère Café à Paris, pour avoir partagé vos astuces de chef.

Enfin, je suis extrêmement reconnaissante à mes proches. Sans votre patience, vos encouragements, votre soutien, votre optimisme, et votre amour, je n'aurais pas écrit un mot. À mon Gribouille qui, j'espère, est fier de moi, de là où il me regarde.

Sommaire

Cinquième partie : La partie des Dix 381

Préface

Vivre « libres de gluten » !

*J'*ai rencontré Alma Rota lors d'un débat radiophonique sur le gluten chez Europe 1. Nous nous sommes retrouvées, enthousiastes et militantes, face à des médecins et des diététiciennes en mal de plaire aux lobbys alimentaires. Notre expérience et notre détermination ont beaucoup perturbé ces obédiences scientifiques… Nous avons beaucoup ri. Et nous nous sommes ensuite retrouvées au restaurant toutes les deux autour d'un magnifique plat indien. Je laissais de côté le riz, alors qu'Alma s'en délectait. C'est là que les distinctions commencent !

Vous découvrirez certainement au fil de ces pages que les débutants font souvent la même erreur : ils veulent compenser ! Et compenser, cela veut dire manger beaucoup trop d'amidon, de sucres, bref de céréales qui ne conviennent pas à tout le monde, même si elles ne contiennent pas de gluten.

En France, nous sommes très en retard sur le sujet. Si vous voyagez dans le monde, notamment aux États-Unis, lieu de tous les extrêmes, vous verrez de nombreux restaurants sans gluten, dont des pizzerias sans gluten, et vous remarquerez que tous les produits industriels portent une mention « avec » ou « sans gluten ». Nous avons beaucoup de progrès à réaliser quant à l'étiquetage et la proposition de restauration sans gluten. Mais on y vient.

Pourquoi ? Cette demande du « sans gluten » émane principalement du consommateur et non pas du corps médical. Les médecins sont obligés de s'y mettre car le consommateur est de plus en plus éclairé, se documentant par lui-même *via* Internet ou des lectures. Si l'alimentation ne fait pas partie du cursus d'enseignement de la médecine, vous, consommateurs éclairés, vous avez compris que le gluten pouvait altérer votre santé.

Toutes les maladies auto-immunes naissent dans l'intestin. La malabsorption intestinale entraîne en effet un dérèglement du système immunitaire. Le gluten et la caséine issue des produits laitiers bovins sont deux protéines qui attaquent les jonctions serrées de l'intestin grêle et qui, ainsi, passent dans le flux sanguin non phagocytées. Elles se transforment alors en glutéomorphines et en casomorphines, deux molécules attaquant le cerveau, les articulations et votre système immunitaire, qui peut alors se retourner contre vous. Mais le danger ne s'arrête pas là !

Le blé est plus sucré que le sucre ! Le Dr William Davis, cardiologue américain, s'est amusé à faire un test sur sa propre glycémie après avoir ingéré un morceau de pain. Sa glycémie est montée aussi haut que celle d'un diabétique et a mis un temps très long à redescendre à la normale. Alors qu'il n'est pas cœliaque, il a été dérangé au niveau digestif pendant trois jours… La consommation de produits contenant du gluten serait-elle à l'origine de la montée en flèche des diabètes de types 1 et 2 ?

Autre problème lié au gluten : le vieillissement prématuré. Vous m'avez bien comprise. Quand vous mangez une bonne brioche ou une demi-baguette, vous allez former dans votre organisme des protéines glyquées appelées PTG (produits terminaux de glycation), qui sont des débris inutiles s'accumulant dans l'organisme et durcissant les artères, voilant le cristallin de l'œil, perturbant les liaisons nerveuses du cerveau pouvant entraîner de la démence, et se concentrant dans les reins, les yeux, le foie, la peau et les autres organes. Le problème, c'est qu'une fois formés dans l'organisme, ils sont irréversibles et indestructibles. Plus le taux de glycémie est élevé et plus longtemps il le reste, plus les PTG s'accumulent et altèrent les organes par oxydation et inflammation !

Pourquoi ne s'est-on pas rendu compte plus tôt de ce phénomène ?

L'homme existe depuis des millions d'années et s'est adapté à de nombreux chaos. Cela ne fait que 12 000 ans, c'est-à-dire 600 générations, que le chasseur-cueilleur-pêcheur est devenu sédentaire et a commencé à cultiver les céréales. Cela a permis de nourrir plus de personnes, mais de nouvelles maladies sont apparues. Ce n'est que depuis quatre générations – et le processus s'accélère depuis seulement deux générations – que l'homme doit s'adapter à une véritable tempête chimique : engrais chimiques, pesticides, nouvelles molécules inventées par l'homme, OGM, conservateurs, perturbateurs endocriniens, nanotoxiques, etc. Le blé d'aujourd'hui contient 45 chromosomes alors qu'il en contenait à peine 12 à l'origine ! Nous jouons aux apprentis sorciers. Le principe de précaution n'est jamais appliqué comme il le devrait. Les maladies rares sont devenues des maladies de civilisation. Et si cette émergence était due à notre alimentation ?

De chasseur-cueilleur-pêcheur, mangeurs de petits animaux, de poissons, de légumes et de petits fruits, nous sommes devenus des consommateurs de pizzas, de pain, de viennoiseries, et nous sommes de plus en plus végétariens. Est-ce vraiment idéal pour notre santé ?

Il est temps de faire l'expérience d'une alimentation sans gluten et, je vous le conseille, pour avoir de vrais résultats, d'éliminer également les produits laitiers issus de la vache.

Bien entendu, si je vous dis d'arrêter votre pain quotidien, certains d'entre vous ne vont peut-être pas s'en sentir capables !

Un petit truc qui peut vous aider : notre langue française est une langue très riche et parfois austère ; la langue anglaise est beaucoup plus simple et réaliste. En France, on parle d'alimentation « sans gluten ». Dans les pays anglo-saxons, on parle de *gluten free* ! C'est-à-dire : « libre de gluten ». Je trouve cette notion de liberté beaucoup plus sympathique. Quand je mange *sans*, je me sens très vite frustrée. Alors que si je suis *libre de gluten*, j'ai le sentiment d'être responsable de mes choix.

Et c'est là que je veux en venir : vous avez le choix d'être victime de ne pas supporter le gluten et d'être incommodé par sa consommation ou bien vous pouvez prendre la décision que le gluten, décidément, ne vous convient pas et que vous avez la joie de pouvoir manger autrement ! En France, puisque ce livre est dédié aux pays francophones, nous avons la chance d'avoir pléthore d'aliments à notre disposition. Imaginez que vous habitiez une contrée où les aliments à base de gluten n'existent pas ! Que feriez-vous ? Vous feriez une pétition pour en faire venir d'autres pays ? Ou bien vous vous adapteriez à l'alimentation du lieu ?

Je pense que la deuxième décision est la plus sage.

Pour ceux qui ne se nourrissent que de pain, de croissants, de viennoiseries, de pizzas, de pâtes et j'en passe, le changement va effectivement être plus compliqué. Mais rassurez-vous, c'est une bénédiction que vous ayez fait le choix de retirer le gluten de votre alimentation. Après les phases de détoxification, je vous promets plus de vitalité, de la légèreté, une santé à toute épreuve, un meilleur sommeil, une intelligence plus vive, bref, que du bonheur !

Puisse ce livre vous aider à faire les premiers pas vers une alimentation libre de gluten !

Marion Kaplan

Introduction

Il n'y a pas si longtemps, le régime sans gluten semblait réservé à une catégorie de personnes bizarres obligées de manger des aliments ayant l'apparence et le goût de la sciure.

Aujourd'hui, la vague du « sans gluten » déferle sur la planète. Les produits sans gluten (dont la qualité et le goût sont bien meilleurs qu'avant) envahissent les supermarchés et les étiquettes des produits sont plus claires. Vous n'avez même plus l'air d'un extraterrestre quand vous commandez un burger sans pain dans un restaurant !

À propos de ce livre

Vivre sans gluten, ce n'est pas juste suivre un régime. C'est un style de vie. Que vous soyez au régime sans gluten depuis des décennies ou que vous envisagiez de l'adopter, ce livre regorge d'informations qui vous aideront dans tous les aspects de votre vie quotidienne : votre santé, mais aussi votre façon de faire du shopping, de cuisiner, de manger, de vivre en société et de gérer vos émotions.

Je vis sans gluten depuis quelques années et je n'ai pas d'autres objectifs (à part peut-être d'enfiler une cape et un masque pour devenir, la nuit, un « Glutenator », le chevalier noir qui combat le gluten !) que de promouvoir les vertus d'un style de vie qui a sauvé la mienne.

Que vous optiez ou non pour ce mode de vie n'a pas réellement d'importance pour moi. Je n'ai rien à vous vendre, ni compléments alimentaires ni produits sans gluten. Ce qui compte pour moi, c'est de faire de mon mieux pour vous apporter le plus d'informations possibles afin que vous puissiez prendre des décisions saines et réfléchies. Ce livre est un guide de référence sur ce mode de vie, pour apprendre à vivre – et aimer vivre – sans gluten.

Les conventions utilisées dans ce livre

Pour vous aider à naviguer dans cet ouvrage, nous avons observé quelques conventions :

- J'invente des mots mais leur signification est assez facile à deviner. Par exemple, *gluténisé* veut dire qu'un produit est contaminé par du gluten, *glutenovore* est une personne qui mange des produits contenant du gluten, le *Glutenator* est la personne qui se bat contre les méfaits du gluten, etc. C'est drôle, non ? Je suis sûre que vous allez inventer également de nouveaux *glutenologismes*.

- Les adresses de sites Internet sont composées dans une police différente afin que vous puissiez facilement les repérer.

- N'hésitez pas à modifier les recettes proposées. Si vous manquez d'un ingrédient, choisissez-en un de substitution. Votre recette alternative sera peut-être meilleure que l'originale, qui sait !

Voici quelques conventions utilisées pour les ingrédients :

- Chaque ingrédient doit être nécessairement sans gluten. Je ne spécifie pas, par exemple, « vanille sans gluten » car la vanille est naturellement sans gluten. La sauce soja au contraire contient bien souvent du gluten, mais quand je la mentionne dans une recette, c'est bien sûr de la sauce soja sans gluten qu'il faut utiliser.

- Pour réussir vos pâtisseries sans gluten, utilisez un mélange de plusieurs farines (ou un mélange prêt à l'emploi). Retrouvez tous les conseils pour obtenir les meilleurs résultats au chapitre 10.

- Des substituts au lait peuvent être utilisés dans toutes les recettes.

- Les œufs sont toujours de gros calibres.

- Vous pouvez remplacer le beurre par de la margarine (ou margarine végétale).

Ce que vous n'êtes pas obligé de lire

Vous serez paré à entreprendre un régime sans gluten si vous lisez *tout* ce livre. Mais si vous êtes un lecteur zappeur, vous pouvez naviguer entre les chapitres à votre guise sans pour autant manquer l'essentiel du sujet. Vous pourriez « zapper » les points suivants :

✔ **Les notes techniques** : elles vous apportent des informations intéressantes (voire fascinantes parfois !) mais ne sont pas cruciales pour comprendre le sujet.

✔ **Les encadrés** : ils contiennent des anecdotes, témoignages, informations accessoires et autres détails qui peuvent vous intéresser ou non. Lisez-les ou n'en tenez pas compte, à votre guise.

✔ **Les recettes** : sauf si vous décidez d'en réaliser une, il n'est pas nécessaire de lire d'une traite toutes les recettes proposées dans ce livre. N'hésitez pas à piocher dans la troisième partie quand vous avez une petite faim ou manquez d'idées pour le repas.

Hypothèses gratuites

Si vous avez acheté ce livre, c'est que le sujet vous intéresse. Vous êtes directement concerné, ou bien l'un de vos proches (conjoint, parent, enfant, ami) l'est. Je présuppose que vous vous intéressez, comme moi, au sujet, pour l'une des raisons suivantes :

✔ Vous songez à adopter le régime sans gluten et vous allez utiliser ce livre pour faire votre choix avant de tenter le grand plongeon.

✔ L'un de vos proches est au régime sans gluten et vous souhaitez tout connaître de ce style de vie pour pouvoir le soutenir au mieux.

✔ Vous venez d'adopter ce régime (par choix ou pour raisons médicales) et vous cherchiez le « guide » qui vous aiderait à vous lancer dans votre nouveau style de vie.

✔ Vous avez adopté le régime sans gluten depuis quelques années et souhaitez mettre à jour vos connaissances sur le sujet.

✔ Vous êtes un professionnel de la restauration et vous souhaitez en savoir plus sur le régime sans gluten pour vous adapter au mieux à vos clients.

Vous pouvez également faire des suppositions à mon sujet :

✔ Le sujet de ce livre me touche personnellement. Je suis intolérante au gluten et immergée dans le régime sans gluten depuis quatre ans. Je suis passée par tous les états dont je parle dans ce livre, par toutes les questions auxquelles j'essaie de répondre avec le plus de précision possible et avec le soutien d'experts dans leurs domaines. C'est aussi pour ces raisons que j'ai créé un blog sur le sujet. J'espère que mon engagement pour ce style de vie vous aidera vous aussi à avancer.

✔ À ma connaissance, les informations contenues dans ce livre sont correctes et elles ont été vérifiées par des experts compétents dans leurs domaines.

✔ Ce livre n'est pas destiné à fournir des conseils médicaux. Ce n'est pas un livre de médecine. Vous devez consulter votre médecin en cas de doutes sur vos pathologies, et pour déterminer avec lui la nécessité d'adopter le régime sans gluten pour raison médicale. Voilà pour les mentions légales !

Comment ce livre est organisé

Vivre sans gluten pour les Nuls est organisé par thématiques. Ainsi, je ne fais pas trop de redondances même si j'inclus parfois des renvois entre rubriques connexes. Ce livre comporte cinq parties. Chaque partie contient plusieurs chapitres et chaque chapitre est divisé en sections.

Première partie : Vivre sans gluten : le comment du pourquoi

Comme son nom l'indique, cette partie vous plonge dans les bases du régime sans gluten. Le chapitre 1 notamment vous donne une vue d'ensemble sur le sujet. Les suivants vous permettront d'envisager d'adopter ce style de vie et de comprendre tous les impacts du gluten sur votre santé. Listes d'aliments autorisés, interdits, aliments de remplacement, apports nutritionnels, vitamines et compléments alimentaires, vous saurez tout sur les tenants et aboutissants du régime sans gluten.

Deuxième partie : Se préparer et s'organiser avant de cuisiner

Découvrez dans cette deuxième partie tous les conseils pour vous organiser avant de cuisiner : nutrition, préparation de votre cuisine, planification des menus, achats de produits et toutes les techniques qui vous aideront à vous engager dans la cuisine sans gluten.

Troisième partie : Des recettes sans gluten pour tous les gastronomes

Les recettes présentées dans cette partie ne sont pas des recettes de chef cuisinier mais d'amatrices de cuisine sans gluten, qui gèrent leur régime en restant bonnes vivantes et gourmandes. Vous y découvrirez des recettes simples, faciles à réaliser, savoureuses et à la portée de tous les budgets.

Quatrième partie : Vivre et aimer vivre sans gluten 24 heures sur 24, 7 jours sur 7

Nombreux sont ceux pour qui vivre sans gluten est un défi à la fois pratique, social et émotionnel. Dans cette partie, vous trouverez des conseils pour gérer votre régime au quotidien : faire vos courses, cuisiner, manger au restaurant, voyager, gérer le régime de vos enfants, mais aussi surmonter les obstacles émotionnels que vous pourrez rencontrer.

Cinquième partie : La partie des Dix

Que serait un livre « Pour les Nuls » sans la partie des Dix ? Cet ouvrage ne déroge pas à la tradition. La partie des Dix est composée de courts chapitres contenant dix conseils, dix questions/réponses, dix faits à retenir pour bien vivre sans gluten.

Les icônes utilisées dans ce livre

Certaines personnes apprécient les repères visuels dans un livre. C'est pourquoi cet ouvrage utilise plusieurs icônes et chacune a sa propre signification :

Ces petits trucs et conseils peuvent vous aider à mieux vivre et aimer votre vie sans gluten. Astuces pour gagner du temps, pour optimiser une recette, réduire votre frustration, il y en a pour tous les goûts.

Cette icône est un moyen rapide et facile d'identifier les points les plus importants à retenir sur le sujet.

Un texte marqué de l'icône « Attention » peut vous éviter des ennuis et vous être très utile.

Parfois, j'aborde des détails un peu plus techniques ou scientifiques. Certains apprécieront. D'autres vont s'ennuyer à mourir. C'est pourquoi je les ai isolés et identifiés par cette icône. Ainsi, vous pouvez les ignorer si vous le souhaitez sans pour autant manquer l'essentiel du chapitre.

Et maintenant, par où commencer ?

Vivre sans gluten pour les Nuls est organisé, comme tous les livres de la collection « Pour les Nuls », de sorte que vous n'ayez pas à le lire d'une traite et dans l'ordre. Vous pouvez le picorer à votre guise, selon vos envies et vos besoins, un chapitre par-ci, un chapitre par-là. Tout ce que vous avez à faire est de choisir une thématique qui vous interpelle et de la creuser.

Je vous conseille de parcourir le sommaire et de choisir, pour commencer, un sujet qui vous intéresse. Vous pouvez aussi feuilleter ce livre et laisser une thématique attirer votre attention.

Si vous êtes novice sur le sujet et avez des tonnes de questions, il vaut mieux démarrer au chapitre 1 et lire ce livre dans l'ordre.

Si vous êtes au régime sans gluten depuis longtemps, jetez un œil au chapitre 5. Vous pourriez être surpris par la liste des aliments autorisés (eh oui, elle a évolué avec le temps !). Peut-être découvrirez-vous dans ce livre de nouveaux horizons qui vous semblaient autrefois hors de portée.

Je vous suggère, maintenant, de vous installer dans un fauteuil confortable, de vous détendre et de vous plonger dans la lecture de ce livre. Si une partie ne vous intéresse pas, vous pouvez facilement la zapper et passer à la suivante.

Si vous vous sentez un peu déprimé, j'espère que ma passion sincère pour ce style de vie et pour tous les bienfaits que ce régime a apporté à ma santé va vous toucher et vous apporter de l'optimisme et de l'inspiration pour votre propre vie.

Première partie

Vivre sans gluten : le comment du pourquoi

*Tu vois, supprimer le gluten, ce n'est pas si difficile !
Et maintenant, si on supprimait cette barbiche ?*

Dans cette partie...

Nous couvrirons dans cette partie les bases du régime sans gluten, l'impact du gluten sur votre santé et les nombreuses pathologies médicales et psychologiques qui peuvent s'améliorer en adoptant ce régime. Vous pourrez ainsi décider si, oui ou non, ce mode de vie vous conviendrait.

Nous parlerons également de l'éviction de la caséine car nombreux sont ceux qui doivent vivre sans gluten et sans caséine.

Nous détaillerons les bases du régime sans gluten et découvrirons des aliments dont vous n'avez peut-être jamais entendu parler, certains étant pourtant beaucoup plus nutritifs que ceux qui contiennent du gluten.

Enfin, nous explorerons les sources cachées de gluten. Ainsi, vous pourrez vous assurer que les produits que vous achetez en sont exempts.

Qu'attendez-vous pour commencer ? Aujourd'hui est peut-être le premier jour du reste de votre vie sans gluten.

Chapitre 1

Les bases du régime sans gluten

*J*e pensais que le médecin avait fait une erreur : « Vous voulez dire le *glucose*, non ? lui ai-je répondu avec une pointe d'exaspération. Je ne peux plus manger de *glucose*, alors fini pour moi les bonbons, c'est bien ça ? »

« Non, j'ai dit le *gluten* », a-t-elle insisté. Je suis restée assise là, le regard vide. Que pouvait bien être ce foutu gluten ? Je n'en avais aucune idée. Et elle a enchaîné : « Fini, les pâtes, le pain et les pizzas. Voilà pour les grandes lignes et je vous laisse discuter avec la diététicienne pour tous les détails. »

Ce soir-là, j'ai erré dans les rues de la ville, retrouvé un ami dans un restaurant et l'ai regardé manger, sans rien commander, déprimée, oscillant entre l'idée de mourir de faim ou de solitude, persuadée que ma famille italienne d'origine allait me bannir du clan. Mais, après une bonne nuit de sommeil, et avec mon caractère de battante, je me suis réveillée déterminée à tout comprendre, tout savoir pour transformer cette mauvaise nouvelle en force positive et partager toutes mes connaissances avec ceux qui auraient peut-être le même problème que moi.

C'était il y a seulement quatre ans. J'étais loin d'imaginer que le mouvement de l'alimentation « sans gluten » allait prendre autant d'ampleur, en quelques années, et devenir l'un des modes de vie ayant connu la plus forte croissance dans le monde. Ma mission allait être de taille ! Ce chapitre vous donne un aperçu des bases du mode de vie sans gluten.

Qu'est-ce que le gluten et où le trouve-t-on ?

Il existe plusieurs définitions du *gluten*, une qui est techniquement correcte mais peu usitée et une autre techniquement moins correcte mais couramment utilisée. Je vous détaille ces deux définitions au chapitre 5. Voici, pour bien démarrer sur le sujet, la définition la plus commune : le gluten est un mélange de protéines que l'on trouve dans le blé, le seigle et l'orge. L'avoine ne contient pas de gluten mais peut être contaminée (mais, depuis peu, et contrairement aux États-Unis, elle est autorisée en Europe).

Vous trouverez la liste des aliments autorisés et interdits au chapitre 5, telle que recommandée par les associations d'intolérants au gluten. Vous devez connaître, dans les grandes lignes, ce que le régime implique et quels sont les aliments qui contiennent du gluten, afin de les éviter. Les aliments contenant de la farine sont à proscrire, notamment les suivants :

- Pains
- Bagels
- Cookies, cakes, et la majorité des produits de boulangerie et pâtisserie
- Crackers
- Pâtes
- Pizza
- Bretzels

Ces produits contiennent du gluten de toute évidence mais il est plus difficile de le repérer dans une multitude d'autres aliments tels que la réglisse ou la bière. Pour vous assurer que vos plats sont exempts de gluten, vous devez apprendre à lire les étiquettes des produits, voire à contacter les fabricants ou les associations pour obtenir, si nécessaire, davantage d'informations (plus de détails sur ce sujet au chapitre 6).

Vous allez *devoir éviter* certains aliments mais vous n'avez pas à *vivre sans*. Subtile différence certes, mais très encourageante. En effet, il existe sur le marché de nombreuses versions sans gluten de produits « traditionnels ». Je vous en dis plus au chapitre 9.

Mais je pensais que le blé était bon pour moi !

Il existe une multitude de produits « sans blé » (dont certains, comme l'épeautre et le kamut, ne le sont pas vraiment !). Attention donc : « sans blé » ne signifie pas « sans gluten ».

On trouve du gluten dans le blé mais aussi dans le seigle et l'orge, l'épeautre, le triticale, le kamut – l'avoine était aussi exclue du régime jusqu'à présent. Un aliment peut être exempt de blé mais pas forcément de gluten. Le malt, par exemple, est souvent issu de l'orge. Dans ce cas, le produit est « sans blé » mais pas « sans gluten ».

Nous sommes tous les jours inondés de messages publicitaires qui vantent les vertus du blé – notamment le blé complet. Le blé et les céréales servent de base à notre alimentation. Puisqu'ils sont sources de fibres et de nutriments, on nous recommande d'en manger chaque jour. Alors, comment est-il possible que le blé puisse être à l'origine de tant de problèmes de santé ?

Pour les quatre raisons suivantes, le blé ne peut pas être la base d'un régime diététiquement parfait :

- ✔ **Le blé est apparu hier.** Le blé a été introduit il y a environ 10 000 ans, au moment de la révolution agricole – en termes d'évolution, autant dire hier. Avant cela, les être humains mangeaient des viandes maigres, des fruits de mer, des légumes pauvres en amidon, des baies et des fruits. Quand le blé est apparu, il était totalement étranger à leur régime alimentaire.

- ✔ **Le blé a évolué trop vite.** Le blé ancien (engrain) comportait 14 chromosomes et renfermait moins de gluten que le blé moderne. Au fil du temps et des croisements effectués par l'homme, le blé est passé de 14 chromosomes à 28 puis rapidement à 42 et comportait beaucoup plus de gluten. C'est cette évolution rapide du blé qui, selon certains spécialistes, pourrait expliquer que notre système digestif ne le digère plus.

- ✔ **L'être humain n'est pas fait pour digérer le blé.** Le corps humain doit s'adapter pour le tolérer et certaines personnes ne le tolèrent pas du tout. Nous n'avons qu'un seul estomac – ce n'est pas suffisant pour digérer le blé. Les vaches possèdent quatre estomacs (en réalité un estomac et trois pré-estomacs). C'est pourquoi la vache Marguerite supporte bien le blé. Le blé passe de l'un de ses estomacs à l'autre – enfin, vous imaginez le dessin. Au moment où le blé atteint son quatrième estomac, il a été totalement digéré et Marguerite se sent parfaitement bien.

✔ **Le blé contribue fortement à la perméabilité intestinale (syndrome de l'intestin perméable).** La muqueuse de notre intestin grêle est comme une barrière de haute précision. Elle nous protège des molécules indésirables en laissant passer les nutriments nécessaires à notre corps. Elle fabrique une protéine, appelée *zonuline*, qui régule l'ouverture de la paroi intestinale pour laisser passer vitamines et minéraux dans le sang.

Lorsque certaines personnes mangent du blé, elles produisent trop de *zonuline* et les portes de l'intestin grêle s'ouvrent trop largement. Toutes sortes de molécules pénètrent alors dans le sang, bonnes *et* mauvaises. Cette augmentation de la perméabilité de la muqueuse de l'intestin grêle, ou *syndrome de l'intestin perméable*, peut entraîner de nombreux problèmes de santé.

Les bienfaits d'une vie sans gluten

Une vie sans gluten n'est pas uniquement affaire de régime. Ce livre parle bien sûr d'alimentation, mais le régime en lui-même n'en représente qu'une courte partie. Vivre sans gluten ne veut pas simplement dire supprimer le gluten de son alimentation. Le régime touche chaque aspect de notre vie, de la façon dont nous communiquons avec les autres à nos activités sociales (sorties, voyages) et familiales, et nous oblige à faire face à de multiples obstacles émotionnels.

Il est vital de prendre, dès le départ, le contrôle sur votre alimentation – ou, si ce sont vos enfants qui doivent vivre sans gluten, de les aider à le faire. Adopter ce régime vous donne l'occasion de tendre la main aux autres et de les aider, mais aussi d'acquérir des connaissances précieuses en matière de nutrition. Cela représente beaucoup de travail, vous allez me dire ! Mais rassurez-vous, je vais vous guider pas à pas. Non seulement vous allez retrouver une meilleure santé mais vous allez aussi vous sentir mieux dans votre peau !

Vous n'êtes pas seul. Le « mode de vie sans gluten » prend de l'ampleur. Les gens l'adoptent pour diverses raisons, la principale étant qu'ils se sentent souvent mieux en supprimant le gluten de leur alimentation.

Nous vivons tous à cent à l'heure, à la poursuite du « tout, tout de suite », et on nous promet des solutions rapides, voire instantanées à tous nos problèmes, si nous acceptons de jouer le jeu de la société de consommation. Changer à la fois votre alimentation et votre mode de vie n'est ni facile, ni immédiat, mais enclenchez ces changements et vous serez surpris des bienfaits que vous en tirerez – pas de chirurgie ni de médicaments au programme ! Cette partie du livre vous présente tous les bienfaits du régime sans gluten sur la santé.

Manger n'est pas censé vous faire du mal

La nourriture est votre carburant – elle est censée vous donner de l'énergie, pas vous faire du mal. Mais quand votre corps ne tolère pas un aliment, pour une raison ou pour une autre, il n'a parfois pas d'autres moyens de vous le dire qu'en vous indisposant : gaz, ballonnements, diarrhée, constipation, nausée et parfois même d'autres symptômes qui ne sont pas associés au tractus gastro-intestinal, comme les migraines, la fatigue, la dépression, les douleurs articulaires, voire une détresse respiratoire.

Fort heureusement, quand vous connaissez les aliments qui provoquent ce type de réactions dans votre corps, il vous suffit de ne plus les ingérer pour que votre corps s'apaise. Si vous le nourrissez correctement, votre corps se sent bien et vous vous sentirez mieux sur tous les plans.

L'abstinence permet à votre intestin de se rétablir

Quand le gluten vous rend malade, une bataille impitoyable se livre au cœur de vos intestins.

La muqueuse de l'intestin grêle est tapissée de petites saillies semblables à des doigts qu'on appelle les *villosités*. Leur fonction est de permettre une augmentation des processus d'absorption des nutriments par augmentation de la surface intestinale. Ces villosités possèdent des terminaisons qui ressemblent à des poils, lesquels absorbent les nutriments et leur permettent de passer dans le sang.

Chez les personnes atteintes d'une intolérance au gluten, le système immunitaire, en attaquant les molécules de protéines du gluten, endommage les villosités induisant ainsi un aplatissement, voire la disparition de ces villosités.

Des villosités atrophiées ou aplaties ne peuvent plus absorber correctement les nutriments. Vous n'absorbez plus assez de vitamines, de minéraux et autres nutriments essentiels pour maintenir votre bonne santé physique et émotionnelle. Vous risquez de développer ce qu'on appelle un *syndrome de malabsorption* et de nombreuses carences.

Ne vous inquiétez pas ! Cette histoire a une *happy end*. Vos villosités sont tenaces et dès l'instant où vous supprimez le gluten de votre alimentation, elles commencent à guérir. Elles repoussent, recommencent à absorber les nutriments et votre santé s'améliore immédiatement. C'est pourquoi je dis que l'abstinence permet à vos intestins de se rétablir.

La *lactase* – enzyme qui décompose le lactose – est produite sur les pointes des villosités. Lorsque les villosités s'atrophient, votre capacité à digérer le lactose peut diminuer et une intolérance au lactose peut temporairement s'installer. Grâce à votre éviction du gluten, vos villosités guérissent et vous tolérez de nouveau les produits laitiers.

Faites de la nutrition votre priorité

Bouddha a dit : « L'homme sage est celui qui va bien de l'intestin. » Sans aucun doute ! Si vos intestins ne sont pas détendus – ou s'ils sont carrément tendus –, d'autres parties de votre corps en seront affectées. C'est un peu comme si l'humeur grincheuse de votre meilleur ami déteignait sur vous. Un intestin acariâtre peut devenir un ennemi pour tout votre corps.

La réaction de votre corps au gluten est imprévisible. Ingérer du gluten peut provoquer des maux de tête, de la fatigue, des douleurs articulaires, de la dépression ou de l'infertilité. Au premier abord, ces types de symptômes peuvent sembler n'avoir aucun rapport avec ce qu'il se passe dans vos intestins, encore moins avec des aliments que vous mangez et encore moins avec un aliment aussi courant que le blé.

Mais ces symptômes – et environ 250 autres – sont des signes de la maladie cœliaque et de la sensibilité au gluten. Les personnes qui en sont atteintes ont parfois des troubles gastro-intestinaux mais souffrent aussi de symptômes extra-intestinaux (qui ne concernent pas le système digestif).

Si votre corps tolère mal le gluten, le régime sans gluten peut vous aider à soulager de nombreux symptômes comme :

- Fatigue
- Troubles gastro-intestinaux (gaz, ballonnements, diarrhée, constipation, vomissements, nausées, brûlures d'estomac et reflux acide)
- Maux de tête (y compris les migraines)
- Problèmes de concentration
- Gain ou perte de poids
- Infertilité
- Douleurs musculaires, articulaires ou osseuses
- Dépression
- Problèmes respiratoires

Elle est impressionnante, cette liste, n'est-ce pas ? L'idée que la seule suppression du gluten de votre alimentation puisse améliorer autant de pathologies est difficile à croire ? Pourtant, c'est vrai. Si la nourriture que vous ingérez est toxique pour votre corps, il va vous le faire savoir de multiples façons.

Chez les personnes atteintes d'intolérance au gluten, son ingestion peut aggraver les symptômes de troubles psychiatriques. Les résultats de certaines études sont fascinants car ils montrent que l'éviction du gluten peut améliorer le comportement de personnes atteintes de :

- Autisme
- Troubles de l'humeur
- Troubles de déficit de l'attention et hyperactivité (TDAH)

Je vous en parle plus en détail au chapitre 4.

Des millions de personnes ont une allergie au blé – elle est différente de la sensibilité au gluten ou de la maladie cœliaque – et eux aussi se sentent beaucoup mieux en adoptant un régime sans blé et sans gluten.

Un régime sans blé permettrait aussi d'améliorer les symptômes prémenstruels et ceux de la ménopause et d'agir sur le vieillissement de la peau et les douleurs articulaires.

Gérez vos repas

Ce livre parle d'un style de vie, et non pas seulement d'un régime. Peu importe ce que vous faites – manger à la maison, à l'extérieur, sortir avec des amis, faire du shopping ou cuisiner –, la vie sans gluten se résume en un seul mot : « nourriture ».

Si vous êtes *cuisinophobe* et pensez qu'il va falloir vous lever à 4 heures du matin pour pétrir votre pain sans gluten ou faire des gâteaux, vous pouvez dormir tranquille. Il existe, sur le marché, de nombreux produits sans gluten prêts à l'emploi, équivalents aux produits traditionnels que vous aviez l'habitude de manger. Peut-être allez-vous vous rendre compte que ces aliments ne vous sont pas si vitaux et qu'ils ne sont pas très sains pour votre santé. Qui sait…

Que vous soyez cuisinophobe ou gourmand invétéré, le style de vie sans gluten vous ouvre de vastes perspectives en matière d'alimentation.

Préparez et organisez des repas sains

Préparer des repas sains et sans gluten est beaucoup plus facile que vous ne le pensez, si vous vous organisez à l'avance. Se balader dans les rayons d'un supermarché, parcourir le menu d'un restaurant ou faire la queue dans une boulangerie le ventre vide ne va pas vous aider à faire les bons choix.

Donnez-vous toutes les chances de gérer vos repas de façon optimale en les planifiant à l'avance, surtout si vous mangez fréquemment à l'extérieur. Si vous êtes pressé par le temps, le matin au petit déjeuner ou le midi au bureau, préparez vos repas la veille et emportez-les avec vous.

Ce nouveau mode de vie vous offre la possibilité de goûter à des aliments insolites, aux saveurs uniques, dont vous n'avez peut-être jamais entendu parler. Non seulement ils sont délicieux, mais ils sont également dotés d'un fort pouvoir nutritionnel. Grâce aux nouvelles perspectives que vous ouvre le mode de vie sans gluten, qui sait, vous aurez peut-être envie de partir explorer d'autres horizons culinaires.

Faites vos courses astucieusement

La façon la plus saine d'appréhender le régime sans gluten est de manger des aliments que vous pouvez trouver dans n'importe quel supermarché, épicerie ou marché de produits frais : viande, poisson, fruits de mer, fruits et légumes non farineux (voir le chapitre 9). Si vous souhaitez y ajouter des aliments en conserve ou transformés (voire de la nourriture de fast-food), c'est encore possible car les produits sans gluten sont de plus en plus répandus et accessibles.

Pour profiter du vaste choix de produits sans gluten disponibles dans le commerce, promenez-vous dans les rayons « sans gluten » des magasins bios ou de produits naturels, même dans un hypermarché. Ou bien faites votre shopping en pyjama, tranquillement installé dans votre lit, sur l'un des sites Internet spécialisés en produits sans gluten.

Le coût du régime sans gluten vous inquiète ? Vous ne devriez pas stresser. Il n'est pas nécessaire de grever votre budget. Je vous donne des bons plans pour faire du shopping au chapitre 9.

Repensez votre cuisine

Une cuisine sans gluten ressemble, dans l'ensemble, à une cuisine « normale » sauf qu'elle est « sans gluten » ! Inutile de vous ruer dans les magasins pour trouver des gadgets improbables, des ustensiles spécifiques ou d'acheter en double récipients, poêles et casseroles. Quelques exceptions sont pourtant à prendre en compte. Je vous en parle au chapitre 8.

Si vous êtes cœliaque et partagez votre cuisine avec des *glutenovores*, vous devez apprendre à gérer les risques de contamination croisée, de sorte qu'aucun de vos aliments ne soit *gluténisé* par inadvertance. Nettoyer toutes vos miettes n'est plus seulement une question d'hygiène mais nécessaire pour faire la différence entre un repas que vous pouvez manger et un repas qui vous serait toxique.

Certains dédient des étagères dans leurs placards aux produits sans gluten. C'est une bonne idée, tout particulièrement si vous avez des enfants au régime sans gluten car ils trouveront ainsi très facilement les produits qu'ils sont autorisés à manger.

Sachez cuisiner sans recette

Si vous donnez une recette à quelqu'un, vous lui donnez à manger pour un repas. Mais si vous lui montrez comment cuisiner (sans gluten, bien sûr), vous le nourrissez pour la vie. Vous pouvez réaliser n'importe quelle recette en version sans gluten. Rien ne vous limite, même les recettes qui nécessitent traditionnellement de la farine de blé ou de la chapelure. Tout ce dont vous avez besoin, c'est d'un peu de créativité et de quelques directives précises sur l'utilisation d'ingrédients sans gluten de substitution (voir le chapitre 10).

Si vous aimez cuisiner à partir d'une recette, ne vous inquiétez pas, vous en trouverez aux chapitres 11 à 17. Pour la plupart, elles sont très simples à suivre et impressionneront à coup sûr vos invités.

Apprenez à aimer votre vie sans gluten

La plupart des personnes qui optent pour une vie sans gluten le font pour des raisons de santé – elles n'ont donc pas le choix. Quand on se sent obligé de changer nos habitudes, nous ne sommes pas forcément heureux et joyeux.

Si vous vous sentez un peu déprimé devant ce challenge, je vous comprends. Mais préparez-vous à découvrir dans ce livre des tonnes de raisons de retrouver le sourire (rendez-vous notamment aux chapitres 21 et 22).

Changez votre vision de la nutrition

Si vous avez mangé du gluten pendant de longues années (vous étiez donc ce que j'appelle un *glutenovore*) – par exemple, durant toute votre vie, ce qui a été mon cas –, changer totalement votre alimentation peut vous sembler, au départ, insurmontable. Au-delà du défi de débusquer les sources de gluten dans votre vie quotidienne, ce sont les challenges émotionnels, physiques, sociaux, et même financiers qui peuvent sembler les plus difficiles à assumer.

En réalité, la seule chose, fondamentale, à apprendre, c'est d'aimer ce mode de vie et de modifier votre vision de la nourriture. Tout ne vous est pas interdit. Vos plats préférés peuvent le rester mais simplement sous une forme légèrement différente.

Saisissez aussi cette occasion pour adopter une nouvelle approche de la nutrition, plus saine et orientée vers la recherche de votre bien-être : manger des viandes maigres, des fruits frais et des légumes non farineux (comme le préconise le régime « paléo »). Retrouvez plus d'informations sur cette approche de la nutrition au chapitre 7.

Goûtez aux saveurs du « sans gluten »

Les nouveaux adoptants du régime sans gluten ont parfois l'impression de suivre un régime rébarbatif. Quand je leur demande ce qu'ils mangent, ils me parlent bien souvent de galettes de riz et de carottes râpées sans sauce. Qui ne s'ennuierait pas avec un tel régime ? C'est en effet rédhibitoire !

J'adore la nourriture. J'aime toutes les saveurs, la sensation d'avoir bien mangé, d'avoir fait le plein de nutriments pour me donner de l'énergie. J'aime surtout goûter de nouveaux aliments – tant qu'ils sont sans gluten, bien sûr. Je ne vous encouragerai jamais à vous contenter de manger tous les jours les mêmes aliments fades.

Un régime alimentaire sain et sans gluten n'a pas à être ennuyeux ni restrictif. Vous n'êtes aucunement obligé de manger 32 portions de fruits et légumes par jour et de grignoter toute la journée des carottes crues. Vous aimez les aliments fades ? Au temps pour moi ! Mais si vous pensez que manger sans gluten est sans saveur, attendez-vous à avoir de sacrées surprises dans ce livre.

Sortez et voyagez

Vivre sans gluten ne doit absolument pas vous empêcher de vivre. Bon, oui, c'est vrai, il y a des choses que vous ne pouvez plus faire – comme commander une pizza ou dévorer des éclairs au chocolat à la pâtisserie du quartier. Mais, en ce qui concerne votre vie quotidienne, vous pouvez – et DEVEZ – continuer de sortir et de voyager, comme avant.

Commander dans un restaurant est certes un peu plus compliqué à gérer, mais manger à l'extérieur est tout à fait possible. Il vous suffit d'apprendre à lire les menus et à expliquer vos besoins au personnel. Si vous savez le faire, alors plus rien ne vous empêchera de sortir (et, par chance, des lieux 100 % sans gluten s'ouvrent un peu partout). Pour les événements sociaux et les vacances, il faudra vous organiser un peu à l'avance, mais une fois que vous aurez pris le pli, ce sera un jeu d'enfant. Il ne vous restera plus qu'à apprendre les mots clés du vocabulaire du « sans gluten » dans la langue du pays que vous comptez visiter. Retrouvez au chapitre 18 des conseils pour sortir et voyager.

Apprenez à vos enfants à aimer ce mode de vie

Quand on apprend que son enfant va devoir vivre sans gluten pendant toute sa vie, on est forcément traversé par de multiples émotions qui vont de l'inquiétude à l'angoisse totale en passant par la tristesse. Il est normal de se sentir, au début, accablé et frustré, car il n'est pas l'enfant en parfaite santé dont tout le monde rêve. Il est facile de rester focalisé sur les difficultés que cela implique. Mais plus vite vous vous attellerez à mettre en place les modifications nécessaires à son nouveau style de vie (elles ne sont pas si compliquées), plus vite vous apprendrez et plus vite il apprendra à l'apprécier.

Ce sont sa vie, son alimentation et son futur qui sont concernés. Fort heureusement, les enfants ont une capacité d'adaptation incroyable, sûrement plus grande que la nôtre, alors ils passeront le cap, ne vous inquiétez pas. Votre rôle est de les accompagner pour les aider à bien vivre leur régime sans gluten.

Donnez-leur le contrôle sur leur régime le plus tôt possible, ayez toujours une gourmandise sans gluten à portée de main, insistez sur les bienfaits de ce régime sur leur santé (si vous avez besoin d'une antisèche, rendez-vous au chapitre 21). Rappelez-vous que c'est auprès de *vous* que vos enfants vont apprendre à aimer leur vie. Le chapitre 19 vous prodigue des conseils pour soutenir vos petits intolérants au gluten.

À l'adolescence, vos enfants doivent avoir pleinement pris le contrôle sur leur alimentation. À ce stade de leur vie, tout ce que vous pouvez faire est de les aider à comprendre ce régime et à mesurer les conséquences de leurs écarts.

Les enfants ont une capacité d'adaptation et de résilience incroyable. Adopter un nouveau mode de vie est souvent plus facile pour eux que pour leurs parents.

Ayez des attentes réalistes

Certains me trouvent trop enthousiaste au sujet de ma vie sans gluten. Je suis optimiste, oui, mais je n'ai pas perdu le sens des réalités !

Il est important d'avoir des attentes réalistes sur votre vie sans gluten. Vous allez être confronté à de multiples défis et vous devez y être préparé. Vos amis, votre famille, votre conjoint pourraient ne pas comprendre. Ils auront peut-être du mal à s'adapter à votre régime ou à saisir vos besoins. Il vous arrivera de ne pas avoir la force ou l'envie d'aller à une soirée de peur de ne pas pouvoir y manger, de vous sentir déprimé et frustré, et même de vouloir tout abandonner. Vous pouvez surmonter ces épreuves et vous en sortirez grandi, j'en suis sûre.

Ce livre est le guide qui peut vous accompagner sur le chemin de cette nouvelle vie – picorez-le par morceau, mettez des Post-it sur les parties qui vous intéressent et sur les informations qui peuvent vous servir au quotidien. Si vous choisissez d'avoir une approche optimiste mais réaliste de votre vie, vous rencontrerez moins d'obstacles sur votre route.

Trouvez les bonnes sources d'information

La bonne nouvelle est que le régime sans gluten gagne chaque jour en popularité. On trouve de l'information à foison sur Internet, dans les médias et en librairie. La mauvaise nouvelle est que certaines de ces informations peuvent être très approximatives, voire inexactes.

Gardez toujours un œil critique sur tout ce que vous lisez ou entendez et prenez le temps de vérifier la pertinence de ces informations.

Je vous propose quelques sources d'informations très utiles au chapitre 6.

Le régime sans gluten a sauvé mon fils

Voici le témoignage de Danna, mon homologue américaine. Elle nous raconte l'histoire de son fils Tyler, diagnostiqué cœliaque à l'âge de 20 mois :

« Jusqu'en 1991, ma famille et moi suivions un régime alimentaire typiquement américain. J'étais consciente de devoir faire attention aux graisses, aux calories et aux sucres mais nous ne passions pas notre temps à nous inquiéter de notre nourriture ou de ses effets à long terme sur notre santé.

Tout cela a changé quand mon premier enfant, Tyler, a développé à l'âge de 9 mois une diarrhée chronique. La pédiatre pensait qu'elle était due aux antibiotiques que Tyler prenait pour soigner ses otites à répétition et m'a dit de la rappeler quelques semaines plus tard si aucune amélioration n'était constatée. Trois semaines plus tard, je retournais dans son bureau et elle m'a proposé : "Donnez-lui des aliments qui pourraient le constiper comme des crackers et du pain et rappelez-moi dans quelques semaines s'il n'y a toujours pas de changement."

J'ai attendu, même si la patience n'est pas mon fort, mais j'ai attendu. Trois semaines plus tard, nous sommes retournés chez la pédiatre. "Ne vous inquiétez pas, il n'est pas déshydraté, il est dans la moyenne basse en poids et en taille mais dans la moyenne. Ce n'est pas la peine de s'inquiéter." Ah oui ? J'ai presque dû le mettre sous perfusion et il n'est pas déshydraté ? Et s'il est passé dans la moyenne basse alors qu'il était avant dans la moyenne haute, ça n'a rien à voir ? Apparemment, non. Elle m'a demandé de ne pas revenir la voir au sujet de la diarrhée car il ne fallait plus que je m'inquiète et elle m'a virée de son cabinet.

Je suis allée prendre un deuxième avis. Il était du même ordre que le premier. Le médecin a regardé ses oreilles, son nez et sa gorge et m'a dit que mon fils était en bonne santé. "Mais que dire de sa diarrhée, docteur ? — Ne vous inquiétez pas" et il est passé au rendez-vous suivant. Je me suis retenue de poser sur son bureau l'une des 22 couches de Tyler que je changeais chaque jour à cause de cette diarrhée, mais j'ai réussi à garder, de peu, mon sang-froid.

Désespérée, j'ai de nouveau changé de médecin et, après un rapide coup d'œil dans la gorge, les oreilles et le nez de mon fils, rien ne se passa. Encore… À cette époque, le ventre de Tyler était très distendu, ses bras et ses jambes s'étaient amaigris et son caractère avait changé. Mon bébé plein d'énergie était devenu apathique, irritable et silencieux. Cela faisait près d'un an que cette diarrhée chronique avait commencé et nous en étions arrivés à croire que nous n'étions juste que des parents névrosés devant un enfant qui faisait beaucoup caca.

Finalement, j'ai atterri dans le bureau du docteur n° 4. Après avoir regardé son nez, sa gorge et ses oreilles, il a posé Tyler sur le dos et tapoté son ventre comme s'il tapait sur un melon pour savoir s'il était mûr. "Mon dieu ! s'est-il exclamé, son ventre est très distendu, que se passe-t-il ?" Je me suis mise à pleurer de soulagement.

Après l'avoir testé pour une fibrose kystique, une maladie du sang et même le cancer, le diagnostic est tombé : "Votre fils a la maladie cœliaque." Hein ? C'est quelque chose comme la grippe ? Avec quelques semaines d'antibiotiques, tout va rentrer dans l'ordre ? "Non, il va devoir suivre un régime sans gluten à vie."

Les mots "à vie" m'ont profondément choquée et je me suis rendu compte qu'il était temps que je me penche sérieusement sur le sujet pour pouvoir aider mon fils et peut-être d'autres personnes qui avaient rencontré les mêmes problèmes que notre famille.

Nous étions à la croisée des chemins. Au départ, nous étions perdus, frustrés, anéantis même. Mais nous pouvions choisir une voie plus positive, pour le bien de notre fils. Nous avons étudié le régime sans gluten, comment vivre avec et tous ses bienfaits, et nous avons travaillé dur pour surmonter cette épreuve et transformer positivement notre vie. Plus de dix ans plus tard, je me rends compte que ce que nous avions pris pour un grand malheur était en réalité une bénédiction pour notre vie. Et notre fils le pense aussi ! »

Chapitre 2

Vivre sans gluten : qui ? Pourquoi ?

Dans ce chapitre :

▶ Faire la différence entre l'allergie au blé, la sensibilité au gluten et la maladie cœliaque

▶ Repérer les symptômes

▶ Étudier comment le gluten affecte votre santé

▶ Se faire diagnostiquer et comprendre les résultats

▶ Mesurer les risques de ne pas adopter le régime sans gluten

▶ Démarrer le processus de guérison

*V*ous avez supprimé le gluten de votre alimentation ou envisagez de le faire ? Vous n'êtes pas seul ! Pour diverses raisons, des millions de personnes, dont la motivation principale est de se sentir mieux, choisissent de vivre sans gluten.

Certains scientifiques affirment que nous sommes très nombreux à avoir une forme de sensibilité au gluten (au-delà des 10 % de malades cœliaques estimés). Alors, vous allez me demander : « Qu'est-ce que cela signifie exactement ? Je peux manger une pizza ou pas ? » Ah, vous voulez trancher tout de suite ? Eh bien, la réponse est plus complexe que vous ne le pensez.

Ce chapitre vous explique ce qu'est la sensibilité au gluten, comment le gluten affecte votre corps et votre comportement, et quels tests peuvent vous orienter vers l'adoption d'un régime sans gluten.

Le spectre de la sensibilité au gluten

Si vous envisagez de supprimer le gluten de votre alimentation, vous le faites sûrement pour l'une des raisons suivantes :

✔ Un professionnel de santé vous l'a recommandé pour améliorer votre état de santé.

✔ Vous n'avez pas consulté de médecin mais vous pensez que vous allez vous sentir mieux grâce au régime sans gluten.

✔ Vous, ou votre enfant, avez des troubles du comportement ou de l'humeur et vous pensez que le régime sans gluten va vous aider.

✔ Vous pensez qu'être au régime sans gluten est « tendance, chic ».

Peu importe dans quel groupe vous vous retrouvez (à part peut-être le quatrième), il est plus que probable que vous envisagiez de supprimer le gluten de votre alimentation car vous pensez y être sensible.

La sensibilité au gluten est une sensibilité physique au gluten – d'où son nom. Elle est complexe à définir car cette sensibilité peut prendre diverses formes. Considérez les sensibilités au gluten comme étant sur un spectre allant de l'allergie à la maladie (voir la figure 2-1). Ne laissez pas le mot *spectre* vous induire en erreur. Ce n'est pas une échelle de gravité. Les types de sensibilités au gluten sont simplement différents les uns des autres.

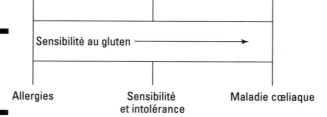

Figure 2-1 :
Le spectre de la sensibilité au gluten.

Sensibilité au gluten

Allergies | Sensibilité et intolérance | Maladie cœliaque

D'un côté : l'allergie

Techniquement, il n'existe pas d'allergie au gluten, mais on peut avoir des allergies aux aliments ou aux ingrédients qui contiennent du gluten, comme le blé, le seigle et l'orge. Le blé est l'un des allergènes les plus courants, affectant des millions de personnes.

Ces allergies sont similaires aux autres allergies alimentaires – comme l'allergie aux fraises ou aux crustacés. Elles impliquent toutes une réponse immunitaire à un allergène alimentaire et la réaction à ces aliments varie d'une personne à une autre et d'un aliment à un autre.

De nombreuses allergies alimentaires sont appelées « réponses médiées par les IgE ». Cela signifie simplement que le système immunitaire a une réaction exagérée à un aliment, traité comme un corps étranger, un « envahisseur ». IgE désigne une classe d'immunoglobulines. Les *immunoglobulines* sont des protéines que le corps produit pour aider à lutter contre les corps étrangers perçus comme des menaces. Le rôle principal des IgE a été de protéger le corps contre les parasites, mais il se bat aussi contre d'autres « agresseurs ». C'est ce qu'il se passe quand vous avez une réaction allergique à la nourriture. Le corps crée une variation spécifique d'anticorps IgE pour chaque allergène qu'il rencontre.

Les symptômes allergiques peuvent être respiratoires : toux, congestion nasale, éternuements, gorge serrée, et même asthme.

Les réactions aiguës allergiques aux aliments commencent habituellement dans la bouche, par des picotements, des démangeaisons, un goût métallique, et un gonflement de la langue et de la gorge. Parfois, les symptômes surgissent plus bas, dans le tractus intestinal, provoquant des douleurs abdominales, des spasmes musculaires, des vomissements et de la diarrhée.

Toute réaction allergique sévère et aiguë, induisant l'anaphylaxie, peut mettre votre vie en danger. L'*anaphylaxie* – ou un choc anaphylactique – affecte différents organes. Les symptômes peuvent inclure une sensation de picotement, gonflement dans la bouche ou de la gorge, et un goût métallique, mais aussi un sentiment d'agitation, de l'urticaire, des problèmes respiratoires, une chute de la pression artérielle et des évanouissements. L'anaphylaxie peut parfois être fatale à moins que la personne ayant la réaction allergique reçoive rapidement une injection d'épinéphrine (adrénaline).

Quelque part au milieu du spectre : la sensibilité et l'hypersensibilité au gluten

En se déplaçant sur le spectre de la sensibilité au gluten, vous allez passer des allergies à une zone ambiguë qu'on appelle la sensibilité ou l'hypersensibilité au gluten. Souvent utilisés de façon interchangeable, les termes de sensibilité et d'intolérance signifient essentiellement que votre corps ne réagit pas bien à un aliment particulier et que vous devriez l'éviter. Remarquez que j'ai dit « devriez » et non pas « devez ».

Au moment où j'écris ces lignes, l'existence de la sensibilité au gluten non cœliaque (SGNC) vient d'être scientifiquement prouvée par une étude randomisée en double aveugle contre placebo sur une soixantaine de patients, publiée en février 2015 dans le *Clinical Gastroenterology and Hepatology Journal*. (Quelle bonne nouvelle pour tous ceux qui en souffrent – entre 10 et 20 % de la population française, selon estimation !)

La sensibilité au gluten non cœliaque est une forme d'intolérance gluten qui n'a pas de biomarqueurs spécifiques et dont les causes n'ont pas encore été clairement identifiées. Dans le cas de la sensibilité au gluten non cœliaque, le corps ne produit pas d'anticorps et il n'y a pas d'altération des villosités intestinales comme dans la maladie cœliaque.

Les personnes qui se trouvent dans cette zone du spectre ont parfois des symptômes similaires (notamment digestifs) à la maladie cœliaque (évoquée plus loin dans ce chapitre), et ceux-ci disparaissent habituellement avec un régime sans gluten. Ont-ils la maladie cœliaque ? Peut-être.

Faire des tests vous aidera à établir le bon diagnostic. Les résultats peuvent être parfois un peu compliqués à appréhender, mais vous devez comprendre que :

- ✔ Si votre test est positif pour la maladie cœliaque, alors c'est que vous en êtes atteint.

- ✔ Mais si vous êtes testé négatif pour la maladie cœliaque et que vos symptômes disparaissent avec un régime sans gluten, vous avez probablement une certaine forme de sensibilité au gluten.

Pour compliquer encore le problème, vous pouvez avoir obtenu un « faux résultat négatif » pour la maladie cœliaque. Cela signifie simplement que vos tests disent que vous n'avez pas la maladie cœliaque, mais qu'ils ont tort. (Je parle davantage de ce cas plus loin, dans la section : « Se faire diagnostiquer ».)

Malheureusement, parce que le protocole pour diagnostiquer la sensibilité au gluten n'est pas encore bien établi ou pratiqué, et que les professionnels de santé ne sont généralement pas en accord ou conscients de la sensibilité au gluten, ils préconisent souvent encore aux patients d'ignorer des tests douteux ou peu concluants et de reprendre leur régime alimentaire normal. Parfois, cette conclusion et ces « conseils » peuvent avoir des conséquences importantes à long terme sur la santé du patient.

De l'autre côté : la maladie cœliaque

Quelque part, de l'autre côté du spectre de la sensibilité au gluten, la sensibilité devient trop aiguë : vous avez la maladie cœliaque. Contrairement à la sensibilité au gluten, cette maladie est bien connue et définie.

La maladie cœliaque est une intolérance génétique au gluten commune (mais souvent mal diagnostiquée). L'ingestion de gluten provoque une réponse du système immunitaire contre la molécule de gluten. Mais votre système immunitaire s'attaque aussi aux cellules de votre propre corps. On appelle cette réaction une réponse auto-immune. La maladie peut se développer à tout âge, chez les personnes de toutes origines ethniques. Cette réponse immunitaire provoque des dommages à l'intestin grêle qui induisent une mauvaise absorption des nutriments. Bien que les dégâts se produisent dans l'intestin, les symptômes ne sont pas uniquement gastro-intestinaux. Ils sont en réalité divers et variés, ce qui rend bien souvent le diagnostic difficile.

Troubles du comportement et de l'humeur

Le régime sans gluten semble jouer un rôle dans l'amélioration de certains troubles du comportement et de l'humeur mais on ne sait pas encore véritablement comment et pourquoi. Le chapitre 4 vous en dira plus à ce sujet.

Identifiez les symptômes de la sensibilité au gluten et de la maladie cœliaque

Les symptômes décrits dans cette section sont acceptés comme étant des symptômes de la maladie cœliaque mais certains le sont également pour la sensibilité au gluten. Notez que ces symptômes affectent toutes les parties du corps. C'est pourquoi on dit que la maladie cœliaque est *multisystémique* : bien que le préjudice réel se produise dans le tractus gastro-intestinal – spécifiquement dans l'intestin grêle –, les symptômes se manifestent de multiples façons dans toutes les parties du corps.

Il existe des centaines de symptômes attribués à la sensibilité au gluten et à la maladie cœliaque et je ne peux pas tous les énumérer ici. Les sections suivantes en listent les plus courants, à commencer par ceux de nature gastro-intestinale.

Les troubles gastro-intestinaux

On considère souvent les symptômes gastro-intestinaux comme étant les plus courants dans la maladie cœliaque – diarrhée, constipation, gaz, ballonnements, reflux et même vomissement. La plupart des cœliaques souffrent en réalité, le plus souvent, de symptômes extra-intestinaux (même si leur intestin est touché). Voici les symptômes gastro-intestinaux les plus « classiques » – mais pas les plus courants – de la maladie :

- Douleurs et distensions abdominales
- Reflux acide
- Ballonnements
- Constipation
- Diarrhée
- Gaz et flatulences
- Selles graisseuses, flottantes et nauséabondes

🖋 Nausée

🖋 Vomissements

🖋 Perte ou gain de poids

L'image classique que l'on se fait des cœliaques est celle de personnes maigres, voire émaciées. Pourtant, la prise de poids est l'une des conséquences de la maladie. De nombreux cœliaques sont même obèses.

Symptômes extra-intestinaux

Il est intéressant de constater que, bien que la sensibilité au gluten et la maladie cœliaque affectent l'intestin, les symptômes de la plupart des patients ne sont pas de nature gastro-intestinale. Ils ont des symptômes extra-intestinaux et leur liste est vaste (il y en a près de 250 !). La liste ci-dessous n'est qu'une liste partielle des symptômes les plus courants :

🖋 Fatigue et faiblesse (en raison d'une anémie ferriprive)

🖋 Carences en vitamines et/ou minéraux

🖋 Maux de tête (y compris les migraines)

🖋 Douleurs articulaires/osseuses

🖋 Dépression, irritabilité, apathie et troubles de l'humeur

🖋 Sensation d'avoir le cerveau « embrumé » ou incapacité à se concentrer

🖋 Infertilité et fausses couches à répétition

🖋 Troubles des cycles menstruels et aménorrhée

🖋 Carences en émail dentaire

🖋 Convulsions

🖋 Maladresse (ataxie)

🖋 Lésions nerveuses (neuropathie périphérique)

🖋 Problèmes respiratoires

🖋 Aphtes

🖋 Intolérance au lactose

🖋 Eczéma/psoriasis (affections de la peau, à ne pas confondre avec la dermatite herpétiforme, dont je parle au chapitre 3)

🖋 Rosacée (une maladie de la peau)

🖋 Acné

🖋 Maladie d'Hashimoto, syndrome de Sjögren, lupus érythémateux et autres pathologies auto-immunes

- ✔ Ostéoporose

- ✔ Perte de cheveux (alopécie)

- ✔ Hématomes fréquents

- ✔ Faible taux de sucre dans le sang (hypoglycémie)

- ✔ Crampes musculaires

- ✔ Saignements de nez

- ✔ Gonflements et inflammations

- ✔ Cécité nocturne

Certains troubles du comportement et de l'humeur pourraient être liés à la maladie cœliaque. Voir le chapitre 4.

Elle peut être également associée à une maladie de la thyroïde – habituellement l'hypothyroïdie – qui peut vous donner la peau sèche.

La maladie cœliaque est également associée à l'infertilité, les fausses couches à répétition, les problèmes de cycle menstruel, le retard de croissance intra-utérin (croissance anormalement lente du fœtus). On estime à 10 % le nombre de femmes souffrant d'infertilité inexpliquée qui seraient cœliaques. Dans de nombreux cas, le suivi d'un régime sans gluten permet de restaurer la fertilité. En outre, des recherches montrent que les femmes ayant un test positif aux anticorps impliqués dans la maladie cœliaque en présenteraient un taux 10 fois supérieur à celui de la population normale. Si vous avez eu des problèmes de fertilité et êtes enceinte ou essayez de le devenir, faites-vous tester pour la maladie cœliaque. Ainsi vous saurez immédiatement si vous devez adopter le régime sans gluten et ne perdrez pas de temps.

Quand l'absence de symptôme est un symptôme

Certaines personnes n'ont pas de symptômes visibles – ces personnes sont appelées *asymptomatiques*. (Si elles parcouraient la liste complète des 250 symptômes, pourraient-elles honnêtement prétendre qu'elles ne souffrent d'aucun d'entre eux ? J'en doute.) Même si elles ne présentent aucun symptôme, le gluten endommage leur intestin grêle, entraînant des carences nutritionnelles et les affections qui y sont associées. Il est ainsi difficile de les diagnostiquer et de les traiter. Certaines d'entre elles arrivent parfois à se faire diagnostiquer lorsque l'un de leurs parents ou proches souffre de la maladie cœliaque. Elles comprennent alors qu'elles doivent se faire tester. Mais, si elles sont diagnostiquées positives à la maladie cœliaque, suivre le régime sans gluten et abandonner leurs mets favoris, surtout quand ces aliments ne semblent pas avoir de conséquences visibles sur elles, peut leur paraître, au premier abord, insurmontable.

Reconnaître les symptômes chez l'enfant

Les enfants qui souffrent de la maladie cœliaque ont tendance à avoir des symptômes gastro-intestinaux « classiques » comme la diarrhée et la constipation. D'autres symptômes sont également à surveiller :

- ✔ Incapacité à se concentrer
- ✔ Irritabilité, perte de la joie de vivre
- ✔ Troubles du comportement et de l'humeur
- ✔ Retard de croissance (chez les nourrissons et enfants en bas âge)
- ✔ Petite stature chez les adolescents
- ✔ Puberté tardive
- ✔ Fragilité ou douleurs osseuses
- ✔ Douleurs et distensions abdominales
- ✔ Saignements de nez

Erreur ou absence de diagnostic

La maladie cœliaque peut toucher toutes les tranches d'âge chez les enfants ou les adultes. Il faut noter que 20 % des patients sont diagnostiqués après 60 ans.

On estime encore à 80 % le nombre de patients atteints de la maladie cœliaque mais non diagnostiqués, souvent parce qu'ils sont asymptomatiques ou que leurs symptômes sont mineurs.

Heureusement, la sensibilisation du public à la maladie cœliaque et à la sensibilité au gluten est de plus en plus grande, augmentant ainsi la possibilité de diagnostic.

En attendant, le sous-diagnostic reste un problème majeur. Les patients sont souvent mal diagnostiqués et se retrouvent affublés d'autres pathologies, avant de découvrir qu'ils souffrent de la maladie cœliaque – pourtant facile à guérir par l'alimentation. Ces maladies incluent :

- ✔ Syndrome du côlon irritable (SCI)
- ✔ Syndrome de fatigue chronique (SFC) ou fibromyalgie
- ✔ Lupus (une maladie auto-immune)
- ✔ Anémie inexpliquée
- ✔ Migraines ou maux de tête inexpliqués

- ✔ Infertilité inexpliquée
- ✔ Problèmes psychologiques (hypochondrie, dépression, anxiété, névrose)
- ✔ Maladies inflammatoires de l'intestin (MII) telles que la maladie de Crohn ou la colite
- ✔ Cancer (principalement lymphome)
- ✔ Infections virales (gastro-entérite virale)
- ✔ Allergies alimentaires ou intolérance au lactose
- ✔ Parasites ou autres infections
- ✔ Maladie de la vésicule biliaire
- ✔ Maladie de la thyroïde
- ✔ Fibrose kystique (un trouble respiratoire et digestif)
- ✔ Reflux acide
- ✔ Diverticulose
- ✔ Diabètes
- ✔ Eczéma ou psoriasis (affections de la peau)

De nombreux patients diagnostiqués comme souffrant de ces pathologies se retrouvent souvent face à des médecins qui les abandonnent à leur sort avec une certaine fatalité : « Allez de l'avant et vivez avec ! » ou bien qui leur donnent une batterie de médicaments aux multiples effets secondaires. C'est triste, surtout quand on sait qu'une seule prise de sang (recherche d'anticorps antitransglutaminase) pourrait permettre d'orienter le diagnostic et qu'un simple changement de régime alimentaire pourrait les soulager !

Maladie cœliaque, côlon irritable et FODMAPs

Malgré une maladie cœliaque traitée avec succès, des personnes constatent que certains de leurs symptômes gastro-intestinaux persistent. D'autres personnes pensent avoir une sensibilité au gluten mais constatent la même chose. Pourquoi ?

Tout d'abord, il faut noter que l'on peut cumuler une maladie cœliaque et un syndrome du côlon irritable (qui est 15 à 20 fois plus fréquent que la maladie cœliaque), ce qui pourrait expliquer la non-amélioration des troubles gastro-intestinaux.

Certains chercheurs s'interrogent également sur la réelle responsabilité du gluten dans la sensibilité au gluten non cœliaque et évoquent l'impact des *FODMAPs* comme coresponsables de cette intolérance.

Les FODMAPs (*Fermentable, Oligo-, Di-, Mono-saccharides and Polyols*) sont des sucres présents dans l'alimentation (dont le fructose, le lactose, le galactose, le sorbitol, le manni-tol...), que l'on retrouve notamment dans les produits industriels. Ils ne sont pas bien tolérés par le système digestif et, en fermentant dans l'intestin, peuvent entraîner des ballonnements, des douleurs intestinales et des gaz (mais pas de lésion de la muqueuse). Un grand nombre d'aliments contenant des FODMAPs contiennent aussi du gluten (par exemple les biscuits). Cela pourrait expliquer pourquoi certaines personnes ressentent une amélioration de leurs symptômes avec un régime sans gluten (malgré l'absence de maladie cœliaque ou de sensibilité au gluten) mais que leurs symptômes intestinaux persistent de manière transitoire.

Pourquoi tant d'erreurs de diagnostic ?

La maladie cœliaque peut causer de graves troubles si elle n'est pas diagnostiquée. La sensibilité au gluten non cœliaque semble également fréquente. Pourtant, la plupart des personnes qui en sont atteintes ne le savent pas ou sont mal diagnostiquées. Pourquoi les médecins passent-ils à côté de ces pathologies plus courantes qu'on ne l'imagine ?

Voici quelques pistes d'explications :

✔ **Les médecins ne sont pas suffisamment informés pendant leurs études et leur inter-nat au sujet de ces pathologies.** Ce sont des périodes critiques qui forgent les avis et les connaissances qu'ils vont utiliser tout au long de leur carrière. S'ils n'entendent pas parler de ces pathologies (ou trop peu), ils ne seront pas susceptibles de s'y intéresser après avoir obtenu leur diplôme.

✔ **Certains médecins entretiennent leurs connaissances par l'intermédiaire de l'information médicale fournie par les repré-sentants de laboratoires pharmaceutiques, des articles de revues spécialisées et des conférences.** À l'heure actuelle, il n'existe aucun traitement médicamenteux pour la maladie cœliaque et il y a peu d'articles ou de conférences susceptibles de les sensibiliser à ces pathologies.

✔ **Les symptômes sont multiples et parfois absents.** Les symptômes de la sensibilité au gluten et de la maladie cœliaque sont variés et affectent de nombreuses parties du corps, parfois toutes à la fois. Au contraire, d'autres personnes ne semblent pas avoir de symptômes. Ces pathologies sont donc difficiles à repérer.

✔ **Les médecins peuvent penser que leurs patients sont un peu hypocondriaques, exagèrent leurs symptômes ou sont un peu névrosés.** Plus d'une personne souffrant de la maladie cœliaque ont d'abord été soupçonnées d'hypocondrie ou de névrose.

✔ **Les médecins peuvent se sentir mal à l'aise devant des pathologies auxquelles ils ne connaissent pas grand-chose.** Ne sachant pas ce qui ne tourne pas rond chez vous, et si vous venez armé d'informations concernant la maladie cœliaque qu'ils ne connaissent pas vraiment, ils peuvent rester sur la défensive et ne pas tenir compte de vos opinions.

✔ **Les tests sanguins de routine ne les détectent pas.** Un hémogramme complet ne détecte pas la maladie cœliaque. Un médecin avisé, cependant, y verra des signes : anémie, manque de potassium, de faibles niveaux de protéines et un taux élevé d'enzymes hépatiques sont des signes d'alerte de la maladie cœliaque. Par ailleurs, il n'existe pas encore de tests reconnus pour la sensibilité au gluten non cœliaque.

✔ **Les endoscopies de routine et des biopsies mal réalisées ne détectent pas la maladie cœliaque.** Certains patients pensent avoir été testés pour la maladie cœliaque parce que leur médecin leur a prescrit une endoscopie. Mais une endoscopie sans biopsie ne sert pas à grand-chose pour diagnostiquer la maladie cœliaque (même si un médecin avisé y trouvera des signes cliniques d'alerte).

Si une biopsie est mal faite, parce que les médecins s'y prennent mal ou ne font pas assez de prélèvements d'échantillons, ou si les résultats sont interprétés par une personne non informée, le diagnostic ne sera pas posé.

✔ **Des tests qui peuvent coûter cher.** En raison de la maîtrise des coûts en matière de santé, certains médecins ne prescrivent pas les bons tests ou la totalité des tests nécessaires au bon diagnostic.

Se faire diagnostiquer

Il n'existe pas encore de tests spécifiques pour diagnostiquer la sensibilité au gluten. En premier lieu, donc, faites-vous tester pour la maladie cœliaque afin d'être sûr de ne pas en être atteint. Dans le cas de la maladie cœliaque, le protocole recommandé par la Haute Autorité de santé (HAS) et dans tous les pays francophones, consiste à procéder à des tests sanguins, suivis par une biopsie intestinale (*via* une endoscopie) détaillés ci-dessous.

Tests sanguins

Ces tests sanguins – appelés aussi *tests sérologiques* – recherchent les anticorps que l'organisme d'une personne cœliaque produit en réponse à l'ingestion de gluten.

Vous devez manger du gluten pendant une période prolongée avant de faire les analyses de sang, puis, si elles sont positives, une endoscopie avec biopsie. Si vous ne mangez pas de gluten ou n'en avez pas mangé pendant assez longtemps, votre corps pourrait ne pas produire suffisamment d'anticorps pour qu'ils apparaissent dans les tests sanguins. Les résultats seront faussés car vous serez considéré comme « négatif » à la maladie cœliaque. Même chose pour la biopsie. Si vous ne mangez plus de gluten, votre intestin grêle aura commencé à guérir (ou sera déjà totalement guéri) et la biopsie sera négative.

Certaines personnes cessent de manger du gluten puis décident de se faire tester. Que faire ? Les résultats seront fiables uniquement si vous mangez du gluten, vous devez alors vous y exposer à nouveau pendant 1 à 3 mois minimum. C'est un véritable « challenge ». Il n'existe pas de recommandations précises en la matière, mais certains spécialistes préconisent d'ingérer la quantité de gluten contenue dans 1 à 2 tranches de pain chaque jour pendant 3 mois afin d'avoir une quantité de gluten suffisante pour mesurer la réponse immunitaire. Si vous souffrez de symptômes graves pendant cette période, consultez immédiatement votre médecin pour savoir si vous devez ou non continuer de manger du gluten.

Le protocole reconnu et recommandé en Europe (et au Québec) pour diagnostiquer la maladie cœliaque comprend quatre tests sanguins de recherche d'anticorps. Selon la recommandation de la HAS, seule la recherche des anticorps antitransglutaminase et anti-endomysium est considérée comme valide dans le diagnostic de la maladie cœliaque. Les recherches d'anticorps antiréticuline et antigliadine (dont l'efficacité est considérée comme moindre) n'ont plus leur place dans le diagnostic de la maladie cœliaque.

- ✔ **tTG (antitransglutaminase) IgA :** ce test est très spécifique à la maladie cœliaque. Si vous avez un tTG positif, vous êtes probablement cœliaque et votre médecin doit vous orienter vers une biopsie pour le confirmer. C'est le premier test sanguin à passer dans le cadre d'une recherche de maladie cœliaque.

- ✔ **EMA (anticorps anti-endomysium) IgA :** ce test est également spécifique à la maladie cœliaque. Quand il est positif, surtout si le tTG l'est également, il est extrêmement probable que vous souffriez de la maladie cœliaque. Ce test peut être demandé par votre médecin en complément du tTG IgA, si celui-ci est positif.

- ✔ **IgA totales (total sérum, immunoglobuline A) :** dans le cas d'un test tTG IgA négatif, il est recommandé de faire ce test d'IgA totales. Une partie importante de la population est IgA déficiente, ce qui signifie que leur production d'IgA est inférieure à la normale. Si vous êtes IgA déficient, les résultats du premier test sanguin peuvent être faussés. En mesurant les IgA totales, votre médecin peut déterminer si vous êtes IgA déficient et faire réaliser ensuite un test tTG IgG éventuellement pour compenser.

- ✔ **tTG (antitransglutaminase) IgG :** ces anticorps sont aussi caractéristiques des patients atteints de la maladie cœliaque souffrant d'un déficit en IgA. Il sera demandé si votre test tTG IgA est négatif et si vos IgA totales montrent un déficit. Si ce test d'IgG est positif, votre médecin pourra alors vous orienter vers une biopsie.

La biopsie étant un examen considéré comme invasif, surtout pour les enfants, dans certains cas, l'ESPGHAN (Société européenne de gastro-entérologie, hépatologie et nutrition pédiatriques) recommande de ne pas l'effectuer, à savoir : un test tTG IgA supérieur à 10 fois la normale, des EMA positifs et la présence des gènes HLA-DQ2 ou HLA-DQ8. Dans ce cas, la biopsie n'est pas nécessaire pour poser le diagnostic. Pour un enfant symptomatique, le diagnostic doit être posé par un spécialiste tel qu'un pédiatre gastro-entérologue.

Vous pouvez faire effectuer les prélèvements sanguins dans n'importe quel laboratoire d'analyses médicales ou par une infirmière libérale en leur présentant une ordonnance de votre médecin.

Dans tous les pays francophones (en France, Suisse, Belgique, Luxembourg et Québec), les tests sanguins ainsi que la biopsie sont remboursés par les assurances maladie.

Des tests de suivi des anticorps sont bien utiles pour vérifier que vous ne laissez pas du gluten se faufiler par inadvertance dans votre alimentation. La plupart des médecins recommandent de passer un test sanguin tous les ans après le diagnostic de la maladie cœliaque (et sans doute régulièrement). Si vos anticorps sont encore trop élevés, vous aurez besoin de vous pencher plus en détail sur votre alimentation pour en trouver le coupable.

Votre médecin peut ordonner d'autres tests sanguins pour évaluer la gravité de la maladie et l'étendue de votre malnutrition, malabsorption et leurs impacts sur d'autres organes. Par exemple :

- Hémogramme NFS pour rechercher de l'anémie ou des carences en vitamines, minéraux, enzymes ;
- La vitesse de sédimentation pour évaluer la présence d'une inflammation ;
- CRP (protéine C réactive) pour évaluer la présence d'une inflammation ;
- CMP (test complet sanguin qui évalue la fonction des organes) pour évaluer, entre autres, les électrolytes, les niveaux de calcium, ainsi que pour vérifier les statuts des reins et du foie ;
- Vitamines D, E, et B12 pour évaluer les carences en vitamines ;
- Niveaux de graisses dans les selles, pour aider à mieux évaluer la malabsorption.

Ces tests (non obligatoires ni systématiques) sont importants, mais en eux-mêmes ne peuvent valider le diagnostic de la sensibilité au gluten ou de la maladie cœliaque. Ils sont généralement prescrits chez certains adultes face à une réponse négative au régime sans gluten.

La biopsie

Autrefois, la seule façon de diagnostiquer la maladie cœliaque était de faire non pas une, ni deux mais trois biopsies de l'intestin grêle. Aujourd'hui, la biopsie est toujours considérée comme le moyen le plus fiable pour diagnostiquer la maladie, mais grâce à la précision des tests sanguins, une seule biopsie est généralement nécessaire.

Pour faire une biopsie de l'intestin grêle, les médecins (gastro-entérologues) réalisent une endoscopie : ils insèrent un tube dans votre bouche jusqu'au duodénum dans l'intestin grêle pour effectuer des prélèvements des villosités à plusieurs endroits. Ces villosités sont des structures qui ressemblent à des poils et qui tapissent la paroi de votre intestin grêle. Le gluten affecte ses villosités (voir plus de détails au chapitre 3). La biopsie permet de révéler le degré d'atteinte et d'atrophie de vos villosités.

L'endoscopie elle-même et le prélèvement des villosités ne sont pas douloureux. Pourtant, de nombreux patients ont peur de cet examen considéré comme invasif. Parlez de vos craintes à votre médecin, qui pourra, en plus d'anesthésiques locaux pulvérisés dans votre gorge, vous administrer un antidouleur, voire un léger sédatif. Certaines personnes ont mal à la gorge après l'examen à cause de l'insertion du tube dans leur gorge.

De nombreux patients se font prescrire une coloscopie pour diagnostiquer la maladie cœliaque. Une coloscopie n'est pas un test de la maladie cœliaque (c'est la mauvaise extrémité du corps). Si votre médecin la demande, c'est forcément pour tester d'autres pathologies. S'il vous dit que c'est uniquement pour la maladie cœliaque, posez-lui des questions pour bien comprendre ce qu'il recherche véritablement car cet examen n'est pas *adéquat* pour la recherche de cette maladie.

Pour que la biopsie soit précise, comme pour les tests sanguins, vous devez manger du gluten sur une période prolongée (environ 1 à 3 mois) avant de faire l'examen.

Quelques points importants au sujet de la biopsie :

- ✔ C'est un examen considéré comme invasif et qui comporte certains risques. Les adultes sont habituellement mis sous sédatif et les enfants sous anesthésie générale.

- ✔ Le médecin doit prélever 6 à 8 échantillons. La maladie cœliaque peut affecter l'intestin de façon très inégale (parfois une région est touchée et pas la zone voisine). Prendre plusieurs échantillons maximise les chances de diagnostic.

✔ Avant, on pensait qu'il fallait trouver une atrophie totale ou un aplatissement complet des villosités pour diagnostiquer la maladie. Aujourd'hui, la classification de Marsh mesure les différents degrés de dommages subis par l'intestin grêle. Même une légère atrophie peut être un signe de la maladie.

✔ Dans la majeure partie des cas, les médecins ne se contentent pas d'une simple endoscopie sans prélèvements. Même si des indices visuels pendant l'examen peuvent laisser supposer une atteinte par la maladie, seules les biopsies donnent des réponses définitives.

Les résultats des biopsies sont généralement connus sous 3 à 5 jours.

Des biopsies de contrôle ne sont généralement pas nécessaires. Parfois, votre médecin souhaitera faire une biopsie de suivi si vos niveaux d'anticorps sont encore élevés après plusieurs mois de régime sans gluten mais souvent cela ne sera pas nécessaire. Si vos niveaux d'anticorps sont encore élevés, cela peut signifier que du gluten se glisse dans votre alimentation. Cependant, si le médecin soupçonne d'autres causes à vos symptômes prolongés, une nouvelle biopsie sera judicieuse.

Tests génétiques

Ce test peut être utile pour confirmer ou exclure un diagnostic de maladie cœliaque. Si vous n'êtes pas porteur des gènes HLA-Q2 ou HLA-DQ8, vous avez moins de chance de développer la maladie cœliaque. Ce test n'est pas valable pour prédire qui sera touché par la maladie mais peut confirmer, si d'autres tests sont positifs, le facteur génétique. Le risque HLA familial est de 10 %, monte à 30 % en cas d'identité HLA avec le parent ou l'enfant atteint et chute à 1 % quand le test HLA est négatif. Le chapitre 3 vous donne plus d'informations sur le facteur génétique de la maladie cœliaque.

90 % des cœliaques possèdent le gène DQ2 et 9 % le DQ8 et on retrouve également pour 1 % des cas le DQ1 et le DQ3 (source : Enterolab, USA).

Il semble que, pour que la maladie se déclare, d'autres gènes doivent entrer en jeu ainsi que d'autres facteurs. Tous les porteurs de DQ2 et DQ8 ne développent pas une atrophie villositaire.

En France, les tests HLA sont remboursés (Sécurité sociale + mutuelle) si les gènes de la maladie auto-immune sont trouvés. Ils ne sont plus remboursés au Luxembourg mais peuvent être remboursés en Suisse, au Québec et en Belgique.

Tableau 2-1 : Risque génétique conféré par la HLA

DQ génotype	Probabilité	Risque
DQ2 Homozygote (A105 – B102/02)	1/7	Élevé
DQ2/DQ8 (A10501 – B10201 / A10301 – B10302)	1/10	Élevé
DQ8 chaîne β (A103 – B10302/02)	1/24	Modéré
DQ2 chaîne β homozygote (A10201_B102/02)	1/26	Modéré
DQ2 hétérozygote (A105 – B102/X)	1/35	Faible
DQ8 hétérozygote (A103 – B10302/X)	1/89	Faible
A105 seuls	1/1842	Extrêmement faible
Autres allèles	1/2518	Extrêmement faible

Sources : Human Immunology 2009 – colloques médicaux 2013 de l'AFDIAG

Notez que pour ces tests génétiques, vous n'avez pas à suivre un régime contenant du gluten pour que les résultats soient précis. Vous pouvez déjà être au régime sans gluten depuis un certain temps sans que cela affecte vos résultats.

Interprétez vos résultats

L'interprétation de vos résultats peut être parfois complexe. Vous pouvez obtenir des « faux négatifs » ou même des « faux positifs ». Les faux négatifs peuvent être causés par plusieurs facteurs :

✔ Les médecins lisent les résultats de biopsies différemment : certains croient qu'une légère atrophie des villosités indique clairement que la maladie est là mais d'autres pensent qu'il faut que les villosités soient totalement atrophiées. Mais la plupart des médecins conviennent aujourd'hui qu'une légère atrophie partielle peut indiquer la présence de la maladie cœliaque.

- ✔ Vous n'avez pas assez consommé de gluten avant les tests (sauf tests génétiques), ce qui peut affecter la quantité d'anticorps que vous produisez.

- ✔ Si vous n'effectuez que le test de recherche d'anticorps tTG IgA et que vous êtes IgA déficient, les résultats peuvent être faussés.

- ✔ Environ 5 à 10 % d'entre nous ne produisent pas d'anticorps tTG et EMA.

- ✔ Les jeunes enfants ne produisent pas toujours suffisamment d'anticorps pour présenter une réponse immunitaire. C'est particulièrement vrai pour les tTG et EMA.

- ✔ Un système immunitaire affaibli peut réduire la réponse immunitaire. Bien que les personnes atteintes de la maladie cœliaque n'aient pas un système immunitaire affaibli par la maladie, celle-ci peut affaiblir leur système immunitaire sur le long terme et induire des résultats aux tests IgA plus faibles que la normale.

- ✔ Dans les premiers stades de la maladie, vous ne produisez pas assez d'anticorps ou vos villosités ne sont pas assez atrophiées pour être perçues comme telles – *pas encore*.

La maladie cœliaque peut se déclencher à tout âge. Ce n'est pas parce que vous avez été testé négatif une seule fois que vous êtes « sorti d'affaire » pour toujours, sauf si vous n'êtes pas HLA-DQ2 ou DQ8. Nombreux sont ceux qui prétendent : « J'ai été testé pour la maladie cœliaque et je ne l'ai pas. » C'est faux ! Vous avez peut-être été testé négatif cette fois-là mais, depuis, la maladie a pu se déclencher.

Je vous propose ci-après le schéma d'interprétation des tests de la maladie cœliaque conforme à la recommandation de l'AFDIAG.

Même si une partie de leurs tests est négative (voire la totalité), certaines personnes constatent qu'elles ne se sentent pas bien en mangeant du gluten. Peut-être leurs tests sont-ils de « faux négatifs » – ou peut-être ont-elles vraiment du mal à digérer le gluten. Conclusion : si manger du gluten vous fait du mal, réduisez sa consommation ou supprimez-le de votre alimentation.

Ne supprimez pas le gluten votre alimentation sans être sûr de ne pas souffrir de la maladie cœliaque. Seul un résultat positif des anticorps anti-tTG IgA ou IgG avec une confirmation par endoscopie peut poser le diagnostic. Ne démarrez pas le régime avant. Si vous n'êtes pas cœliaque, vous avez probablement alors une hypersensibilité au gluten.

Pour les allergies alimentaires, seuls des tests cutanés, un bilan sanguin et l'étude de l'historique du patient, voire des tests de provocation orale réalisés avec un médecin allergologue permettent de diagnostiquer une allergie alimentaire.

Tableau 2-2 : Interprétez vos résultats

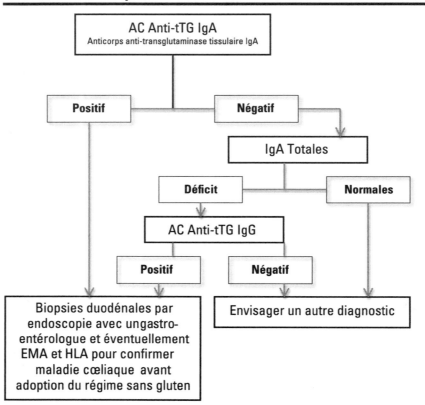

Autres tests

Dans certains pays, d'autres types de tests existent sur le marché mais ne sont pas reconnus comme efficaces ou ayant une valeur scientifique dans le diagnostic de la maladie cœliaque.

✔ **Les tests génétiques HLA par la salive ou de dépistage de la maladie au doigt (par une goutte de sang).** De tels tests commencent à être commercialisés un peu partout. Ils ne sont pas encore reconnus pour leur efficacité et n'entrent pas dans le protocole de diagnostic. Même si le test de dépistage au doigt paraît simple et pourrait permettre plus de diagnostics à terme, il ne mesure pas la quantité d'anticorps, reste difficile à lire et il doit être validé. Les tests génétiques par la salive, qu'on retrouve surtout aux États-Unis, ne sont pas reconnus en Europe.

✔ **Les tests de selles.** Ces tests à faire chez soi, proposés par certains laboratoires américains, recherchent les réactions du système immunitaire au gluten en détectant la présence d'AGA et des anticorps tTG dans les selles. Ces laboratoires prétendent que ces tests de selles sont plus sensibles que les tests sanguins. Ils n'existent pas en Europe pour le moment et leur valeur scientifique n'est pas validée.

✔ **Les tests par IgG d'intolérances alimentaires (de type Imunopro).** Ces tests, non remboursés et souvent chers, proposent de reconnaître les aliments toxiques pour notre corps et d'établir un profil d'intolérances alimentaires afin d'adapter son alimentation (on parle alors *d'immuno-nutrition*). Ils recherchent les anticorps IgG (et non plus IgE) spécifiques à chaque aliment. On parle ici *d'allergies alimentaires retardées ou d'hypersensibilité* à certains aliments. En connaissant les aliments qui provoquent une hausse des anticorps IgG et en les supprimant (même temporairement) de notre alimentation, certaines pathologies chroniques pourraient s'améliorer.

L'Académie européenne d'allergologie et d'immunologie clinique ne reconnaît pas ces tests sérologiques pour valider une intolérance alimentaire mais ratifie uniquement qu'un test positif à un aliment est un indicateur de la tolérance immunologique à l'aliment. Ils pourraient servir de dépistage mais pas de diagnostic (notamment pas pour la maladie cœliaque) et doivent être suivis de tests sérologiques conventionnels pour poser un diagnostic, accompagnés par un médecin.

Et maintenant ?

Tout dépend également des tests que vous avez effectués (tests pour la maladie cœliaque et/ou l'allergie au blé). Si vos tests sont positifs, la prochaine étape va dépendre de ce que vos tests ont révélé. Lisez la suite.

Vous êtes atteint de la maladie cœliaque

Si vous avez été diagnostiqué cœliaque, vous avez une certaine chance ! Vous possédez maintenant la clé d'une meilleure santé : un mode de vie sans gluten. Adoptez-le immédiatement, c'est important. Bien sûr, vous ferez des erreurs au départ, mais c'est tout à fait normal. Vous apprendrez d'elles et vous progresserez vite.

La maladie cœliaque est une maladie génétique. Si vous avez été diagnostiqué, les médecins peuvent recommander de tester les membres de votre famille qui vous sont proches génétiquement (frères, sœurs notamment), et dans le cas où ils sont symptomatiques, vos parents et vos enfants.

Vous êtes allergique au blé

Bien que les deux pathologies soient différentes et qu'il n'existe aucun lien prouvé entre elles, vous pouvez souffrir d'une allergie et également d'une sensibilité au gluten ou de la maladie cœliaque.

Si vous êtes diagnostiqué allergique au blé, pensez à faire également tester la maladie cœliaque, afin de savoir quelles recommandations vous devez véritablement suivre en matière de régime.

Si vous n'êtes pas testé positif aux pathologies liées au gluten mais seulement à l'allergie au blé, vous devez supprimer le blé mais pouvez continuer de manger de l'orge et du seigle. Si vous pensez être à risque de faire un choc anaphylactique, envisagez d'avoir toujours sur vous une solution d'adrénaline auto-injectable (comme l'EPIPEN).

Vos tests sont négatifs : avez-vous une sensibilité au gluten non cœliaque ?

Tout d'abord, n'ayez aucun doute concernant le résultat de ces tests et posez-vous les bonnes questions :

- ✔ **Avez-vous effectué vos tests en ayant ingéré du gluten au préalable ?** En effet, si vous avez supprimé le gluten de votre alimentation avant de passer les tests, ils pourront être négatifs. Vous pourriez alors souffrir de la maladie cœliaque sans le savoir. Si vous n'êtes pas sûr de la fiabilité de vos tests, peut-être vous faudra-t-il les refaire en ayant ingéré du gluten au préalable.

- ✔ **Avez-vous bien fait tous les tests pour la maladie cœliaque ?** Certaines personnes diagnostiquées sensibles au gluten souffrent en réalité de la maladie cœliaque, mais leur analyse n'a pas été correctement effectuée ou était insuffisante pour obtenir des résultats concluants.

- ✔ **Si c'est un enfant qui est testé, est-il assez grand pour avoir une réponse auto-immune ?** Certains tests spécifiques à la maladie cœliaque n'offrent pas de résultats assez précis chez les enfants de moins de 2 ans parce que leur système immunitaire n'est pas encore assez fort pour produire des anticorps.

Si vos tests à la maladie cœliaque sont réellement négatifs, mais que votre santé s'améliore en suivant un régime sans gluten, vous pourriez en effet souffrir de sensibilité au gluten. Comme il n'existe pas de test de diagnostic pour le moment, seul un régime par éviction progressive permettra de vérifier votre degré d'intolérance au gluten (qui est propre à chacun) et vous pourrez constater à quel degré vous observez une amélioration de votre confort digestif et de vos symptômes. Certains chercheurs pensent que la sensibilité au gluten non cœliaque concerne une importante portion de la population. Si vous souffrez de sensibilité au gluten et non de maladie cœliaque, vous pourriez être en mesure de faire quelques écarts de temps en temps, tout dépendra de votre degré d'intolérance et si vous êtes certain d'être négatif à la maladie cœliaque.

Considérez les risques si vous n'évitez pas le gluten

Certaines personnes décident de continuer à manger du gluten, même si elles souffrent de pathologies qui lui sont liées. On peut les diviser en quatre groupes :

- ✔ Ceux qui pensent que le régime est bien trop restrictif. Ils ne prennent donc pas la peine d'essayer.
- ✔ Ceux qui n'ont aucun symptôme ou n'ont jamais été correctement diagnostiqués et qui pensent que faire un écart de temps en temps n'a aucune incidence.
- ✔ Ceux qui en ont les symptômes mais pensent que l'inconfort ressenti n'est rien à côté de leur plaisir à boire une bière ou à manger une pizza de temps en temps.
- ✔ Les proches et les parents qui refusent d'entendre parler du gluten.

Si vous faites partie d'une de ces catégories et ne supprimez pas le gluten de votre alimentation, même si vous soupçonnez avoir une sensibilité au gluten ou la maladie cœliaque, il n'y a pas grand-chose qu'on puisse faire pour vous. Mais avant de finir de manger votre croissant, lisez au moins les deux sections suivantes, qui présentent les pathologies associées à la maladie cœliaque et les complications parfois graves qui peuvent survenir si vous continuez à manger du gluten.

Pathologies associées

Certaines pathologies peuvent être associées à la maladie cœliaque, ce qui signifie qu'une personne cœliaque est plus à risque de souffrir d'une ou plusieurs de ces pathologies. Il n'est pas toujours facile de savoir quelle pathologie apparaît en premier (sauf, par exemple, le syndrome de Down car les personnes naissent avec), mais si vous ne supprimez pas le gluten, vos risques de développer certaines de ces pathologies augmentent.

Par ailleurs, si vous souffrez d'une de ces pathologies, mais que vous n'avez pas encore été testé pour la maladie cœliaque, vous devriez le faire. Le fait de souffrir d'une de ces maladies est un signal d'alerte à écouter.

Maladies auto-immunes

Plusieurs maladies auto-immunes peuvent être associées à la maladie cœliaque, dont :

- Maladie d'Addison (maladie endocrinienne)
- Hépatite chronique active auto-immune
- Maladie de Crohn
- Diabète sucré insulino-dépendant (type 1)
- Myasthénie
- Syndrome de Raynaud
- Sclérodermie
- Syndrome de Sjögren
- Lupus érythémateux disséminé
- Maladies de la thyroïde (maladies de Basedow et d'Hashimoto)
- Colite ulcéreuse

Troubles de l'humeur

Certains troubles de l'humeur semblent s'améliorer grâce au régime sans gluten, notamment :

- Troubles de déficit de l'attention et hyperactivité
- Troubles de l'humeur et du comportement
- Dépression et trouble bipolaire

Carences nutritionnelles

La sensibilité au gluten et la maladie cœliaque affectent l'intestin grêle et induisent ainsi des carences nutritionnelles. En plus de carences spécifiques en vitamines et minéraux, les gens peuvent souffrir de :

- Anémie, fatigue, faiblesse (déficit en fer et/ou acide folique, vitamine B12)
- Ostéoporose, ostéopénie ou ostéomalacie (déficit en calcium)
- Une myriade d'autres pathologies dues à des carences nutritionnelles

Troubles neurologiques

Certains troubles neurologiques sont associés à la maladie cœliaque :

- ✔ Épilepsie et calcification cérébrale
- ✔ Problèmes neurologiques comme l'ataxie, la neuropathie, des picotements notamment au niveau des mains et des pieds, des convulsions ou une myopathie optique

Autres pathologies

Plusieurs pathologies sont généralement associées à la maladie cœliaque, comme :

- ✔ Cancer (en particulier le lymphome intestinal, rare et uniquement chez l'adulte)
- ✔ Syndrome de Down
- ✔ Hémorragie interne
- ✔ Défaut de l'émail des dents

Le diabète de type 1 et la maladie cœliaque vont souvent de paire. Environ 6 % des diabétiques de type 1 souffrent également de maladie cœliaque mais nombreux sont ceux qui ne le savent pas. Les cœliaques et les diabétiques de type 1 arrivent à gérer leur glycémie plus facilement en suivant un régime sans gluten.

Le risque de développer des pathologies associées diminue si vous adoptez rapidement le régime sans gluten.

Même si vous vous sentez bien, quand vous mangez du gluten, vous pourriez être en train de faire du mal à votre corps. L'intestin grêle est le lieu où tous vos aliments, vitamines et minéraux sont absorbés. Même si vous vous sentez en pleine forme, il est probable que l'absorption de ces nutriments ne se fasse plus correctement et les conséquences sur votre santé ne se feront sentir que beaucoup plus tard, quand des pathologies plus graves se seront installées.

Ne vivez pas en compromettant votre santé

Vous pouvez vous sentir en parfaite santé. Vous pouvez être asymptomatique (ne pas avoir de symptômes apparents) ou présenter des symptômes si bénins que vous les remarquez à peine. Mais si vous êtes cœliaque et que vous continuez d'ingérer du gluten, vous compromettez votre santé.

Votre corps n'absorbe pas les nutriments importants pour fonctionner correctement et rester en pleine forme.

Nombreux sont ceux qui avouent ne pas s'être rendu compte à quel point ils se sentaient mal avant de supprimer le gluten de leur alimentation. C'est uniquement en constatant une nette amélioration de leur santé qu'ils s'aperçoivent à quel point ils compromettaient leur santé sans le savoir.

La rémission commence dès le premier jour

La bonne nouvelle est que l'amélioration de votre état de santé et de vos symptômes commence dès l'instant où vous démarrez votre régime sans gluten.

Certaines personnes commencent à se sentir mieux immédiatement. Pour d'autres, il faut attendre plusieurs mois. D'autres encore se sentent mieux dès le départ mais font une rechute après quelques mois de régime. Ce sont des réactions normales du corps dans le processus de rémission, et, sur le long terme, l'amélioration de votre santé se fera nettement et durablement sentir. Mais, attention, les symptômes risquent de réapparaître si vous recommencez à manger du gluten !

Même si la plupart des dommages intestinaux causés par le gluten sont réversibles, d'autres, liés à la malnutrition et à la malabsorption prolongées, comme la petite taille ou la fragilité des os, peuvent être durables, voire permanents. C'est pourquoi il est important de se faire diagnostiquer au plus tôt, de sorte de prendre le plus vite possible le chemin de la rémission.

Chapitre 3

Regard sur la maladie cœliaque

· ·

Dans ce chapitre :

▶ La prévalence de la maladie cœliaque

▶ Les facteurs déclencheurs de la maladie

▶ Les effets du gluten sur vos intestins

▶ Le lien entre le gluten et la dermatite herpétiforme

· ·

La sensibilité au gluten et la maladie cœliaque sont similaires à bien des égards : symptômes, traitement et même certaines méthodes de diagnostic. Nous nous focaliserons, dans ce chapitre, sur la maladie cœliaque qui est, elle, clairement définie par le corps médical, alors que ce n'est pas encore pleinement le cas, pour l'instant, de la sensibilité au gluten.

Même si on retrouve des travaux décrivant la maladie cœliaque dès le IIᵉ siècle apr. J.-C. (ceux du savant grec Aretaeus de Cappadoce), ce n'est que beaucoup plus tard, en 1888, avec les travaux de Samuel Gee puis de Willem K. Dicke dans les années cinquante que le rôle précis de l'alimentation dans la maladie a été prouvé.

La maladie cœliaque est connue sous différentes dénominations (mais signifiant la même chose) : *intolérance au gluten, entéropathie au gluten, sprue non tropicale, maladie de Gee-Herter.*

Une des maladies génétiques les plus communes chez l'être humain

La maladie cœliaque reste une maladie complexe et pleine de contradictions comme :

✔ Elle est extrêmement fréquente mais remarquablement sous-diagnostiquée.

> ✔ Si elle n'est pas diagnostiquée, elle peut sévèrement affecter votre santé.
>
> ✔ Elle peut être traitée seulement par un régime alimentaire, à ce jour.

Quelle est sa prévalence ?

Avec environ 1 % de la population touchée, la maladie cœliaque est l'une des maladies génétiques les plus communes chez l'être humain.

Selon les chiffres de l'AFDIAG (source : colloques médicaux, 2014) :

> ✔ La prévalence de la maladie cœliaque, sous ses formes classiques, est de 1/2 500, mais, toutes formes confondues, elle serait de 1/100.
>
> ✔ On estime à 80 % le nombre de personnes atteintes sans même le savoir.
>
> ✔ La prévalence est 10 fois supérieure chez les frères et sœurs, parents ou enfants d'une personne atteinte.

N'oubliez pas que ces chiffres ne tiennent pas compte des personnes qui souffrent d'une sensibilité au gluten non cœliaque.

Mettons ces chiffres en perspective : la maladie cœliaque est plus courante que la maladie de Crohn, la sclérose en plaques, la maladie de Parkinson ou la mucoviscidose cumulées.

Le tableau 3-1 vous donne les chiffres des maladies génétiques communes pour appréhender plus facilement la place de la maladie cœliaque.

Tableau 3-1 : Prévalence des maladies génétiques communes en France

Maladie	Nombre estimé de personnes touchées
Maladie cœliaque	600 000 (www.afdiag.fr)
Épilepsie	400 000 à 500 000 (www.epilepsie-France.com)
Maladie de Parkinson	150 000 (www.franceparkinson.fr)
Diabète de type 1	210 000 (www.ceed-diabete.org)
Maladie d'Alzheimer	850 000 (www.francealzheimer.org)
Maladie de Crohn	75 400 (http://www.afa.asso.fr/)
Sclérose en plaques	60 000 à 75 000 (www.afsep.fr)
Fibrose kystique/ mucoviscidose	6 200 (www.vaincrelamuco.org)

La maladie cœliaque est extrêmement commune mais la sensibilité au gluten (qui n'est pas la maladie cœliaque) est supposée être encore plus répandue. Aucune étude à ce jour n'a permis de mesurer la prévalence de la sensibilité au gluten non cœliaque, mais certains experts estiment qu'une grande partie de la population pourrait souffrir d'une certaine forme de sensibilité au gluten.

On me demande souvent : « Si la maladie cœliaque est si commune, pourquoi n'y a-t-il pas plus de personnes qui en souffrent ? »

Ils en souffrent ! Mais ils ne le savent pas encore (ou ne le sauront jamais).

Mythes et idées reçues

Certaines informations que je vois circuler autour de moi et dans les médias ont l'air aussi véridiques que la légende du monstre du Loch Ness (mais sans la photo floue qui pourrait vous faire douter un court instant de son existence). Alors sus aux idées reçues !

Mythe : La maladie cœliaque est rare.

Réalité : La maladie cœliaque est une des maladies génétiques les plus répandues dans le monde, affectant environ 1 % de la population. Ajoutez à cela un pourcentage encore plus important de personnes ayant une sensibilité au gluten. Cette sensibilité peut induire les mêmes symptômes et pourrait avoir des répercussions presque aussi graves sur la santé que la maladie cœliaque.

Mythe : La maladie cœliaque est une maladie infantile.

Réalité : La maladie peut se déclencher à tout moment de la vie et apparaît le plus souvent à l'âge adulte.

Mythe : Les problèmes gastro-intestinaux, comme la diarrhée, en sont les symptômes les plus courants.

Réalité : La plupart des gens atteints de la maladie cœliaque n'ont pas de symptômes gastro-intestinaux. Leurs symptômes sont souvent extra-intestinaux, comme les maux de tête, de la fatigue, des douleurs articulaires, la dépression et le sentiment de se sentir mal en point en permanence.

Mythe : Les personnes cœliaques sont maigres.

Réalité : Aux États-Unis, 30 % des cœliaques sont obèses. Les personnes atteintes de la maladie cœliaque ne sont pas nécessairement maigres. La prise de poids peut être une conséquence de la maladie.

Qui risque de développer la maladie cœliaque et pourquoi ?

Les médecins n'ont aucun moyen d'identifier les personnes qui vont développer la maladie, en revanche, ils savent que le cumul des trois facteurs suivants peut la déclencher :

- Une prédisposition génétique
- Un régime alimentaire incluant le gluten
- Un facteur environnemental déclencheur

Même si vous cumulez les trois facteurs, vous pouvez ne jamais développer la maladie cœliaque. En revanche, vous pouvez affirmer que si vous ne répondez pas à ces trois critères, vous n'êtes pas exposé au risque de la développer (mais vous pouvez toujours souffrir de sensibilité au gluten).

La maladie cœliaque est une pathologie non discriminatoire qui touche toutes les races et nationalités. Elle semble être plus fréquente chez les personnes d'ascendance nord-européenne mais cette spécificité s'estompe car il existe une grande mixité et diversité d'origines en Europe du Nord.

Des études sur la prévalence de la maladie cœliaque montrent qu'elle peut se développer dans différentes ethnies. Mais ces chiffres sont faussés par le fait que certains pays réalisent plus de tests de diagnostic que d'autres. En Europe du Nord, par exemple, la prise de conscience de la maladie a été plus rapide qu'aux États-Unis. Les tests y sont plus complets depuis des décennies, ce qui pourrait expliquer pourquoi cette région compte le plus de cas. Les personnes vivant en Europe du Nord ne sont pas nécessairement les plus touchées – juste les mieux diagnostiquées.

De nouvelles études épidémiologiques montrent que la maladie est également présente dans d'autres régions du monde dont le continent asiatique et en particulier le Nord de l'Inde où la prévalence des gènes liés à la maladie cœliaque atteint 15,6 % de la population. On trouve une forte prévalence de la maladie en Iran ainsi que dans les régions d'Afrique du Nord dont l'Égypte et l'Algérie. Mais, curieusement, c'est chez les enfants des tribus du désert subsaharien que la maladie est la plus répandue (6 %). Les régions qui semblent les plus touchées sont l'Europe du Nord, les États-Unis, l'Australie, la Nouvelle-Zélande ainsi que le Mexique et la Scandinavie. Cette répartition semble être en corrélation avec la carte de consommation de gluten mais surtout avec l'expression des gènes HLA-DQ2 et HLA-DQ8. Peu de données épidémiologiques précises sont disponibles pour la France et l'Europe en général.

Certaines personnes pensent que les civilisations qui se sont développées entre le Tigre et l'Euphrate au Moyen-Orient, où sont apparues les premières cultures de grains, ont eu plus de temps pour évoluer et tolérer au mieux les grains contenant du gluten. C'est pourquoi la prévalence de la sensibilité au gluten parmi ces civilisations est la plus faible. D'autres populations, comme les Allemands, les Scandinaves et les Celtes d'Angleterre, d'Écosse et d'Irlande, ont commencé à cultiver le blé en quantité limitée pendant l'ère post-romaine. Ils étaient pour la plupart des chasseurs-cueilleurs jusqu'au Moyen Âge, de sorte que ces populations ont eu moins de temps pour s'adapter au gluten contenu dans les céréales.

« C'est dans les gènes »

Personne ne connaît tous les gènes impliqués dans le développement de la maladie cœliaque, mais les chercheurs ont réussi à en déterminer deux qui jouent un rôle clé : HLA-DQ2 et HLA-DQ8. Vous n'avez pas besoin de porter les deux gènes – un seul suffit – pour être à risque de développer la maladie. Le DQ2 est le plus fréquent chez les cœliaques.

Les allèles HLA-DQ2 et DQ8 sont retrouvés chez plus de 90 % des patients mais aussi chez 25 % de la population générale. La présence de ces gènes n'a donc pas une valeur prédictive positive mais négative.

Il a été récemment prouvé que la prédisposition à la maladie cœliaque ne se limite pas à la présence de ces deux types de gènes ; au moins 13 autres gènes ont été identifiés dans le déclenchement de la maladie cœliaque. Certaines études ont même envisagé jusqu'à 64 gènes impliqués dans la réponse immune innée et acquise. Certains gènes seraient même impliqués dans la sensibilité au gluten non cœliaque.

Le gène DQ est composé de plusieurs types appelés *allèles*. Les chercheurs ont identifié la combinaison de ces allèles qui traduisent un risque plus élevé de développer la maladie cœliaque. On appelle cela *la stratification du risque*. Un tableau au chapitre 2 vous montre les combinaisons d'allèles qui induisent un risque élevé de développer la maladie.

Mais environ un tiers de la population porte ces gènes et ne développe pas la maladie. En d'autres termes, si vous êtes porteur des gènes, vous pouvez développer ou non la maladie. Mais si vous n'avez pas ces gènes, vous avez 99 % de chance de ne pas développer la maladie (je me suis toujours demandé ce que devenaient les 1 % !). N'oubliez pas que, si vous n'êtes pas porteur de ces gènes, vous pouvez avoir une sensibilité au gluten non cœliaque.

La maladie cœliaque n'est pas dominante ou récessive – elle est multifactorielle ou multigénique, ce qui signifie que plusieurs types de gènes jouent un rôle dans son développement.

Qu'est-ce qui déclenche la maladie ?

On utilise souvent le mot « déclencheur » quand il s'agit de la maladie cœliaque. Le gluten est un « déclencheur » de la réponse auto-immune du corps. Mais des facteurs environnementaux agissent également comme « déclencheurs » de la maladie, tel un interrupteur qui allume soudain la lumière et active les symptômes.

La plupart des personnes cœliaques ont une idée assez claire du moment où leur maladie s'est déclarée car, dans de nombreux cas, elles étaient relativement en bonne santé et puis, boum ! Leurs symptômes sont apparus, sortis de nulle part, sans raison.

Les facteurs déclenchant les plus courants sont :

- Grossesse
- Opération chirurgicale
- Accident de voiture ou autre accident corporel
- Divorce, perte d'emploi, deuil, traumatisme émotionnel
- Maladie

Comprendre la maladie cœliaque et ses effets sur notre corps

La maladie cœliaque est une maladie auto-immune (maladie dans laquelle le système immunitaire attaque le corps) qui est activée par l'ingestion de gluten. Pour vous aider à mieux comprendre les mécanismes en jeu, je vais vous faire réviser une petite partie de l'anatomie humaine, en me concentrant spécifiquement sur le tractus gastro-intestinal. Je vais tenter d'être brève et concise, facile à comprendre et, promis, il n'y aura pas de QCM en fin de chapitre !

Certaines personnes pensent que, parce qu'elle est de type auto-immune, la maladie cœliaque implique un système immunitaire affaibli. Pas du tout ! C'est même tout le contraire. Le système immunitaire des personnes atteintes de la maladie cœliaque accumule les heures supplémentaires pour lutter contre ce qu'il perçoit comme un envahisseur : le gluten.

Comment vos intestins fonctionnent-ils ?

Nous avons tous des intestins, mais savez-vous comment ils fonctionnent ? Je vais vous l'expliquer. Je commencerai mon exposé en sautant une bonne dizaine de points importants pour démarrer sur la partie supérieure de l'intestin grêle. Les aliments ont été déjà mâchés, avalés, ils ont traversé l'estomac, ont été décomposés, par des enzymes, en nutriments dont votre corps va se nourrir.

L'intestin grêle est tapissé de structures semblables à des poils appelées *les villosités*. Leur fonction est de permettre une augmentation des processus d'absorption des nutriments par augmentation de la surface intestinale.

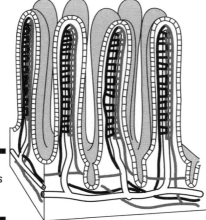

Figure 3-1 :
Les villosités de l'intestin grêle.

La muqueuse de l'intestin grêle est un mur de cellules bien compact, comme une barrière inviolable. Toutes ces cellules sont reliées entre elles par des jonctions très serrées. Lorsque le corps est prêt à absorber des nutriments, ces jonctions ouvrent un passage entre les cellules pour laisser passer les bonnes molécules – mais empêchent les mauvaises molécules, comme les toxines, de passer.

Comment ces jonctions savent-elles jusqu'à quel point elles doivent ouvrir le passage ? Grâce à leur compagnon d'armes : la *zonuline*. La *zonuline* est une protéine qui joue le rôle d'un gardien/portier qui ouvre et ferme les jonctions selon ce qui est autorisé à passer dans le sang.

Comment vos intestins fonctionnent-ils si vous souffrez de la maladie cœliaque ?

Quand une personne cœliaque ingère du gluten, tout se passe bien, jusqu'à ce que le gluten atteigne l'intestin grêle.

C'est là que ça se gâte – mais pour tout le monde, pas uniquement les cœliaques. Nous produisons alors trop de *zonuline*. Cet excès de zonuline provoque une ouverture trop importante des jonctions entre les cellules de l'intestin grêle. Et là, une autoroute vers votre sang s'ouvre pour toutes sortes de molécules même celles qui ne devraient pas y être invitées, comme des toxines ou des fragments de gluten.

Cette fuite anormale dans la paroi intestinale est ce qu'on appelle le *syndrome de l'intestin perméable* (ou *hyperperméabilité intestinale* ou encore *dysbiose intestinale*).

À cause de cet excédent de *zonuline* produite par l'ingestion de gluten, des molécules de gluten circulent dans le sang. Chez les cœliaques, le corps identifie le gluten comme un envahisseur – des toxines qui ne devraient pas se trouver là. Il lance donc une attaque tous azimuts contre cet envahisseur mais – et voici pourquoi la maladie cœliaque est appelée « réponse auto-immune » – le corps s'en prend aussi à lui-même.

Une maladie auto-immune est une maladie dans laquelle le système immunitaire produit des anticorps qui réagissent contre les tissus sains au lieu de s'attaquer aux bactéries ou aux virus, provoquant ainsi des dommages et de l'inflammation dans votre corps. La maladie cœliaque est singulière car elle est la seule maladie auto-immune pour laquelle nous connaissons ce qui déclenche la réponse immunitaire. Une enquête de l'Association américaine des maladies auto-immunes a révélé que 45 % des personnes diagnostiquées d'une maladie auto-immune ont d'abord été diagnostiquées hypocondriaques (les médecins pensaient que tout était « dans leur tête »).

Le corps attaque spécifiquement les *villosités* de la muqueuse de l'intestin grêle. Ces *villosités* atrophiées ou aplaties ne peuvent plus jouer leur rôle dans l'absorption des nutriments. C'est pourquoi les personnes cœliaques souffrent de malabsorption et de carences nutritionnelles.

C'est parce que la nourriture passe dans votre corps sans être absorbée correctement que peuvent apparaître des crises de diarrhée. Rappelez-vous que l'intestin grêle mesure environ 7 mètres de long et que les dommages causés par la maladie cœliaque commencent dans sa partie supérieure – donc il y a encore assez de longueur pour compenser la partie endommagée qui n'est plus en mesure de faire son travail. Au moment où vous commencez à souffrir de diarrhée, vous êtes sûrement déjà bien malade.

Allez, maintenant, voici le QCM, pour voir si vous avez bien tout compris ! Je plaisante ! En revanche, je suis sûre que vous allez pouvoir agrémenter vos discussions mondaines et captiver vos amis en leur parlant de *zonuline*, de *villosités* et de *dysbiose intestinale*.

Réduire les risques pour votre bébé de développer la maladie cœliaque

Vous pourriez réduire les risques pour votre bébé de développer la maladie cœliaque. Les chercheurs de l'université du Colorado ont publié une étude qui montre que l'exposition des bébés au gluten dans les trois premiers mois de leur vie multiplie par cinq le risque de développement de la maladie. Leur étude indique qu'il est judicieux d'attendre au moins l'âge de 6 mois pour limiter les risques, quand attendre au-delà de 7 mois avant d'introduire du gluten dans son alimentation augmente à nouveau les risques. En d'autres termes, il est préférable d'introduire le gluten dans l'alimentation des bébés, en petites quantités, entre 4 et 7 mois, avec une prise de risque réduite entre 6 et 7 mois.

Un autre facteur qui semble avoir un effet sur le non-développement de la maladie est l'allaitement maternel. Des études montrent qu'allaiter pendant plus de trois mois peut retarder l'apparition des symptômes de la maladie cœliaque et diminue le risque de la développer. L'introduction progressive d'aliments contenant du gluten tout en continuant l'allaitement semble réduire le risque de développer la maladie.

Pendant la grossesse, si la maman est cœliaque, les médecins préconisent un suivi strict du régime. Le bébé a besoin de nutriments et, si la mère ne suit pas bien le régime, cela peut avoir des conséquences sur le développement du fœtus. Une intolérance non diagnostiquée peut véritablement compliquer une grossesse, mais si la future maman est diagnostiquée cœliaque et suit bien son régime sans gluten, il n'y a pas matière à s'inquiéter. N'oubliez pas de prévenir votre gynécologue de votre intolérance.

Y a-t-il un risque de transmettre la maladie à son enfant ? Il existe en effet un facteur génétique à la maladie cœliaque mais il n'est pas forcément héréditaire. On estime le risque d'une transmission à l'enfant entre 5 à 10 %.

La voie vers de futurs traitements

Le seul traitement existant et efficace contre la maladie cœliaque est un régime sans gluten strict. Il peut être ultra-nutritif (voir le chapitre 7 pour vous assurer de rester en bonne santé) et a fait ses preuves.

Mais les scientifiques veulent aller plus loin. Plusieurs pistes sont envisagées ou en cours d'étude mais il faudra encore attendre de longues années avant de voir – si une recherche finit par aboutir – un médicament sur le marché.

L'idée de créer un blé sans gluten a été abandonnée, mais les scientifiques cherchent à réduire la toxicité du gluten grâce à des enzymes, provenant de micro-organismes ou directement du blé lui-même, qui dégraderaient plus facilement les molécules de gluten (des essais sont en cours). Ce type d'enzymes pourrait peut-être au moins protéger des écarts occasionnels.

Un des traitements prometteurs a été annoncé, fin 2014, par un laboratoire américain qui a travaillé sur un *régulateur de jonction serrée*, un peptide oral dont les premiers résultats cliniques se sont montrés encourageants. Ce peptide capte l'excès de *zonuline* que les cœliaques produisent et l'empêche de se fixer dans le corps. La zonuline, rappelez-vous, provoque le syndrome de l'intestin perméable et ouvre un passage trop grand entre les cellules de l'intestin, laissant ainsi passer de grandes molécules comme le gluten dans le sang. Si vous pouvez empêcher la zonuline de faire cela, le gluten ne passera plus dans le sang et la réponse auto-immune n'aura pas lieu.

D'autres molécules ayant des actions directes sur l'organisme sont étudiées, dont une qui viserait à bloquer la fixation du gluten sur les molécules HLA-DQ2 ou DQ8 et empêcherait l'activation des cellules immunitaires.

D'autres pistes de traitements incluent le développement d'un vaccin (étude actuellement en cours en Italie).

La dermatite herpétiforme

La dermatite herpétiforme (DH) est une pathologie de la peau qui se manifeste, entre autres, par des démangeaisons et des cloques. Elle est souvent désignée comme « jumelle » de la maladie cœliaque. En réalité, ce n'est pas une « jumelle » de la maladie cœliaque, *c'est* la maladie cœliaque. Environ 1 % des malades cœliaques souffrent d'une DH. Toutes les personnes qui souffrent d'une DH ont la maladie cœliaque mais l'inverse ne se vérifie pas. Leurs symptômes sont habituellement tous externes – sur la peau –, mais environ 20 % des personnes atteintes de DH souffrent aussi de troubles gastro-intestinaux. Un régime sans gluten améliore et parfois guérit complètement cette pathologie.

Tout commence habituellement par une éruption, des petites bosses rouges avec de minuscules cloques d'eau sur le dessus, qui démangent si intensément que l'on se gratte au point d'éclater les ampoules qui forment ensuite des croûtes. Ces éruptions apparaissent généralement sur les coudes, les genoux, les fesses, le cou, le cuir chevelu mais peuvent aussi se retrouver sur le visage, le tronc, les bras et les jambes. Elles sont généralement symétriques : si un bras en a, l'autre aussi.

Si vous souffrez de DH, vous êtes plus à risque de développer d'autres problèmes de peaux comme le psoriasis et l'urticaire.

Le diagnostic d'une DH est réalisé à partir d'une biopsie de la peau près de (mais pas dans) la lésion. Cet examen n'est pas douloureux car il peut être fait sous anesthésie locale. Ce test recherche la présence d'anticorps sériques *anti-endomysium* et *antitransglutaminase* (détaillés au chapitre 2). Si ce test est positif, le diagnostic de DH peut être posé. Des tests sanguins peuvent également confirmer ce diagnostic et aident les médecins à suivre les effets du régime sans gluten sur le patient. Une biopsie intestinale est ensuite nécessaire pour évaluer l'altération de la muqueuse intestinale avant l'adoption d'un régime sans gluten strict.

Le traitement de la DH est un régime sans gluten strict. Les patients se voient parfois prescrire des médicaments à base de sulfamides tels que la dapsone ou la sulfasalazine mais des tests d'enzymes doivent être effectués avant la prise de ces molécules pour vérifier la toxicité potentielle du traitement. Les patients peuvent réduire la prise de médicaments au fur et à mesure que leur régime sans gluten fonctionne.

Si le régime sans gluten seul semble ne pas vous aider totalement, il est possible que vous ayez à supprimer d'autres aliments ou produits chimiques. L'iode peut être problématique (on le trouve dans les coquillages et le sel de table notamment). Le kelp (une espèce de macro-algues brunes que l'on retrouve dans certains dentifrices et dans certains plats orientaux) et l'iodure de potassium (utilisé, par exemple, dans certains sirops pour la toux) peuvent également poser un problème ainsi que les anti-inflammatoires non stéroïdiens (AINS) comme l'aspirine et l'ibuprofène.

Dermatite signifie « inflammation de la peau » et *herpétiforme* vient de « herpès », une pathologie qui se manifeste par des groupes de lésions. L'hypothèse avancée que la DH serait causée par le virus de l'herpès a été clairement réfutée.

Chapitre 4

Appréhender le lien du gluten avec certaines pathologies

C ertains sujets dont je parle dans ce chapitre sont très controversés et restent encore à être prouvés ou réfutés scientifiquement.

J'examine ici le lien potentiel entre le gluten, la caséine et les troubles du comportement et de l'humeur. Je présente quelques-unes des théories avancées et des études qui ont été ou sont encore menées à ce sujet.

Comment le gluten affecte notre comportement

Notre comportement est fortement lié à ce que nous mangeons. Pourtant, quand les gens souffrent de troubles de l'humeur ou du comportement, le premier traitement proposé est habituellement un médicament. Anxieux ? Prenez un Xanax ou un Lexomil ! TDAH ? Mettez votre enfant sous Ritaline.

Pourquoi avons-nous du mal à accepter l'idée qu'il existe un lien entre l'alimentation et le comportement ? Vous n'oseriez pas vous moquer d'un garagiste qui vous conseillerait de faire rouler votre voiture au sans plomb plutôt qu'au diesel, non ? En fait, vous ne penseriez même pas à mettre du diesel dans une voiture qui consomme du sans plomb. Pourtant, les gens mettent bien souvent – ou pire encore – dans leurs corps, tous les jours, les pires carburants et se demandent ensuite pourquoi ils sont malades comme des chiens.

Nous savons que le gluten affecte le comportement. Certaines manifestations comportementales de la sensibilité au gluten et de la maladie cœliaque comprennent :

- Incapacité à se concentrer, sensation d'avoir le cerveau « embrumé » ;
- Troubles de déficit de l'attention et hyperactivité ;
- Irritabilité et anxiété ;
- Manque de motivation ;
- Comportements autistiques ;
- Dépression, trouble bipolaire, schizophrénie et troubles de l'humeur.

Pourquoi la nourriture affecte-t-elle notre humeur ?

Le cerveau est un organe qui a besoin d'énormément d'interactions complexes entre différents nutriments biochimiques pour fonctionner. Les neurotransmetteurs – composés chimiques libérés par les neurones dans votre cerveau impliqués dans son fonctionnement et celui de votre système nerveux – sont constitués d'acides aminés, des groupes de protéines. Le type et les quantités de protéines que vous mangez, ainsi que les quantités de sucre et autres glucides simples, affectent l'équilibre des neurotransmetteurs de votre corps.

En fin de compte, non seulement votre humeur est affectée mais aussi votre appétit, vos fringales, votre libido, votre sommeil et vos niveaux d'énergie.

Il a été démontré que certains nutriments tels que l'acide folique, la vitamine D et les acides gras essentiels étaient étroitement liés à nos humeurs.

La connexion cerveau-intestin

L'alimentation peut affecter vos humeurs et vos comportements pour de nombreuses raisons, notamment parce que les hormones et neurotransmetteurs (les composés chimiques qui transmettent les messages entre les neurones/nerfs) dans votre intestin sont presque identiques à ceux de votre cerveau. Certaines études très intéressantes faites sur des personnes intolérantes ou sensibles au gluten ont montré pourquoi les troubles du comportement pouvaient être un symptôme de cette intolérance.

Les personnes qui souffrent de malabsorption des nutriments (comme les personnes sensibles au gluten ou cœliaques qui continuent de manger du gluten) ont souvent des niveaux élevés d'hormones *corticotrope* (ACTH) et *acétylcholine* (ACh). Ces hormones sont appelées les « hormones du stress ». Des niveaux élevés de ces hormones interfèrent avec l'apprentissage, créent de l'anxiété, un désir de fuite, la crainte du changement ou de l'inconnu et entraînent une baisse des capacités à apprendre de ses expériences.

Les données expérimentales suggèrent également que les personnes qui souffrent de malabsorption agissent de façon similaire aux personnes qui présentent des lésions dans certaines parties du cerveau, comme l'hypothalamus (qui régule les processus métaboliques) et l'hippocampe (partie du système limbique, qui affecte l'humeur et la motivation).

Le lien possible entre la sensibilité au gluten et l'autisme

L'autisme est une pathologie clairement définie. La maladie cœliaque – et dans une certaine mesure la sensibilité au gluten (voir le chapitre 2 pour en connaître les différences) – sont également des pathologies bien connues. Mais y a-t-il un lien entre les deux ? Ce n'est pas encore clairement prouvé.

Quelques hypothèses émises :

- ✔ L'autisme est associé à une plus forte prévalence de la maladie cœliaque et de la sensibilité au gluten. C'est un fait. Des études ont montré que les enfants autistes ont un risque trois fois plus élevé que la population générale de souffrir de la maladie cœliaque. Mais est-ce parce que les gens sont atteints d'autisme qu'ils sont plus susceptibles de souffrir également de la maladie cœliaque ou bien est-ce que les personnes cœliaques sont plus susceptibles de développer des comportements autistiques ?

- ✔ L'autisme serait en réalité la maladie cœliaque ou une forme de sensibilité au gluten. Parce que les symptômes de la maladie cœliaque et de la sensibilité au gluten peuvent ressembler à ceux de l'autisme, comment en être sûr ? Et si, dans certains cas, la personne autiste est également cœliaque ? Il n'est pas étonnant alors qu'un régime sans gluten améliore ses comportements.

> ✔ L'autisme est une pathologie bien distincte de la maladie cœliaque, mais dans les faits, elles s'améliorent toutes deux (parfois en cas d'autisme) avec un régime sans gluten.
>
> ✔ La malabsorption, caractéristique de la maladie cœliaque, pourrait-elle induire une importante déficience des neurotransmetteurs dans le cerveau qui se manifesterait par des comportements autistiques ?
>
> ✔ À l'inverse, les enfants diagnostiqués cœliaques à un âge précoce (donc ayant adopté très tôt un régime sans gluten) seraient-ils « protégés » contre l'émergence de comportements autistiques ?

Il semblerait que certaines connexions existent entre la maladie cœliaque et l'autisme bien que ces connexions ne soient pas encore clairement définies ni prouvées scientifiquement. De nombreuses études ont démontré que les enfants autistes sont souvent sujets aux problèmes gastro-intestinaux et que la prévalence de la maladie cœliaque est plus élevée chez les personnes autistes que chez la population générale. Certains chercheurs ont présenté des hypothèses alternatives, notamment celle où la malabsorption associée à la maladie cœliaque induit une carence de neurotransmetteurs ; ainsi les nerfs ne transmettent-ils pas correctement les informations et les personnes peuvent présenter des comportements autistiques. Plusieurs études sont en cours pour déterminer la relation entre les deux pathologies.

Certains autistes ayant adopté un régime sans gluten ont vu leurs symptômes diminuer, voire disparaître. Peut-être n'ont-ils jamais été autistes ? Peut-être les symptômes de leur maladie cœliaque ont-ils fait penser à de l'autisme et qu'une fois le régime adopté, ils sont revenus à un état « normal ». Ou (plus probablement) le régime sans gluten peut-il aider à améliorer les troubles du comportement, notamment l'autisme ?

Bien qu'un lien clair ne soit pas encore établi entre l'autisme et la maladie cœliaque, une chose est sûre, c'est que les deux pathologies possèdent un dénominateur commun : le _syndrome de l'intestin perméable_ (voir le chapitre 2 pour plus d'informations à ce sujet). La prévalence du syndrome de l'intestin perméable est plus élevée chez les personnes atteintes d'autisme et ce syndrome implique qu'une grande quantité de grosses molécules (telles que le gluten) entrent dans la circulation sanguine, déclenchant une réponse auto-immune.

Mais qui a commencé ? Est-ce que le syndrome de l'intestin perméable, qui fait entrer du gluten et d'autres toxines dans le sang, peut provoquer des comportements autistiques ? Ou bien est-ce que les gens atteints d'autisme sont plus susceptibles de développer la maladie cœliaque car ils souffrent souvent du syndrome de l'intestin perméable ?

L'association entre le gluten et le comportement, en particulier l'autisme, est fascinante et digne d'être explorée et approfondie. L'un des traitements les plus prometteurs pour l'autisme consiste en un protocole diététique d'élimination de la caséine et du gluten de l'alimentation. Ce protocole est pour l'instant purement empirique et a été récemment remis en question par l'AFSSA (Agence française de sécurité sanitaire des aliments) dans une étude française, lui-même remis en question par les partisans du régime sans gluten sans caséine.

Le régime sans gluten et sans caséine à l'essai

Un régime sans gluten et sans caséine (j'utilise l'abréviation : SGSC) est l'une des pistes de traitement « alternatif » pour les enfants autistes. Des preuves empiriques ont montré une remarquable amélioration de l'état des enfants quand ils suivent un régime strict SGSC (et parfois même sans soja).

Le principe qui sous-tend ce traitement est que ces enfants ont une sensibilité au gluten et/ou des allergies à la caséine et ces sensibilités provoquent des réactions en cascades qui aboutissent à des comportements autistiques. Supprimer les protéines incriminées, le gluten et la caséine, pourrait améliorer les symptômes tels que l'impulsivité, le manque de concentration et les problèmes d'élocution.

Plusieurs études très bien conçues et contrôlées sont actuellement en cours dans des établissements réputés pour obtenir des données plus précises et complètes, mais ce sont des années de preuves empiriques qui appuient cette piste de traitement et des milliers de témoignages de parents qui ont connu des résultats étonnants grâce au régime.

Autisme : la théorie de l'excès opioïde

Les partisans du régime sans gluten et sans caséine dans le traitement de l'autisme se réfèrent à une théorie spécifique pour en vanter les mérites : *la théorie de l'excès d'opioïde* développée par Kalle Reichelt en 1991.

L'idée derrière cette théorie est que les personnes autistes métabolisent le gluten et la caséine d'une façon différente des autres. Normalement, le gluten et la caséine sont décomposés en peptides appelés *gliadinomorphines* et *casomorphines*. Ces peptides sont subdivisés en acides aminés constitutifs, mais chez les personnes autistes, ce n'est pas le cas.

La théorie soutient que, chez les personnes autistes, ces peptides traversent l'intestin, entrent dans la circulation sanguine puis, finalement, atteignent le cerveau. En raison de leur structure chimique semblable à celle de la morphine, un opiacé puissant, les gliadinomorphines et casomorphines sont soupçonnées de provoquer les mêmes effets que les opiacés.

Les enfants éprouvent des sensations similaires à celles d'un consommateur d'opiacés. Cela pourrait expliquer certains comportements autistiques typiques comme les mouvements répétitifs du corps, l'isolement, une fascination pour certaines parties d'un objet et non pas l'objet lui-même ainsi qu'une détresse forte face au moindre petit changement de leurs habitudes et dans leur environnement.

Ce que l'on sait, c'est que la plupart des autistes (qui ne sont pas au régime SGSC) présentent des niveaux élevés de ces peptides dans leurs urines contrairement au reste de la population.

Le test d'urine

Un test d'urine est proposé pour détecter ces peptides et déterminer si un régime sans gluten et sans caséine serait bénéfique aux personnes atteintes d'autisme ou de schizophrénie. Ce test recherche ces peptides dans l'urine, preuves que le corps ne dégrade pas correctement les protéines (comme le gluten).

Les peptides sont des chaînes d'acides aminés et les protéines sont des types de grands peptides. Tout le monde métabolise les protéines du gluten et de la caséine en peptides appelés respectivement *gliadinomorphines* et *casomorphines*. Chez la plupart des gens, le corps décompose ces peptides en acides aminés, mais chez les autistes ou schizophrènes, les peptides restent parfois intacts et ne sont pas décomposés. Ces peptides, qui fonctionnent un peu comme les drogues opiacées, sont généralement excrétés dans l'urine. Les médecins recherchent des niveaux élevés de ces peptides avec un test urinaire.

Le seul moyen pour ces larges peptides d'entrer dans la circulation sanguine est de profiter d'un intestin extra-perméable – comme dans le syndrome de l'intestin perméable. Un régime sans gluten réduit le risque de voir ces peptides entrer dans le sang.

À ceux qui sont sceptiques au sujet du rôle de l'alimentation dans les comportements autistiques, je vous demande pourquoi ? Est-ce simplement parce qu'il n'existe pas encore d'assez bonnes études scientifiques pour prouver l'efficacité ? C'est une raison valable, oui, mais je pense qu'il faut garder l'esprit ouvert. Rien ne le prouve mais rien ne le contredit non plus véritablement, pour le moment.

Une des raisons pour lesquelles il est si difficile d'amener les enfants à se conformer à un régime SGSC est que, comme pour une dépendance aux opiacés, ils sont physiologiquement accros aux aliments qui leur font du mal : le gluten et la caséine. Les enfants autistes ont tendance à n'aimer qu'une petite sélection d'aliments – le plus souvent des aliments qui sont chargés de gluten et de caséine. Ils pourraient être physiquement « accros » à ces aliments en raison de la production d'opiacés au moment de la consommation. Un thérapeute peut être en mesure de vous aider à développer un plan pour introduire de nouveaux aliments (sans gluten) dans le régime alimentaire d'un enfant autiste.

La plupart des personnes soutenant un protocole de traitement diététique recommandent de tout supprimer d'un coup, puis de réintroduire lentement les aliments dans le régime alimentaire.

Comment supprimer le gluten de l'alimentation ? Oh, allez, l'ensemble de ce livre en parle – notamment dans les chapitres 5 et 6. Comment supprimer la caséine ? Rendez-vous au chapitre 10.

Les résultats obtenus par un régime sans gluten et sans caséine varient. Certaines personnes constatent une amélioration au bout d'une semaine, d'autres en moins d'un an. D'autres encore ne voient aucune amélioration. Parmi ceux qui déclarent avoir constaté des changements de comportement, les changements eux-mêmes varient aussi. Certains autistes arrivent à dormir une nuit complète (enfin !), d'autres deviennent plus communiquant et interagissent plus, d'autres encore sont complètement « normalisés » avec le régime.

Les personnes qui restent sceptiques au sujet du protocole alimentaire SGSC s'abritent généralement derrière le fait qu'il n'existe pas vraiment d'étude qui « prouve » son efficacité.

Les chercheurs n'ont presque aucun moyen de faire d'étude en double aveugle, contrôlée par placebo, impliquant l'alimentation sans une caméra cachée. Comment peuvent-ils savoir si les sujets étudiés respectent bien le régime ?

Si vous souhaitez faire une étude contrôlée, les sujets ne sont pas censés savoir à quel groupe ils appartiennent. Mais si vous les mettez au régime sans gluten et sans caséine, vous leur donnez bien plus qu'un indice !

Certains tests recherchent des allergies pour le confirmer. Mais il n'existe pas de réelle allergie au gluten. Alors ça ne marche pas.

Idéalement, les tests devraient aller plus loin. Il faudrait systématiser les tests de sensibilité au gluten, et à la caséine en général, pour mieux les appréhender et pour pouvoir éventuellement les relier à l'autisme ou à d'autres troubles du comportement

Le lien entre autisme et maladies auto-immunes

Des études montrent que les enfants dont les mères souffrent de maladies auto-immunes (y compris la maladie cœliaque) sont trois fois plus susceptibles d'être autistes. L'étude, réalisée au Danemark, a étudié les mères souffrant de diabète de type 1, de polyarthrite rhumatoïde et de la maladie cœliaque. Les enfants de mères atteintes ont un peu moins de deux fois plus de risques d'être autistes. Pour les enfants dont les mères sont atteintes de polyarthrite rhumatoïde, le risque est d'environ une fois et demie – mais dans le cas de mères souffrant de la maladie cœliaque, le risque est trois fois plus important. Il est généralement admis qu'une maladie auto-immune en appelle une autre. Mais trouver un lien entre l'autisme et les maladies auto-immunes, en particulier une maladie auto-immune qui implique un trouble gastro-intestinal, est très difficile.

Améliorer les états dépressifs et les troubles de l'humeur

La dépression clinique, le trouble bipolaire, la schizophrénie et d'autres troubles de l'humeur peuvent parfois être associés ou exacerbés par une sensibilité au gluten ou par la maladie cœliaque. Ces troubles de l'humeur sont reconnus par certains chercheurs comme des symptômes de la maladie cœliaque. Ces pathologies s'améliorent parfois avec un régime sans gluten.

La schizophrénie a été associée à la sensibilité au gluten et à la maladie cœliaque dès les années soixante, quand il a été découvert qu'un régime sans gluten et sans laitages améliorait l'état de certains patients internés. Fait intéressant : les molécules de type « opiacés » retrouvées dans les urines de personnes autistes le sont souvent également chez les schizophrènes.

Certains chercheurs ont noté que les cas de schizophrénie sont plus nombreux dans les zones où la céréale de base de l'alimentation est le blé, contrairement aux zones où des grains sans gluten sont consommés. Dans une étude réalisée dans les hautes terres de Papouasie-Nouvelle Guinée, où peu de céréales sont consommées, seulement 2 adultes sur 65 000 ont été identifiés comme souffrant de schizophrénie chronique ou de démence. Sur la zone côtière où le blé est beaucoup plus consommé, la prévalence de la schizophrénie était environ trois fois plus élevée.

Ritaline : pensez-y à deux fois

Voici ce qu'une maman pourrait crier à ses enfants sur le chemin de l'école : « Vous êtes-vous brossé les dents ? Avez-vous pris votre petit déjeuner ? Avez-vous fait vos devoirs ? Avez-vous pris votre Ritaline ? »

Les troubles de déficit de l'attention et hyperactivité sont les pathologies psychiatriques les plus répandues chez les enfants. La prévalence est estimée à 5 à 10 % des enfants en âge d'être scolarisés.

Le diagnostic est généralement posé lorsque les enfants présentent des comportements tels que l'inattention, l'hyperactivité, l'impulsivité, ont des problèmes de comportement en classe ou sont en échec scolaire. Les parents consultent alors un médecin pour comprendre et gérer ces attitudes.

Certains chercheurs spéculent que la nutrition pourrait jouer un rôle dans les TDAH. Certains attribuent ces troubles à l'hypoglycémie (taux bas de sucre dans le sang) tandis que d'autres pensent qu'ils sont liés aux peptides opioïdes qui pourraient être également incriminés dans les cas d'autisme (gliadinomorphines et casomorphines).

Les principaux symptômes des TDAH – l'inattention, l'agitation et l'impulsivité – sont également des symptômes de la maladie cœliaque. Les personnes qui souffrent de la maladie cœliaque pourraient être diagnostiquées à tort comme souffrant de TDAH ? Certainement. Certaines personnes souffrant de TDAH pourraient-elles souffrir d'un problème de métabolisation du gluten et de la caséine qui leur provoquerait les mêmes effets que des « stupéfiants » ? Peut-être. Un régime sans gluten et sans caséine pourrait-il aider ces personnes et même remplacer leurs médicaments ? Peut-être. En tout cas, cela vaut la peine d'essayer, non ?

Le lien entre le gluten et certaines pathologies chroniques

J'examine ici le lien éventuel entre le gluten et d'autres pathologies chroniques, notamment à composante inflammatoire, auto-immunes ou non, et l'impact potentiel de l'alimentation pour soulager leurs symptômes.

Gluten et spondylarthrite ankylosante

Les douleurs articulaires sont souvent liées à une inflammation des articulations pouvant être déclenchée, entre autres, par un excès de toxines dans le corps.

La spondylarthrite ankylosante est une maladie incurable (dont les médecins ne connaissent pas encore les causes) due à l'inflammation d'une zone particulière de la colonne vertébrale : les *enthèses* (là où le disque intervertébral s'attache sur les vertèbres). Les premières traces de cette maladie chronique et très handicapante semblent remonter au Néolithique. Proche de la polyarthrite rhumatoïde, elle évolue par crises douloureuses, et avec le temps vers une ankylose vertébrale (soudure des vertèbres).

Il existe une piste génétique, tout comme pour la maladie cœliaque. On retrouve chez la majorité des patients le gène HLA-B27, qui serait responsable d'une réaction auto-immune de l'organisme. Cette réaction du système immunitaire déclencherait une réaction inflammatoire au sein des enthèses, créant ainsi des lésions.

Certaines études ont montré que 50 % des patients atteints de cette maladie souffrent également de lésions intestinales (tiens, tiens !). La perméabilité intestinale laisserait passer dans le sang des toxines qui déclencheraient, notamment chez les porteurs du gène HLA-B27, une réaction inflammatoire qui s'attaque au cartilage.

Certains médecins, comme le Dr Seignalet – pionnier du régime Paléolithique –, pensent que l'alimentation moderne serait la cause de cette maladie, tout comme pour la polyarthrite rhumatoïde dont les mécanismes semblent similaires (prédisposition génétique, facteurs environnementaux déclenchant et réponses auto-immunes). Ils préconisent un régime de type Paléolithique, notamment l'éviction du gluten et des laitages, pour soulager les crises inflammatoires, ainsi que les cuissons à la vapeur douce, les aliments crus et les apports en oméga-3 et vitamine D3.

Gluten et polyarthrite rhumatoïde

Rhumatisme le plus fréquent (0,3 % de la population) où le système immunitaire s'attaque à la *membrane synoviale* (celle-ci secrète le liquide qui lubrifie l'articulation). Le patient souffre alors d'inflammation et de gonflements douloureux, notamment aux mains, poignets et genoux. L'inflammation provoque la dégradation du cartilage et de l'os touché et entraîne, à terme, leur déformation.

Il semble que les gènes HLA-DR1 et HLA-DR4 soient retrouvés chez une grande partie des patients, qui, associés à des facteurs hormonaux, chocs psychologiques et à une prédisposition génétique, déclencheraient la maladie.

Il semble aussi qu'une grande partie des patients possèdent des anticorps dirigés contre la gliadine du blé et contre la tTG. Ainsi, les aliments gluténisés pourraient participer au déclenchement de cette maladie. De toute évidence, l'alimentation peut aider à soulager et contenir les inflammations.

Gluten et sclérose en plaques (SEP)

La sclérose en plaques est une maladie auto-immune, handicapante sur le long terme, dans laquelle le système immunitaire s'attaque à la *myéline* (substance qui entoure les fibres nerveuses et assure la transmission de l'influx nerveux). Les causes de la maladie restent encore inconnues, mais des facteurs environnementaux et alimentaires ont été évoqués car elle touche surtout les zones occidentales du monde.

Une étude a montré que les patients souffrant de sclérose en plaques avaient souvent des anticorps anti-gliadine et anti-transglutaminase mais leur rôle reste encore flou. Avec la présence de ces anticorps, un régime sans gluten semble adapté. De nombreux patients ont noté une amélioration de leur état de santé en supprimant le gluten.

Gluten et problèmes de peau

Je vous ai parlé au chapitre 3 de la dermatite herpétiforme, une forme de la maladie cœliaque (et reconnue comme telle), qui touche principalement la peau.

Le psoriasis touche des millions de personnes et se caractérise par des plaques rouges couvertes de squames blanches. Certains chercheurs recherchent systématiquement la présence d'une maladie cœliaque en cas de psoriasis car plusieurs études ont montré qu'il pouvait être associé à une maladie cœliaque silencieuse ou à la sensibilité au gluten non cœliaque. Tout comme les autres maladies à caractère auto-immune, la perméabilité intestinale est encore évoquée pour expliquer la réaction de l'organisme à certaines toxines déclenchant l'apparition du psoriasis. Le gluten ne serait pas responsable de la maladie mais jouerait un rôle déclencheur. Un régime sans gluten pourrait là aussi améliorer l'état des patients.

Gluten et fibromyalgie, syndrome de fatigue chronique

La fibromyalgie est une maladie où les patients souffrent de douleurs musculaires et de fatigues chroniques, pouvant devenir à terme très invalidantes.

Une étude a prouvé que le régime sans gluten améliorait considérablement l'état des patients souffrant de maladies du système nerveux. L'intolérance au gluten provoque également la destruction de la sérotonine (hormone servant de neurotransmetteur dans le système nerveux central), ce qui pourrait expliquer une apparition de symptômes similaires à la fibromyalgie. De nombreux patients sont à la fois fibromyalgiques et cœliaques ou sensibles au gluten.

Gluten et diabète

On sait depuis longtemps que le diabète de type 1 et la maladie cœliaque sont liés. La prévalence de la maladie cœliaque chez les diabétiques de type 1 se situe entre 3 à 8 %. Tous les diabétiques devraient faire le test sanguin des anticorps de la maladie cœliaque. On retrouve bien souvent chez les diabétiques les gènes HLA-DQ2 et HLA-DQ8 ainsi qu'un taux élevé de zonuline (qui joue un rôle important dans la perméabilité intestinale).

Le régime sans gluten sain, dont je vous parle au chapitre 5, convient aux deux pathologies. Comme une maladie auto-immune en appelle une autre, le régime sans gluten peut éviter aux cœliaques de développer du diabète. Pour cela, il faut vraiment faire attention aux indices glycémiques des aliments. Il est vital, en cas de diabète, de choisir des aliments à l'indice glycémique bas et d'éviter les excès de sucre.

Gluten et endométriose

Cette maladie touche de nombreuses femmes (entre 10 et 20 %) et se caractérise par le développement de muqueuse hors de l'utérus, qui peut se propager sur tous les organes avoisinants. Les causes de cette maladie ne sont pas encore connues, mais on évoque les pistes du système immunitaire, de facteurs environnementaux et génériques ou encore d'un virus.

Une étude italienne, en 2012, sur plus de 200 patientes, a montré une amélioration des symptômes (douleurs notamment) pour 75 % des femmes ayant suivi un régime sans gluten strict pendant un an.

On ne peut clairement pas faire de lien entre le gluten et l'endométriose, mais l'éviction du gluten pourrait améliorer la qualité de vie des patientes.

Gluten et cancer

Le gluten n'augmente pas les risques de développer un cancer, sauf pour les personnes cœliaques ou souffrant de sensibilité au gluten avérée qui peuvent développer, en cas de diagnostic tardif ou de régime mal suivi, des cancers et des lymphomes intestinaux.

On sait qu'un terrain acide et une alimentation à indice glycémique élevé favorisent l'apparition de cancers. Les cellules cancéreuses se nourrissent de sucre. En consommant trop de sucres, on épuise également son pancréas (comme je vous en parlerai au chapitre 7). Autant de raisons de suivre un régime sans gluten sain.

Il existe également une forme de la maladie cœliaque qui résiste au régime sans gluten : la *sprue réfractaire*. Malgré un strict suivi du régime, l'atrophie villositaire persiste et peut déclencher un lymphome intestinal.

Chapitre 5

Les règles de base du régime sans gluten

Dans ce chapitre :
- ▶ Définir ce qu'est le gluten
- ▶ Connaître les aliments autorisés et interdits
- ▶ Découvrir de nouveaux aliments et nouvelles saveurs
- ▶ Débusquer le gluten dans les produits non alimentaires

Que vous soyez un nouveau venu dans le monde merveilleux du « sans gluten » ou un vieux routard du régime, ce chapitre vous apportera certainement des informations qui pourraient vous surprendre.

Ce régime devrait être un jeu d'enfant : on trouve du gluten principalement dans le blé, le seigle et l'orge, alors si on évite ces aliments, c'est bon ? Si cela était si simple, je poserai ma plume tout de suite et j'inscrirai ici le mot « FIN ». Non, le régime n'est pas aussi simple car le gluten se cache sous diverses appellations, additifs, arômes, dérivés, farces et autres termes fantaisistes qui veulent tous dire la même chose : « il peut y avoir du gluten, là-dedans ».

La bonne nouvelle est que la liste des aliments que vous pouvez manger est beaucoup plus longue que celle des aliments non autorisés. Oui, c'est vrai, vous allez dire adieu à votre pizza traditionnelle, votre baguette, vos biscuits et aussi à la bière.

Mais vous allez découvrir un monde étonnant d'aliments sans gluten qui peuvent remplacer vos anciens aliments favoris – dont certains vous sont sûrement totalement inconnus encore, comme le quinoa ou le teff. Vous allez apprendre que les « larmes de Job » ne sont pas des icônes religieuses mais qu'ils sont sans gluten. C'est le moment d'apprendre à connaître les aliments uniques qui s'offrent à vous dans le cadre de votre régime sans gluten.

Ne vous découragez pas si les lignes directrices du régime vous semblent au premier abord un peu écrasantes. Pour certaines personnes, l'apprentissage des aliments autorisés et interdits nécessite de changer totalement leur vision de l'alimentation. Pour d'autres, c'est plus facile. Pour d'autres encore, c'est un changement du quotidien qu'ils accueillent avec bienveillance.

Sur l'échelle du « je suis accablé par ce régime », que vous vous situiez à 1 ou à 10, ce chapitre est capital pour comprendre les bases du régime. Je vous explique où l'on peut trouver du gluten, ce qu'il est possible de manger, ce qui est interdit et les cas où vous devrez faire des vérifications. Je vous parle aussi des produits non alimentaires comme les médicaments et les cosmétiques.

Dans le doute, abstenez-vous !

Le moment où vous vous demanderez si un produit est vraiment sans gluten arrivera inévitablement : vous êtes dans un restaurant ou dans une soirée et vous n'avez pas la moindre idée de la façon dont les plats proposés sont préparés. Aucune étiquette n'est disponible et même quand vous en trouvez une, vous ne connaissez pas la moitié des mots qui y sont inscrits. Et si vous n'avez pas votre exemplaire de ce livre dans votre sac à main, comment vous en sortez-vous ?

Dans ces situations, vous pourriez réagir de la façon suivante :

« Je ne sais pas si c'est sans gluten mais ça a l'air vraiment délicieux. On ne dirait pas qu'il y a du gluten là-dedans. Comme je ne sais pas, je suppose que c'est ok. Mmmmm. Ce plat n'avait pas le goût de gluten… Excusez-moi, où sont vos toilettes ? »

Ne faites pas cela. Si vous avez besoin d'un rappel sur les effets du gluten sur votre corps, même en petite quantité, refaites un tour au chapitre 2.

Même si vos symptômes sont légers ou absents, le gluten, même en petites quantités, peut causer des dommages sur votre corps.

Il vaut mieux être en sécurité qu'avoir des regrets, donc suivez ce commandement plein de bon sens : « Dans le doute, abstiens-toi ! »

Définir le gluten pour pouvoir l'éviter

Vous devez savoir ce qu'est le *gluten* – et pas seulement pour faire votre intéressant dans une soirée lors de conversations passionnantes du style :

« Alors, que trouvez-vous le plus difficile à éviter ? La gliadine, l'hordéine ou la sécaline ? » (Oui, ça va tout de suite mettre de l'ambiance !) Non, vous devez tout savoir sur le gluten afin de l'éviter. La définition de ce terme est tellement compliquée qu'il est difficile d'en donner une qui soit techniquement correcte mais je vais essayer.

Le *gluten* est ce que les scientifiques appellent une protéine de stockage, ce que les boulangers appellent l'ingrédient du blé qui donne de l'élasticité au pain et l'ingrédient que certains débutants du régime sans gluten regrettent.

Le gluten est un groupe de protéines qui est techniquement et seulement issu du blé. Le lien entre le blé (spécifiquement le gluten) et la maladie cœliaque a été établi. Il était clair que le gluten rendait les personnes cœliaques malades. Rapidement, les médecins ont réalisé que l'orge et le seigle les rendaient également malades et ont recommandé aux cœliaques de les supprimer de leur alimentation. « Ils ne peuvent plus manger de blé, d'orge et de seigle, donc l'orge, le seigle et le blé contiennent du gluten, c'est bien cela ? » En quelque sorte mais pas vraiment. On retrouve l'un des types de protéines du gluten dans l'orge et le seigle.

Les *prolamines* sont une classe de protéines présentes dans une variété de céréales qui causent des problèmes aux personnes qui ne peuvent pas absorber de « gluten ». Techniquement, le gluten est constitué de protéines (gluténine et gliadine), un type spécifique de prolamines du blé. Toutefois, le gluten est devenu un terme général pour tout type de prolamines potentiellement toxiques. Les prolamines qui causent des dommages aux personnes atteintes de la sensibilité au gluten et de la maladie cœliaque comprennent gliadine (blé), sécaline (dans le seigle) et hordéine (dans l'orge). Les autres céréales contiennent également des prolamines (la prolamine de maïs est appelée zéine et la prolamine du riz orzenine), mais elles ne seraient pas toxiques pour les personnes atteintes de la sensibilité au gluten ou de la maladie cœliaque.

L'idée que le blé, l'orge et le seigle (et peut-être l'avoine) contiennent tous du gluten, même si elle n'est pas techniquement correcte, est largement admise aujourd'hui. Dans le cadre de ce livre, je m'en tiendrais à la définition de l'AFDIAG : « Le gluten "toxique pour les cœliaques" est l'ensemble des protéines (prolamines et *glutélines*) de certaines céréales : le blé, l'orge et le seigle. »

« Sans blé » ne signifie pas « sans gluten ». Un aliment peut être exempt de blé et pourtant ne pas être « sans gluten », comme le malt quand il est fabriqué à partir d'une céréale toxique pour les cœliaques, tel l'orge par exemple.

Reconnaître au premier coup d'œil un aliment contenant du gluten

Vous allez devoir vous familiariser avec de nombreux aliments en apprenant toutes les subtilités du régime sans gluten.

La raison pour laquelle le régime sans gluten peut sembler fastidieux au premier abord est que la liste des « dérivés » de céréales contenant du gluten est complexe. Les aliments transformés – comprenant des assaisonnements, additifs et arômes – peuvent également contenir des ingrédients suspects.

Faire une liste basique des aliments qui contiennent du gluten et de ceux qui n'en contiennent pas est, en réalité, assez simple. Gardez à l'esprit que ces listes ne sont pas totalement exhaustives et qu'elles ont seulement pour but de vous aider à démarrer votre apprentissage. Vous pouvez trouver des listes d'aliments mises à jour régulièrement sur les sites des associations d'intolérants au gluten de votre pays et au chapitre 9.

Les grains interdits

Je ne démarre pas ce chapitre par les grains interdits par pessimisme mais parce que leur liste est beaucoup plus courte que celle des grains que vous pouvez manger. Voici les grains à éviter dans un régime sans gluten :

- ✔ Orge
- ✔ Avoine (qui est autorisée à présent mais peut parfois être contaminée)
- ✔ Triticale (hybride de blé et de seigle)
- ✔ Seigle
- ✔ Blé (froment, kamut, épeautre, petit épeautre)

Vous devez éviter (ou au moins mettre en doute) tout ingrédient qui contient le mot *blé* comme la protéine hydrolysée de blé, l'amidon de blé, le germe de blé, et ainsi de suite. L'herbe de blé, cependant, comme toutes les graminées, est sans gluten. (Voir le prochain encadré « Graminées, graines germées, son ».) Gardez quelques détails supplémentaires en mémoire :

- ✔ L'amidon de blé est en fait un amidon dont le gluten a été retiré. Les nouvelles réglementations européennes et mêmes américaines autorisent son utilisation dans les produits sans gluten. Pourtant, certaines personnes se questionnent encore sur le processus de lavage – à savoir si ce dernier élimine complètement toute trace résiduelle de gluten.

✔ Le triticale est un hybride de blé et de seigle. Il a été inventé pour combiner la productivité du blé et la robustesse du seigle et pas seulement pour ajouter un aliment interdit à votre liste. C'est une céréale assez nutritive pour les personnes qui peuvent en manger (mais je vous propose des grains alternatifs encore plus intéressants plus bas dans ce chapitre).

✔ On retrouve le blé sous différents noms et variétés : farine, boulgour, semoule, épeautre, petit épeautre, couscous, kamut, pain azyme, matsa, seitan, farine à gâteau, engrain, froment, blé dur, graham. Souvent commercialisé comme une alternative au blé, l'épeautre est autant une alternative au blé que je suis une alternative à un être humain. Il n'est pas exempt de gluten, loin de là. Le petit épeautre est souvent présenté comme étant sécurisé mais il contient trop de prolamines qui peuvent être toxiques pour un cœliaque.

✔ Le blé a bien changé. Pour baisser les coûts des produits industriels et augmenter les principes nutritifs de cette céréale, l'agriculture intensive, aux États-Unis notamment, essaie de trouver des moyens d'hybrider le blé pour lui faire produire encore plus de gluten.

✔ Les produits dérivés de céréales contenant du gluten ne sont pas autorisés à qui suit un régime sans gluten. Le dérivé le plus commun que vous devez éviter est *le malt*, qui provient généralement de l'orge. Évitez ainsi le malt et le vinaigre de malt. Si le malt est dérivé d'une céréale toxique pour les cœliaques, l'étiquette le mentionnera. Si ce n'est pas précisé, c'est consommable.

L'avoine : oui, mais avec quelques précautions

L'innocuité de l'avoine dans un régime sans gluten a longtemps fait débat. Jusqu'ici, cette céréale était à proscrire pour les nombreux intolérants au gluten car elle pouvait être contaminée par le blé, l'orge ou le seigle, bien avant même d'arriver dans nos assiettes. L'avénine, protéine de l'avoine, était aussi pointée du doigt, présentant beaucoup de similitudes avec la gliadine, c'est-à-dire la partie du gluten contenue dans le blé qui provoque une réaction immunitaire chez les intolérants au gluten. Toutefois, il a été prouvé que cette protéine se trouve en plus petite quantité dans l'avoine que le gluten dans le blé, et que selon les variétés d'avoine, cette quantité d'avénine peut varier considérablement. Ainsi, l'avoine pure, non contaminée, pourrait entrer dans le cadre d'un régime sans gluten mais en quantité restreinte, soit une consommation journalière ne dépassant pas les 50 grammes. Il existe, pour en consommer en toute tranquillité, des produits à base d'avoine qui bénéficient du logo de l'épi de blé barré garantissant une présence de gluten inférieure à 20 mg/kg (20 ppm).

Graminées, graines germées, son

L'herbe de blé ou d'orge, souvent vendue dans les magasins diététiques et dans les bars à jus, est sans gluten. L'herbe n'a pas encore formé les protéines contenant du gluten qui causent des problèmes chez les personnes ayant une sensibilité au gluten ou la maladie cœliaque. Attention, cependant, aux herbes qui sont intégrées à la composition d'un produit. Ces herbes pourraient être contaminées par des graines, donc par du gluten. Même chose pour les graines germées. Le son est encore à l'étude. N'oubliez pas le commandement principal de ce chapitre : « Dans le doute, abstenez-vous ! »

Grains et fécules que vous pouvez manger

Il existe un vaste choix de céréales et de fécules sans gluten. Même si vous êtes un pro du régime sans gluten depuis des années, certaines d'entre elles vous seront peut-être encore inconnues :

- Amarante
- Arrow-root
- Avoine (avec précaution)
- Caroube
- Châtaigne
- Fonio
- Haricots/pois
- Konjac
- Larmes de Job
- Maca
- Maïs
- Mesquite
- Millet
- Millet rouge/éleusine
- Montina
- Pois chiches, lentilles et fèves
- Pommes de terre
- Quinoa
- Riz
- Sarrasin
- Soja
- Sorgho
- Tapioca (manioc)
- Taro
- Teff

Le riz gluant, qu'on appelle *glutinous rice* en anglais, a un nom qui pourrait porter à confusion mais il ne contient pas de gluten. C'est un riz collant qui sert souvent à faire des sushis et des desserts asiatiques.

De nombreuses formes du maïs sont sans gluten : gruau, semoule de maïs, masa, farine de maïs, polenta, fécule de maïs, son de maïs.

Les gommes, comme la gomme de guar et la gomme xanthane, ne contiennent pas de gluten. Les gens les utilisent fréquemment dans les produits de boulangerie sans gluten parce qu'elles aident à donner la texture élastique habituellement apportée par les farines contenant du gluten.

Chez certaines personnes, les gommes – en particulier la gomme de guar – peuvent avoir un effet laxatif.

Autres aliments généralement sans gluten

En général, ces aliments sont sans gluten (cette liste se réfère à des aliments non assaisonnés, sans additifs ni produits transformés) :

Fruits	Œufs
Fruits de mer	Poissons
Haricots	Produits laitiers (sauf certains
Légumes	fromages à moisissures)
Légumineuses	Viandes
Noix	Volailles

Les aliments énumérés ici sont naturellement sans gluten. Vous pouvez acheter des produits spécialisés tels que les biscuits, les gâteaux, brownies, des pains, des craquelins, des bretzels, et d'autres produits qui ont été fabriqués avec des ingrédients sans gluten. Je vous en dis plus sur ces produits et où les acheter au chapitre 9.

Ne mangez pas de la « viande de blé »

Le seitan est un aliment à base de protéine de blé dont la texture ressemble à de la viande. Appelé aussi « nourriture de Bouddha », *wheat meat* ou *wheat gluten* (viande de blé ou gluten de blé, en anglais), le seitan est fabriqué à base d'une pâte de farine de blé et d'eau. Son pétrissage permet de développer le gluten puis le rinçage élimine l'amidon et le son, ne laissant que le gluten. On la fait ensuite mijoter dans de l'eau ou du bouillon de légumes assaisonné de sauce soja. Ce n'est pas seulement un aliment qui contient du gluten, *c'est* du gluten. Le mot *seitan* signifie « est une protéine » en japonais et on l'appelle *kofu* en Chine.

Aliments qui contiennent habituellement du gluten

Les industriels proposent des versions sans gluten de certains aliments qui habituellement en contiennent. À moins que vous n'achetiez ces produits dégluténisés, les aliments suivants contiennent du gluten :

Bière
Bretzels
Céréales
Cookies, cakes, cupcakes, beignets, muffins, gâteaux, tartes, brownies et autres produits de boulangerie ou pâtisserie
Crackers
Croûtons
Farces

Hosties
Marinades (comme la sauce teriyaki)
Pains, chapelure, biscuits
Pâtes
Pâte à pizza
Réglisse
Sauce soja
Sauces et roux
Surimis

Explorez les grains alternatifs et les super aliments

À part pour le maïs, le blé et le riz que tout le monde connaît, il est plus difficile pour une majorité d'entre nous de faire la différence entre l'orge et le boulgour. En fait, un vaste monde de grains à explorer s'ouvre à vous. Ils sont sans gluten, délicieux et ont une excellente valeur nutritionnelle.

On les dénomme « grains alternatifs ou céréales alternatives », mais la majorité n'en sont pas du tout. Ce sont des graminées, des graines, ou des fleurs. Les gens les appellent aussi « super aliments » parce qu'ils sont super nutritifs. Découvrez le monde entièrement nouveau des super aliments sans gluten (portent-ils une cape, ces super aliments ?).

Pendant des années, des rumeurs se sont répandues sur certains de ces grains alternatifs, accusés de ne pas être sécurisés pour les personnes ayant une sensibilité au gluten ou la maladie cœliaque. Ces aliments sont, en réalité, véritablement sans gluten. Certaines personnes peuvent avoir des réactions à ces grains (comme ils en auraient avec le maïs, le soja, ou d'autres allergènes ou avec des aliments auxquels ils peuvent avoir une sensibilité), mais ce n'est pas une réaction au gluten. Cependant, qu'un aliment contienne ou non du gluten, s'il vous rend malade, ne le mangez pas !

Amarante

Chargée en fibres, fer, calcium et bien d'autres vitamines et minéraux, l'amarante est également riche en acides aminés (lysine, méthionine et cystéine) et s'avère une excellente source de protéines. Le grain entier a un agréable goût de noisette et une légère touche poivrée.

L'amarante n'est pas une céréale mais une plante à feuilles larges qui produit des petites graines. On peut également cuire ses feuilles. Les graines d'amarante peuvent être moulues ou grillées, ce qui leur donne plus de saveur. Certaines variétés peuvent même être utilisées comme du pop-corn. On peut les faire bouillir et les manger comme des céréales. Il faut toujours faire cuire l'amarante avant de la manger, car, comme d'autres graines comestibles, elle contient des composés qui peuvent inhiber la bonne absorption de certains nutriments.

Pendant des siècles, la culture aztèque dépendait de l'amarante et croyait qu'elle possédait des pouvoirs mystiques qui pouvaient apporter force et puissance, même au plus faible des hommes. Son nom signifie « immortelle » car la plante a la réputation de ne pas se faner. L'amarante ne peut pas vous rendre immortel, mais elle est extrêmement nutritive – et sans gluten.

Arrow-root (marante)

Vénérée autrefois par les Mayas et autres habitants d'Amérique centrale comme un puissant antidote aux flèches empoisonnées, l'arrow-root est désormais utilisée comme médecine naturelle pour apaiser les maux d'estomac et est connue pour avoir des effets antidiarrhéiques. On s'en sert en cuisine comme épaississant pour les soupes, les sauces et les confiseries.

Avec un amidon facile à digérer et nutritif, l'arrow-root est une fine poudre blanche avec une texture et une apparence similaires à la fécule de maïs. La pâte translucide n'a aucun goût et ressemble presque à un gel transparent. Vous pouvez utiliser l'arrow-root dans la cuisine sans gluten ou comme agent épaississant pour remplacer la fécule de maïs, même si elle épaissit à une température inférieure à la fécule de maïs ou de blé et que la cohérence entre les aliments obtenue ne tient pas aussi longtemps après la cuisson. Ses grains ultra-fins sont faciles à digérer, ce qui fait de l'arrow-root un parfait aliment diététique. Les biscuits à la marante (que l'on trouve principalement au Québec) sont l'un des premiers aliments solides que les bébés peuvent manger en toute sécurité (mais, attention, car les fabricants y ajoutent souvent de la farine de blé, donc ils ne sont pas exempts de gluten).

Sarrasin (blé noir)

Son nom de blé noir peut porter à confusion. On pourrait croire qu'il contient du gluten mais ce n'est pas le cas. Le blé noir n'a en fait rien à voir avec le blé. Ce n'est même pas un grain céréalier mais une graine de fruit, cousin éloigné de la rhubarbe. La graine de sarrasin possède une coquille triangulaire qui contient un noyau pâle qu'on appelle un gruau.

Riche en lysine, un acide aminé dont manquent de nombreuses céréales traditionnelles, le sarrasin contient plusieurs autres acides aminés – en fait, ce grain contient une forte proportion des huit acides aminés essentiels, que le corps ne fabrique pas, mais dont il a besoin pour fonctionner. De cette façon, le sarrasin est plus près d'être une protéine complète que beaucoup d'autres sources végétales. Il est aussi riche en vitamines B, en minéraux comme le phosphore, le magnésium, le fer, le cuivre, le manganèse et le zinc. Il est également une bonne source d'acide linoléique, un acide gras essentiel.

Le sarrasin blanc a une saveur délicate parfaite pour remplacer le riz et les pâtes en accompagnement. Lorsque les grains de sarrasin sont torréfiés, ils sont appelés *kasha* et prennent un goût de noisette. Les cuisiniers utilisent souvent le sarrasin dans les crêpes, les biscuits et les muffins – mais il faut savoir que les fabricants le combinent souvent avec du blé. Vous devez donc lire attentivement les étiquettes avant d'acheter les produits au sarrasin. Attention également dans les crêperies, car les galettes de sarrasin peuvent être coupées au blé. Au Japon, les gens utilisent souvent le sarrasin en soba ou pour faire des nouilles qui, parfois – mais pas toujours –, contiennent également de la farine de blé.

Lin

Le lin a été une des premières espèces cultivées (près de 36 000 ans). Au IVe siècle av. J.-C., Théophraste préconisait son utilisation pour soigner la toux. Au XIe siècle, les graines de lin rôties étaient employées pour leurs vertus diurétiques et contre les douleurs abdominales. Les graines de lin sont de petites graines de couleur brun rougeâtre dont le goût est plutôt neutre mais elles prennent une saveur de noisette quand elles sont rôties. Le lin est riche en oméga-3, en magnésium, potassium et vitamine E. Son huile n'est pas adaptée à la friture et à la cuisson. Elle s'utilise donc principalement pour l'assaisonnement.

Millet

Le millet n'est pas un grain. C'est une herbe avec de petits grains jaunes et ivoire qui gonflent lorsque vous les faites cuire. Le millet fournit ainsi plus de portions par kilo que tout autre grain (il est ainsi plutôt économique).

Le millet est chargé de vitamines, minéraux et autres nutriments. Riche en fer, magnésium, phosphore et potassium, il contient également des fibres et des protéines ainsi que des vitamines B, y compris de la niacine, de la thiamine, de la riboflavine. Le millet est plus alcalin que de nombreuses céréales et il est facile à digérer (il a un pH plus élevé – je vous en dis plus sur les aliments acides et alcalins au chapitre 7).

Le millet est une base de l'alimentation en Afrique et en Inde depuis des milliers d'années. Il a été cultivé en Chine il y a plus de 4 000 ans et était plus répandu que le riz avant que celui-ci ne devienne la base dominante de l'alimentation asiatique. Aujourd'hui le millet représente toujours une part importante de l'alimentation dans le Nord de la Chine, au Japon, en Mandchourie et dans diverses régions de l'ancienne Union soviétique, l'Afrique, l'Inde et l'Égypte. Cultivé actuellement dans la plupart des pays occidentaux pour le bétail et l'alimentation des oiseaux, le millet a gagné en popularité en tant qu'aliment nutritif également pour l'homme.

Pois chiche

Issu de la famille des légumineuses, le pois chiche est cultivé dans les régions méditerranéennes. Sa graine comestible est une excellente source de manganèse, de cuivre, phosphore, fer, zinc, magnésium, potassium, acide folique, vitamine B9 et sélénium. Son faible indice glycémique en fait un parfait aliment santé pour le régime sans gluten et pour les diabétiques. Sa farine se mélange très bien aux autres farines sans gluten, notamment de riz complet, et elle est utilisée pour faire des falafels et de l'houmous (spécialités libanaises) mais aussi pour la fameuse socca niçoise.

Fonio

Le fonio ressemble à la semoule. Il renferme un grand nombre d'acides aminés comme la méthionine et la cystine mais contient moins de protéines que les autres grains. Il est beaucoup utilisé en Afrique comme accompagnement de viandes et de poissons ou bien en gratin.

Quinoa

Le quinoa, surnommé « l'or des Incas », n'est pas vraiment un grain céréalier. Il est en réalité issu d'une plante cousine de la betterave et des épinards. La National Academy of Sciences décrit le quinoa comme « la source de protéines la plus parfaite du règne végétal ».

Comme d'autres super aliments et grains alternatifs, le quinoa est riche en lysine et autres acides aminés qui en font une protéine complète. Il est également riche en phosphore, calcium, fer, vitamine E, vitamines B ainsi qu'en fibres. Le quinoa est généralement de couleur jaune pâle, mais il en existe des variétés rose, orange, rouge, violette et noire.

Parce que les grains crus sont revêtus de saponines – une substance collante au goût amer qui agit comme répulsif naturel contre les insectes –, vous devez soigneusement rincer le quinoa avant la cuisson. La plupart des variétés de quinoa que vous achetez en magasin ont déjà été rincées.

Bien que nouvellement consommé en Europe et en Amérique du Nord, le quinoa est cultivé par les populations d'Amérique du Sud depuis plus de 5 000 ans. Les Incas l'appelaient « mère de tous les grains ». Ils l'ont honoré comme un produit alimentaire sacré pouvant garantir la longévité. Il était coutume de planter la première récolte de quinoa avec une pelle en or.

Sorgho

Le sorgho est un des grains les plus anciens (et qui n'est pas une céréale). Source principale de l'alimentation en Afrique et en Inde depuis des siècles, il est également cultivé à présent aux États-Unis. Il suscite un engouement important, en tant que fibre insoluble sans gluten.

Parce que la protéine et l'amidon de sorgho sont digérés plus lentement que ceux des autres céréales, il peut être bénéfique pour les diabétiques (et sain pour quiconque). Il est riche en fer, en calcium et en potassium.

Les fans du sorgho vantent sa saveur fade qui n'altère pas le goût ni l'apparence des aliments lorsqu'il est utilisé à la place de la farine de blé. Beaucoup de cuisiniers suggèrent de combiner le sorgho à la farine de soja. Le sorgho fermenté est également utilisé dans les boissons alcoolisées.

Le sorgho et le millet sont tous deux riches en composés appelés *nitrilosides* (vitamine B17). Certaines personnes remarquent une corrélation entre une consommation de nitrilosides élevée et de faibles taux de cancer, les conduisant à spéculer que les nitrilosides peuvent effectivement aider à combattre ou prévenir le cancer. On appelle la vitamine B17 la « vitamine anti-cancer ». Par exemple, en Afrique, où près de 80 % de l'alimentation se compose d'aliments à haute teneur en nitrilosides, la prévalence du cancer est très faible.

Teff

Il est peut-être minuscule mais le teff est un géant nutritionnel. C'est le plus petit des grains (et il n'est pas une céréale). Son nom lui-même signifie « perdu », parce que si vous le déposez sur un terrain, vous ne saurez probablement pas le retrouver. Il fut un grain de base de l'alimentation en Éthiopie pendant près de 5 000 ans. Le teff contient une teneur en protéines de près de 12 % et est cinq fois plus riche en calcium, fer et potassium que tout autre grain. Le teff, qui a un goût de noisette sucrée, pousse dans de nombreuses variétés et couleurs différentes, mais les plus communes sont les variétés ivoire, marron et rouge.

Vous pouvez faire cuire le grain entier et le servir avec des fruits en tranches ou en céréales de petit déjeuner avec du beurre saupoudré de sucre brun. Vous pouvez également ajouter de la farine de teff à vos produits de boulangerie pour leur donner une saveur unique et renforcer leur valeur nutritionnelle.

Si vous avez entendu parler du teff, c'est probablement en référence à l'*injera*, un pain traditionnel éthiopien fermenté qui a une texture spongieuse et un goût de levure. Considéré comme un ustensile comestible, l'injera est utilisé pour absorber les jus et les soupes, et même pour saisir de la viande et la manger. Attention, cependant, dans l'injera traditionnel, on ajoute de la farine de blé.

Les aliments suspects

Dans cette section, j'aborde la question des aliments suspects : ceux qui l'étaient mais ne le sont plus et ceux qui le restent.

Les aliments à suspecter

Au début, vous aurez tendance à tout remettre en question. Et il sera sage de le faire. Considérez le thé, par exemple – je n'avais jamais vu du thé contenant du gluten, jusqu'à récemment : il était indiqué « malt d'orge » sur l'étiquette ! Il était facile de débusquer le malt sur l'étiquette car il était clairement mentionné mais, parfois, certains ingrédients ne sont pas si évidents à vérifier.

Voici certains ingrédients à contrôler :

- ✔ Amidon (issus des céréales interdites)
- ✔ Biscuits apéritifs
- ✔ Charcuteries industrielles
- ✔ Confiseries
- ✔ Conserves
- ✔ Crèmes glacées
- ✔ Farces
- ✔ Farines et galettes de sarrasin
- ✔ Fromages à moisissures
- ✔ Infusions et thés

- ✔ Levures
- ✔ Mélanges d'épices moulues et assaisonnements
- ✔ Moutardes
- ✔ Oléagineux grillés à sec
- ✔ Plats cuisinés du commerce
- ✔ Préparations industrielles à base de lait
- ✔ Stabilisants

Ces ingrédients ne contiennent pas toujours de gluten, mais afin de les consommer en toute sécurité, vous devez vérifier leur composition.

Grâce à de récentes directives européennes sur l'étiquetage, il y a beaucoup moins d'ingrédients « suspects ». Les fabricants doivent à présent indiquer clairement si un produit contient notamment du blé. Voir le chapitre 6 pour plus de détails sur ces réglementations.

La fin de certaines controverses

Certains ingrédients ont été longtemps mis en doute dans le cadre d'un régime sans gluten. Mais grâce aux lois sur l'étiquetage des produits, les ingrédients suivants sont déclarés autorisés :

Acide citrique	Glutamate
Agar-agar	Isomalt
Alcool distillé	Lécithine
Amidon modifié (sauf clairement indiqué comme étant de l'amidon de blé)	Levure chimique (sauf quand il est précisé qu'elle contient du gluten)
Arôme de malt	Levure du boulanger
Arômes naturels et artificiels	Maltitol
Caroube	Maltodextrine
Dextrine	Mono- et diglycérides
Dextrose	Plante hydrolysée (PPH)
Épices (mais attention encore aux mélanges d'épices)	Protéine végétale hydrolysée (PVH)
Fécule	Sirop de riz
Gélatine	Sulfites
Glucose	Vanille et extrait de vanille (distillé)
	Vinaigre (sauf vinaigre de malt d'orge)

Le statut de ces ingrédients correspond à la recommandation des associations des intolérants au gluten en Europe (AFDIAG notamment en France). D'autres pays pourraient avoir différentes régulations à leur sujet.

NOTE TECHNIQUE

Un point sur les arômes

Les arômes ont été considérés comme des ingrédients suspects pour le régime sans gluten pendant des années. Ils représentent moins de 1 % des ingrédients. Ceux qui pourraient contenir du gluten sont indiqués par des mentions spéciales sur l'étiquette, comme la protéine de blé hydrolysée ou l'arôme de malt, mais les experts pensent qu'il n'y a pas lieu de les exclure. Les dernières recommandations de l'AFDIAG autorisent même l'arôme de malt.

Pour trinquer à l'apéro : choisir ses alcools

Il m'arrive très souvent de me retrouver avec des amis ou des collaborateurs dans un bar pour prendre un verre et pas une seule fois on ne m'a demandé : « Mais la bière ne contient pas de gluten, non ? » Eh bien si !

Mais de nombreuses boissons alcoolisées sont sans gluten – et si vous cherchez, vous pourrez même trouver de la bière sans gluten.

Les alcools que vous pouvez consommer

La liste des boissons alcoolisées sans gluten est beaucoup plus longue que la liste des boissons non autorisées. D'autres formes de boissons alcoolisées peuvent être exemptes de gluten, en plus de celles-ci, mais cette liste couvre les alcools les plus courants que vous pouvez consommer (avec modération bien sûr !) :

- Bourbon
- Brandy
- Cidre (occasionnellement, peut contenir de l'orge, attention)
- Cognac
- Gin
- Rhum
- Schnapps
- Tequila
- Vodka
- Whisky (comme le Crown Royal ou le Jack Daniel's)
- Vins (mousseux et champagne inclus)

Vous pouvez être confus devant certaines boissons alcoolisées distillées à partir de grains contenant du gluten. Toutefois, aussi longtemps que les boissons sont distillées et que les grains ne sont pas rajoutés dans le moût, les boissons sont sans gluten.

Éloignez-vous de ces bouteilles

Seuls quelques types de boissons alcoolisées ne sont pas autorisés dans le cadre d'un régime sans gluten, à savoir (liste non exhaustive) :

- ✔ Bières (à quelques exceptions près) et panachés
- ✔ Boissons à base de malt d'orge
- ✔ Certaines liqueurs et les spiritueux distillés

Le processus de distillation élimine complètement toute trace de gluten, c'est pourquoi vous pouvez utiliser en toute sécurité le vinaigre distillé, la vanille faite à partir d'extraits de vanille distillés et de nombreuses boissons alcoolisées à base d'alcool distillé. En cas de doute, vous pouvez toujours contacter le fabricant.

Trinquons à l'existence de bières sans gluten ! Au sarrasin, au quinoa par exemple, elles sont disponibles sur le marché et leur goût est bluffant.

Les médicaments

Depuis mai 2010, l'AFSSAPS a rendu obligatoire la mention d'amidon de blé en tant qu'excipient à effet notoire sur les notices des médicaments, en conséquence un médicament qui ne le précise pas peut être utilisé.

Tous les médicaments sont en principe sans gluten et, au-delà, selon les limites actuellement fixées par les régulations européennes, on peut considérer que même les médicaments contenant de l'amidon de blé sont adaptés aux malades cœliaques mais sont contre-indiqués aux allergiques au blé.

En Suisse, l'indication des excipients notoires pouvant contenir du gluten n'est pas encore obligatoire mais ce retard ne devrait pas tarder à être comblé grâce au travail des associations locales d'intolérants au gluten.

L'amidon et l'amidon modifié alimentaires que l'on retrouve dans les produits pharmaceutiques peuvent provenir du blé (*Amylum tritici* en latin). Si tel est le cas, c'est indiqué.

Si vous êtes allergique au blé, gardez en mémoire :

- ✔ N'hésitez pas à demander à votre pharmacien, en cas de doute, pour savoir si un médicament contient de l'amidon de blé. S'il ne le sait pas, demandez à voir la notice.

- ✔ Si le médicament est sans ordonnance, vérifiez les composants et, en cas de doute, contactez le fabricant.

- ✔ Rangez vos médicaments à part dans une boîte.

- ✔ Si vous souhaitez connaître la liste des médicaments qui contiennent de l'amidon de blé ou du gluten, vous pouvez facilement la trouver sur Internet et vérifier sur le site www.vidal.fr les excipients à effets notoires.

Produits non alimentaires : ce qu'il faut savoir

Vous pouvez obtenir énormément d'informations contradictoires sur les produits non alimentaires : devez-vous vous méfier des casseroles, des Tupperware®, des lotions, des shampooings, des timbres, des colles… ?

La grande question est : si vous ne les mangez pas, est-ce vraiment important ? La réponse est : parfois oui et parfois non (vous attendiez quelque chose de plus tranché ? !).

La pâte à modeler Play-Doh® contient du gluten. Je sais que nous ne sommes pas censés manger de la pâte à modeler mais qui ne l'a jamais fait, surtout les enfants ? Il existe de nombreuses pâtes à modeler sans gluten sur le marché et je vous en propose une recette au chapitre 19.

Vous n'avez pas à vous soucier des récipients en plastique, des pots et des casseroles, des enveloppes ni des timbres.

Cosmétiques, maquillage

Selon une étude de la Mayo Clinic (centre de référence pour la maladie cœliaque) publiée en 2012, seuls les produits de maquillage susceptibles d'être ingérés par inadvertance et régulièrement, comme le rouge à lèvres, le gloss, le baume à lèvres et tout ce qui peut toucher vos lèvres, pourraient poser problème. Des études contrôlées seraient donc nécessaires pour le confirmer, afin de mesurer la réponse immune spécifique. Toutefois, rassurez-vous, il faudrait en ingérer de grandes quantités pour atteindre le seuil problématique.

La nouvelle tendance des cosmétiques et maquillages sans gluten n'a, pour les associations d'intolérants au gluten, aucune raison d'être, si ce n'est de suivre une mode lancée par les services marketing des sociétés de cosmétiques.

Crèmes et lotions

Les experts affirment que la molécule de gluten est trop grosse pour passer à travers la peau. Les lotions, shampooings, revitalisants et autres produits externes ne devraient pas être un problème, sauf si vous avez des plaies ouvertes, des éruptions cutanées, ou une dermatite herpétiforme (voir le chapitre 3 pour plus d'informations sur les DH).

Le gluten ne passe pas par la peau. Il n'y a donc pas de risque à se laver la tête avec un shampooing au blé ou au lait d'avoine ou encore à utiliser de l'huile de germe de blé (qui est sans gluten). La dermatite herpétiforme, quant à elle, est causée par l'ingestion de gluten et non par le contact de la peau avec le gluten. Il est possible que la réaction cutanée observée chez les personnes qui utilisent un produit qui contient du gluten soit provoquée par une allergie au blé ou à une autre substance.

En dépit de toute preuve scientifique suggérant que les produits externes ne devraient pas poser de problème, j'ai entendu maintes fois des personnes qui prétendent avoir eu des réactions avec ces produits à usage externe. Qui suis-je pour les contredire ? Si vous doutez, ne les utilisez pas.

Produits d'hygiène bucco-dentaire

Vous n'êtes pas censé avaler votre dentifrice, votre bain de bouche ou tout autre produit d'hygiène bucco-dentaire mais vous allez sûrement en avaler une ou deux fois et, si ces produits contiennent du gluten, cela pourrait potentiellement créer des problèmes. Encore faudrait-il là aussi en ingérer de très grandes quantités pour déclencher la réaction immunitaire.

Il existe des produits qui contiennent du gluten alors n'oubliez pas de bien lire les étiquettes au cas où.

La plupart des produits utilisés en cabinet dentaire sont sans gluten, mais vérifiez avec votre dentiste au préalable si nécessaire.

Chapitre 6

Débusquer le gluten

Dans ce chapitre :

▶ Comprendre la législation

▶ Apprendre à déchiffrer les étiquettes

▶ Demander de l'information aux fabricants

▶ Trouver des sources d'information fiables

*U*n produit ne peut être qu'« avec » ou « sans gluten », n'est-ce pas ? Point final ? Eh bien non.

Personnellement, j'aime les choses claires et simples, donc je peux comprendre que vous puissiez devenir dingue quand on donne une réponse floue à vos questions. Grâce aux nouvelles réglementations d'étiquetage, il y a beaucoup moins d'ambiguïté. Les choses s'améliorent constamment. C'est une bonne nouvelle. Cependant, en attendant que tout soit parfait, vous devrez parfois prendre les devants et vérifier par vous-même pour être certain qu'un produit est bien sans gluten.

Dans ce chapitre, je vous explique comment faire pour vous assurer qu'un aliment est bien sans gluten. Je vous enseigne l'art de lire les étiquettes et vous explique pourquoi le label « Sans gluten » ne signifie pas forcément « 100 % sans gluten ». Enfin, je vous donne un cours de conversation téléphonique pour appeler le service client d'un fabricant.

Pourquoi ce n'est pas si simple ?

Vous : Votre produit contient-il du gluten ?

Service client : Nous n'ajoutons pas de gluten dans nos produits.

Vous : (Dans un soupir de soulagement.) Oh, génial ! Alors, votre produit est sans gluten, non ?

Service client : Oh, non, je n'ai pas dit cela. Merci de votre appel !

Vous avez l'impression à cet instant qu'on s'est moqué de vous. Les employés des services clients semblent être spécialisés dans l'art de l'euphémisme et du double langage, surtout quand vous posez une question apparemment simple : « Ce produit est-il sans gluten ? »

Détrompez-vous, ils ne prennent pas un malin plaisir à vous torturer. La question du gluten reste encore ambiguë en matière d'étiquetage et il peut subsister des incertitudes quant à l'origine des ingrédients et des risques de contamination dans la chaîne de fabrication.

La législation du sans gluten

Cela serait vraiment extraordinaire de lire l'étiquette d'un produit et de connaître (et comprendre) immédiatement les ingrédients qui le composent. N'est-ce pas le but d'une étiquette ?

Grâce à la législation en vigueur, les fabricants ont l'obligation de mentionner toute présence de céréales contenant du gluten ou ses dérivés sur les emballages. La norme mondiale des aliments diététiques « sans gluten » est définie dans le *Codex alimentarius*. Y sont définis deux seuils en gluten résiduel autorisés pour les aliments préemballés diététiques sans gluten (pains, farines, pâtes, gâteaux) et produits courants :

✔ 20 mg/kg (ou 20 ppm) pour les produits qui peuvent être étiquetés « sans gluten ». Les produits finis sont contrôlés par des tests (méthode définie dans le *Codex alimentarius*).

✔ 100 mg/kg (ou 100 ppm) pour les produits contenant des dérivés de céréales non autorisées comme l'amidon de blé.

La législation européenne au sujet des produits sans gluten se fonde sur un règlement de 2009 (41/2009/CE) qui s'applique dans tous les États membres depuis le 1er janvier 2012. La directive des aliments préemballés 2000/13/CE et ses amendements, notamment les directives 2003/89/CE (sur l'obligation de déclarer la liste des ingrédients contenant du gluten) et 2007/68/CE (sur les exceptions de certains dérivés de ces ingrédients) renforce ce règlement. Une évolution de cette législation est prévue pour 2016 et elle devrait renforcer la protection des consommateurs.

Au Canada, la réglementation s'appuie sur le titre 24 du *Règlement sur les aliments et drogues* (RAD) de 2012.

Les risques de contamination des produits en amont ou pendant leur fabrication ne sont pas pris en compte par ces directives. Les fabricants utilisent parfois des termes non légiférés, pour se surprotéger, comme « traces de... » ou « peut contenir... » ou encore « fabriqué dans un atelier contenant... ».

Ces mentions ne donnent aucune information quant à la présence ou sur la quantité de gluten dans le produit. À vous de demander, si vous le souhaitez, davantage d'informations au fabricant (je vous explique comment faire plus loin dans ce chapitre) ou d'appliquer la devise : « Dans le doute, abstiens-toi ! »

L'AAC (Association des amidonniers de céréales de l'UE) a demandé, en 2005, une exception d'étiquetage des hydrolysats d'amidon de blé comme le maltodextrine, le sirop de glucose, le dextrose, les polyols, le sorbitol et la mannitol à base de céréales interdites.

Quelle est la quantité acceptable de gluten ?

Il existe un seuil reconnu de gluten considéré sûr pour les cœliaques dans les produits emballés, même consommé sur une base quotidienne. Son montant est égal à environ une fraction de miette – une minuscule fraction d'une minuscule miette.

On mesure cette quantité de gluten autorisée en ppm (parties par million) ou en mg/kg (milligrammes par kilogramme). En Europe et au Québec, la législation autorise une limite de *20 ppm* (20 mg/kg) gluten résiduel pour qu'un aliment préemballé puisse être étiqueté « sans gluten ». Ces produits sont consommables par les cœliaques.

Que représente une part par million, de toute façon ? Pour vous faciliter le calcul, imaginez un pain contenant 200 ppm de gluten, par exemple. Coupez une tranche de ce pain en 5 000 parts (ou plutôt miettes). L'une de ces miettes contient un équivalent de 200 ppm – soit ce que contient cette tranche de pain. Cette miette pèse environ 0,006 gramme.

Certifié sans gluten : le logo « épi de blé barré »

Le logo « épi de blé barré » sans gluten indique qu'un aliment contient moins de 20 ppm (20 mg/kg) de gluten (tout comme la mention « sans gluten »). Les associations d'intolérants au gluten ou cœliaques (dont l'ADFIAG en France) l'attribuent aux produits des fabricants selon un contrat d'utilisation et une charte qualité précise. Ce logo permet aux intolérants au gluten de faire leurs courses plus facilement et en toute sécurité. Seuls les fabricants garantissant ce seuil peuvent obtenir ce logo. L'association qui l'attribue vérifie notamment les analyses fournies par les fabricants et les audits des usines de fabrication. Avec ce logo, vous pouvez acheter un produit en toute confiance.

Déchiffrez les étiquettes

Comme certains produits sont naturellement sans gluten, leur emballage ne le précise pas. Vous ne trouverez donc pas la mention « sans gluten » dessus. La première étape est donc d'apprendre à bien lire les étiquettes des produits.

La lecture des étiquettes des produits alimentaires peut être informative, instructive, déroutante, frustrante mais peut vous faire également gagner du temps. Parfois, la liste des ingrédients vous semblera carrément effrayante. Mais pour vous qui êtes intolérant au gluten, cette lecture n'est pas facultative.

La lecture des étiquettes est presque un art. Si vous la pratiquez depuis un certain temps, vous comprendrez ce que je veux dire – vous prenez un produit en main, et avec un petit mouvement fluide du poignet, vous le retournez pour trouver la liste des ingrédients et la scannez du regard pour y dénicher les aliments interdits. Vous en repérez un et vous reposez immédiatement le produit dans le rayon. Cela devient une habitude, une gymnastique presque automatique et il vous arrive même de le faire sur des produits que vous ne consommez habituellement pas, n'est-ce pas ?

Au début, vous pourriez être dérouté, intimidé par les noms exotiques, voire codés de certains ingrédients (la plupart d'entre eux sont des produits chimiques et sont autorisés pourtant). Au fur et à mesure, rassurez-vous, vous allez gagner en rapidité et en dextérité.

Grâce à la législation en vigueur en Europe, toute présence de céréale « toxique » pour les intolérants au gluten doit être mentionnée sur les emballages.

Voici quelques règles pratiques à suivre pour bien comprendre les étiquettes (informations fournies par l'AFDIAG) :

✔ **Mention « Sans gluten »** : produit diététique et courant garanti moins de 20 mg/kg de gluten dans le produit fini. Autorisé.

✔ **Mention « Très faible teneur en gluten »** : produit diététique et amidon de blé garanti moins de 100 mg/kg de gluten dans le produit fini. Autorisé.

✔ **Présence du logo « épi de blé barré »** : produit diététique et courant garanti moins de 20 mg/kg de gluten dans le produit fini. Autorisé.

Quand vous ne trouvez aucune de ces mentions, il faut alors lire la liste des ingrédients des étiquettes :

✔ **Présence de blé, orge, avoine ou seigle dans les ingrédients** : interdit sauf arôme (blé) ou ferment (blé).

- ✔ **Absence de blé, orge, avoine ou seigle dans les ingrédients** : pas de soucis.

- ✔ **Présence des mentions « traces de… », « peut contenir… », même sans présence de blé, avoine, orge ou seigle** : aucune information ne peut garantir la présence ou non de gluten. Évitez le produit ou contactez le service client du fabricant.

Dans le cas d'ingrédients aux noms complexes ou flous qui pourraient semer le doute dans votre esprit (comme amidon transformé, arômes, épaississant, extrait de céréales, malt, protéines végétales hydrolysées, stabilisateur…), s'il n'est pas explicitement indiqué qu'ils proviennent du blé, de l'orge ou du seigle, vous pouvez prendre le produit. En revanche, s'il est précisé (par exemple malt d'orge, protéine de blé, amidon de blé…), reposez le produit.

Même chose pour les additifs dérivés de l'amidon (entre E 1404 et 1452) : s'ils proviennent de blé, d'orge, de seigle…, cela doit être indiqué. Les glucoses, maltodextrines, arômes et ferments, même de blé, d'orge ou de seigle, exemptés d'étiquetage, sont à présent autorisés.

Apprenez à lire le jargon du gluten

La clé pour bien lire une étiquette est de savoir quoi chercher. Bien sûr, si vous repérez les mots « sans gluten » sur l'étiquette, vous pouvez tout de suite danser la gigue. C'est toujours une fête de trouver un produit étiqueté « sans gluten ».

Mais généralement, la lecture des étiquettes prend du temps, et vous allez devoir vous pencher sur de longues listes d'ingrédients.

Si vous vous lancez dans la lecture des étiquettes sans expérience, je vous conseille d'emporter avec vous la liste des ingrédients autorisés et interdits (que vous trouverez au chapitre 9 et sur le site de l'association des intolérants au gluten). Lorsque vous tombez sur des ingrédients dont vous n'avez jamais entendu parler, vous pouvez consulter vos listes pour vérification et décider si le produit entre dans votre Caddie ou retourne dans son rayon.

Vérifiez les étiquettes régulièrement. Les ingrédients changent, et un produit qui peut avoir été sans gluten à un moment donné peut en contenir à un autre. Le contraire est vrai aussi, c'est rassurant !

Évitez les pièges du marketing

Les emballages affichent nombre de messages et de logos vantant les avantages des produits : « bio », « organique », « sans OGM », « bon pour la santé », « nutritif », « formule améliorée », « formule enrichie » et bien d'autres encore. Ces revendications ne sont souvent pas fondées et ne vous donnent de toute façon aucune information sur la présence de gluten. En réalité, les mentions « nouvelle formule » ou « formule enrichie » peuvent vous alerter et vous inciter à vérifier une nouvelle fois les ingrédients.

Certaines personnes pensent que si un produit est sain, c'est qu'il est probablement sans gluten. Ce n'est pas le cas !

Même si un produit est clairement identifié comme étant « sans blé », cela ne signifie pas qu'il est « sans gluten ».

« Sans gluten » ne veut pas dire 100 % garanti sans gluten

Je préconise sans équivoque un régime strictement sans gluten. Je vais même jusqu'à utiliser le terme de « 100 % sans gluten », mais en réalité, un produit qui est « sans gluten » n'est pas nécessairement garanti 100 % sans gluten.

Dans les faits, les aliments sans gluten à destination des cœliaques peuvent effectivement contenir des quantités infimes de gluten (allant de 0 à 19 mg/kg) en respectant la législation autorisée, le produit peut obtenir le label « Sans gluten » et être consommé en toute sécurité – attention cependant aux personnes allergiques très réactives.

Pour une multitude de raisons concernant principalement la contamination croisée, même les aliments qui sont par nature sans gluten peuvent parfois en contenir. Bien sûr, cela ne signifie pas que vous devez en profiter pour faire des écarts, pensant que quoi que vous mangiez, vous allez être « gluténisé ». Vous devez, au contraire, être encore plus vigilant et faire tout votre possible pour vous assurer que vous pouvez manger un produit en toute sécurité.

Les risques de contamination

Une des raisons pour lesquelles un produit naturellement sans gluten pourrait en contenir est la contamination. Même si un produit est fabriqué sans ingrédients contenant du gluten, la contamination peut se produire à plusieurs reprises au cours de sa fabrication. (La contamination est déjà un risque quand vous cuisinez vos propres aliments à la maison, et les fabricants sont aux prises avec des quantités de nourriture à une échelle beaucoup plus grande. Vous pourrez en savoir plus sur la façon d'éviter la contamination en cuisine au chapitre 8.)

Le traitement des céréales

Les céréales cultivées industriellement peuvent contenir des traces d'autres céréales parce qu'il est presque impossible de prévenir la contamination croisée. Elle commence à la ferme, où les cultures sont souvent alternées entre les champs chaque année, des semences de l'année précédente pouvant réapparaître là où on ne les attend pas. La contamination peut aussi se produire au moment du stockage des céréales, pendant le transport et plus rarement lors de la meunerie.

Donc, si le produit que vous mangez contient une céréale – même une céréale sans gluten –, il peut exister un risque de contamination. Habituellement, la quantité de contamination est minime et ne pose pas de problème pour la santé. Le seul moyen pour un fabricant de garantir une absence de contamination croisée est de faire pousser, de cultiver, de récolter et de traiter uniquement des céréales sans gluten.

L'avoine, comme le sarrasin, est un bon exemple de céréale qui risque la contamination. Les cultures sont souvent alternées dans les champs avec celles du blé, et l'avoine peut ainsi être contaminée aux moments du transport. Longtemps interdite, l'avoine est pourtant, sous certaines conditions, de nouveau autorisée dans le cadre d'un régime sans gluten (voir le chapitre 5 pour plus de détails).

Équipements ou installations partagés

De nombreuses entreprises travaillent plusieurs produits différents sur une même ligne de production. Par exemple, une entreprise qui produit plusieurs types de céréales peut le faire avec les mêmes équipements. Bien qu'il existe des lois très strictes en matière d'hygiène et de nettoyage des lignes de production entre la fabrication de chaque produit, des traces de gluten peuvent rester sur ces lignes – ou dans l'usine – et elles contaminent les produits sans gluten qui y sont fabriqués.

Des sources parfois inconnues

Il est parfois difficile de déterminer si un produit est sans gluten car il est malaisé de déterminer l'origine de tous ses ingrédients. La plupart des fabricants de produits utilisent des ingrédients provenant de plusieurs fournisseurs. Il arrive qu'un fournisseur ne puisse pas garantir le statut « sans gluten » de ses ingrédients ou que la source d'un ingrédient ne puisse pas être tracée.

Certains fournisseurs peuvent ne pas vraiment comprendre ce qu'est le « sans gluten » et prétendre que leur ingrédient peut être consommé en toute sécurité, alors que cela n'est pas le cas.

Détectez le gluten dans un plat

Il existe, dans certains pays, notamment en Espagne et aux États-Unis, des tests de détection du gluten commercialisés sur Internet que vous pouvez utiliser à la maison. Certains de ces tests prétendent être si sensibles qu'ils pourraient détecter des traces aussi basses que 5 ppm. Ces tests fonctionnent un peu comme des tests de grossesse. Il faut mélanger (voire mixer) la nourriture avec un peu de liquide et la placer dans un tube. Après quelques minutes, on peut lire le résultat à travers une petite « fenêtre ». Utilisés par les industriels (méthode de type ELISA) pour tester leurs produits en usine, ces tests commencent à être commercialisés auprès du grand public, notamment sur Internet, mais ils ne sont pas encore validés ni reconnus pour un usage grand public.

Depuis peu, des sociétés de technologie travaillent à la conception de scanners d'aliments reliés à un smartphone qui pourraient analyser leur composition chimique grâce à de la lumière réfléchie (spectrométrie) ou infrarouge. Ces concepts ont levé des fonds d'investissements mais leur efficacité n'a pas encore été prouvée. Affaire à suivre.

Vérifiez les informations auprès des fabricants

Après avoir lu l'étiquette et déterminé que le produit ne comprend pas de sources évidentes de gluten, vous pouvez vérifier auprès du fabricant pour vous assurer qu'il n'y a pas de sources cachées.

De nos jours, cette vérification est assez facile. La plupart des produits ont un numéro de service client sur l'emballage. Lorsque vous appelez ce numéro, vous êtes souvent mis en relation avec quelqu'un qui sait réellement de quoi vous parlez.

Il vous arrivera même d'obtenir parfois des produits gratuits ou des coupons de réduction (oui, on peut rêver !).

Emportez votre téléphone portable dans le magasin. Ainsi, quand vous trouvez un aliment suspect, vous pouvez contacter immédiatement le service client de la marque (pour peu que vous ayez du réseau dans le magasin).

Tout ce que vous avez à dire lorsque vous appelez est : « J'aimerais savoir si votre produit est sans gluten », et les représentants du service client sauront exactement de quoi vous parlez. Cependant, il vous faudra parfois donner plus de détails, comme par exemple : « Je vous appelle pour savoir si ce produit est bien sans gluten, ce qui signifie qu'il ne contient pas de blé, seigle, orge. » Vous pourriez faire l'éducation d'une personne supplémentaire au sujet du gluten…

Interprétez les réponses du fabricant

En appelant un fabricant pour savoir si l'un de ses produits est sans gluten, vous obtiendrez diverses réponses. L'interprétation de ces réponses nécessite parfois un peu de déduction et d'analyse de votre part. Si vous ne parvenez pas à obtenir une réponse claire, jouez la sécurité et replacez le produit dans son rayon. Voici les réponses les plus courantes que vous pourrez obtenir d'un service client et leurs interprétations possibles.

« Nous ne pouvons pas garantir que notre produit est sans gluten »

Cela ne signifie pas nécessairement : « Notre produit pourrait contenir du gluten. » On sous-entend habituellement ceci : « Oui, notre produit est sans gluten, mais notre service juridique nous demande de nous couvrir en vous répondant que nous ne pouvons pas le garantir. »

Mises à part les considérations juridiques, la réponse : « Nous ne pouvons pas garantir que notre produit est sans gluten » – la plus fréquente – peut avoir d'autres raisons comme :

- ✔ Le produit contient des ingrédients qui peuvent être dérivés d'une source contenant du gluten.

- ✔ La société reçoit des ingrédients provenant d'autres fournisseurs et ne sait pas avec certitude s'ils sont bien exempts de gluten.

- ✔ La société soupçonne que d'autres produits fabriqués dans l'établissement pourraient causer une contamination.

- ✔ La société ne teste pas la présence de gluten, alors même s'il est certain que ses produits sont sans gluten, elle ne veut pas le garantir.

- ✔ La société pense que ses produits sont bien sans gluten, mais ne comprend pas complètement le principe et s'abrite derrière cette réponse.

Si on vous dit : « Nous ne pouvons pas garantir que notre produit est sans gluten », posez des questions pour savoir pourquoi ils ne sont pas en mesure de le faire. Avec plus d'informations, vous pourrez certainement décider par vous-même si le produit est bien exempt de gluten.

« Notre produit n'est pas sans gluten »

Parfois, la réponse : « Non, notre produit n'est pas sans gluten » correspond vraiment à la réalité, mais l'étiquette ne mentionne pas clairement la présence de gluten.

Ne prenez pas leur réponse pour acquise. Sondez davantage. Il m'est arrivé de préciser au service client que je n'avais pas vu dans les ingrédients quelque chose qui pouvait contenir du gluten et on m'a précisé que c'était le lactosérum. J'ai précisé que le lactosérum ne contenait pas de gluten. On m'a répondu que cela devait être l'huile de canola, alors. Banco ! Je venais de perdre toute foi en ce service client.

« Oui, notre produit est sans gluten »

Jugez par vous-même si la personne à l'autre bout du fil comprend vraiment le concept. Si on commence à vous parler de sucre, c'est déjà fichu.

Parfois, le service client suit bien la réglementation du « sans gluten » et vous précisera qu'il n'y a pas de sources de blé, de seigle, d'orge, d'avoine ou d'additifs douteux. Par conséquent, le produit est sûr pour quelqu'un souffrant d'allergies au blé, d'intolérance au gluten ou de la maladie cœliaque. Sentez-vous cette chaleur qui monte en vous ? C'est du bonheur, oui !

Si vous sentez la personne au bout du fil hésiter quand vous posez un peu plus de questions et qu'elle vous demande de patienter quelques minutes, vous allez certainement devoir la sonder davantage avant de lui faire totalement confiance.

« Nous ne souhaitons pas répondre »

Sérieusement, messieurs dames, je ne vais pas vous voler la formule secrète de votre produit ! J'ai juste besoin de savoir si le produit va me rendre malade ou pas !

Les fabricants qui ne souhaiteront (ou ne sauront) rien vous dire sur les ingrédients ne savent probablement pas eux-mêmes de quoi sont faits leurs produits. Évitez-les !

« Hein ? »

Avec cette réponse, au moins, vous savez à quoi vous en tenir avec ce fabricant. Il n'a pas la moindre idée de ce dont vous parlez.

Heureusement, cette réponse est très rare mais cela arrive encore. Essayez poliment de leur expliquer, peut-être cela les aidera-t-il, qui sait.

Tirez parti de votre appel au service client

Si vous prenez le temps de contacter un fabricant pour vous renseigner sur ses produits, autant en tirer le maximum. Voici quelques points à garder en mémoire :

- **Restez attentif.** Soyez vraiment à l'écoute de la personne au bout du fil. Est-ce qu'elle comprend ou fait semblant de comprendre ? Est-ce qu'elle vous donne des informations contradictoires ? Semble-t-elle confiante et compétente ? Vous devez évaluer ces points avant de lui faire confiance.

- **N'ayez pas peur d'escalader.** Demander à parler à un responsable n'est pas impoli. Si vous sentez que la personne à qui vous parlez ne donne pas de réponses crédibles, n'hésitez pas à réclamer un responsable du contrôle qualité par exemple.

- **Développez vos connaissances.** Si vous voyez sur une étiquette un ingrédient que vous n'avez jamais vu avant, appelez le fabricant. Si on vous confirme que le produit est sans gluten, notez-le. N'hésitez pas à poser plus de questions sur cet ingrédient.

- **Félicitez et partagez.** Nous avons besoin des services clients et leurs employés sont de mieux en mieux informés sur le gluten. S'ils sont sympathiques et compétents, dites-le-leur, partagez votre expérience sur Internet. En un mot : faites-le savoir.

- **Appelez régulièrement.** Soyez l'empêcheur de tourner en rond, c'est important – vous devez appeler aussi souvent que nécessaire. Non seulement votre appel sera bénéfique pour vous mais il envoie aussi un message au fabricant au sujet du « sans gluten », un sujet qu'il ne doit pas prendre à la légère. Peut-être qu'ensuite, le fabricant réfléchira à deux fois avant de mettre de l'amidon de blé dans son produit !

- **Prenez des notes.** Vous pouvez garder un dossier avec la liste des produits que vous utilisez le plus souvent et prendre des notes sur les produits pour lesquels vous avez appelé le fabricant et les réponses obtenues. Vous pourriez même partager cette liste avec d'autres. Elle leur sera utile.

Un, deux, trois, marquez ! Après avoir appelé un fabricant au sujet d'un produit et s'il est bien sans gluten, notez-le sur le paquet avec un marqueur indélébile.

Les fabricants d'aliments, les restaurants, les magasins et les distributeurs sont généralement contents de vous envoyer la liste de leurs produits sans gluten. N'hésitez pas à leur demander.

Les associations d'intolérants au gluten tiennent à jour des listes de produits et de marques garantis sans gluten.

Trouvez de l'information

Il existe des tonnes d'informations sur la Toile au sujet du gluten, la sensibilité au gluten, la maladie cœliaque et le régime sans gluten, dans toutes les langues. C'est une bonne nouvelle. La mauvaise nouvelle, c'est que de nombreuses sources ne sont pas fiables.

Peu importe la source, questionnez toujours la crédibilité des auteurs, et n'oubliez pas que des sources apparemment crédibles peuvent propager de mauvaises informations.

Vous trouverez parfois des informations contradictoires. Une source dit blanc et l'autre dit noir. Voici quelques conseils pour vous aider à trier ces informations :

- **Vérifiez la date de publication.** Une information trouvée dans un livre ou sur Internet peut devenir obsolète. Assurez-vous que ce que vous lisez est récent.

- **Cherchez les références.** Les auteurs sont-ils bien informés ou partagent-ils seulement leur expérience ou des opinions personnelles ? Où ont-ils obtenu leurs informations ?

- **Comparez les sources.** De nombreuses informations peuvent être contradictoires. Prenez le temps de comparer toutes les sources et de voir laquelle résiste à un examen plus approfondi. Les sources d'information que je cite dans ce chapitre sont dignes de confiance.

Internet : pour le meilleur et pour le pire

Internet est terriblement pratique. Vous pouvez surfer en pyjama, une tasse de café à la main, nuit et jour, et trouvez pléthore d'informations sur le gluten. Le problème, c'est que vous ne pouvez pas toujours faire aveuglément confiance à tout ce que vous lisez en ligne et vérifier la pertinence et la crédibilité de certaines informations peut s'avérer difficile. Par ailleurs, les gens publient souvent des informations sur la Toile et oublient de les mettre à jour.

Magazines et newsletters

Il existe des magazines et newsletters dédiés à la communauté des personnes qui vivent sans gluten. Très développés aux États-Unis, ils commencent à apparaître dans les pays francophones. Ils proposent des informations à jour et précises sur les produits sans gluten, la législation et aussi de nombreuses recettes de cuisine sans gluten. Je vous recommande :

En anglais :

- ✔ *Gluten-Free Living* (www.glutenfreeliving.com)
- ✔ *Living Without* (www.livingwithout.com)
- ✔ *Simply Gluten Free* (www.simplygluten-free.com)

En français :

- ✔ *Niepi*, le Magazine art de vivre sans gluten (www.niepi.fr)

Blogs

Une simple recherche rapide sur Internet vous fera tomber sur une foultitude de blogs amateurs sur le sans gluten, lesquels proposent des recettes de cuisine, des actualités et des avis sur les produits, des lieux sans gluten à tester, où tout simplement les auteurs partagent leur mode de vie sans gluten. Je vous recommande notamment :

- ✔ *Because Gustave*, le quotidien des intolérants (http://because-gustave.com/)
- ✔ *Sunny Délices*, le blog culinaire et gourmand de Solène (www.sunny-délices.fr)
- ✔ *Clemsansgluten*, le blog culinaire de Clémentine (http://clemsansgluten.com/)
- ✔ *La Faim des délices*, le blog culinaire de Laurent Dran (http://www.lafaimdesdelices.fr/)
- ✔ *Bouillon d'idées*, le blog de Céline (http://bouillondidees.com/)
- ✔ *Ma cuisine sans gluten*, le blog culinaire de Natacha (http://macuisinesansgluten.fr/)
- ✔ *Sortir sans gluten*, le guide des restaurants sans gluten (http://www.sortirsansgluten.com/)
- ✔ *Je cuisine sans gluten*, le blog de Victoria (http://jecuisinesansgluten.com/)

- *C-sansGluten* (www.c-sansgluten.com) (un peu d'autopromotion ne fait pas de mal, sans gluten bien sûr !)
- *Glutenaway*, le guide des restaurants et commerces sans gluten en Belgique (http://www.glutenaway.be/fr)
- *MarieLol Fashion& Glutenfree*, au Luxembourg (http://marielolfashion.blogspot.fr/)

Livres

Vous trouverez de très bons livres de cuisine sans gluten en librairie ou en ligne. Voici quelques livres que je vous recommande :

- *Recettes gourmandes sans gluten* (Éditions First), de Véronique Liégeois et Dr Sophie Ortega
- *Petit Livre de cuisine sans gluten en 120 recettes* (Éditions First), de Véronique Liégeois
- *Recettes sans gluten* (Éditions First), de Véronique Liégeois
- *Cuisinez gourmand sans gluten, sans lait, sans œufs* (Prat), du Dr William Davis

Des livres sur le gluten et le blé :

- *Alimentation sans gluten ni laitages* (Éditions Jouvence), de Marion Kaplan
- *Pourquoi le blé nuit à votre santé* (Éditions de l'Homme), de Julien Venesson

Associations et groupes de soutien

Tous les pays francophones ont une association ou fondation d'intolérants au gluten. Celle-ci propose des groupes de soutien, des forums et une mine d'informations, des formations, colloques médicaux, événements et cours de cuisine :

- Association française des intolérants au gluten (www.afdiag.fr)
- Association luxembourgeoise des intolérants au gluten (www.alig.lu)
- Association romande de la cœliakie (www.coeliakie.ch)
- Société belge de la cœliaquie (www.sbc-asbl.be)
- Fondation québécoise de la maladie cœliaque (www.fqmc.org)
- Association canadienne de la maladie cœliaque (www.celiac.ca)
- Association of European Cœliac Societies (www.aoecs.org), en anglais.

Chapitre 7

Sans gluten… sainement

● ●

Dans ce chapitre :

▶ Comprendre la valeur des aliments

▶ Découvrir les indices et charges glycémiques

▶ En finir avec « le régime sans gluten des stars »

▶ Tester le régime paléolithique

▶ Apporter les bons nutriments dans les bonnes quantités

▶ Maîtriser son poids

▶ Améliorer ses performances sportives

● ●

Que vous ayez une phobie de la salade verte ou souffriez d'*orthorexie* (une obsession de manger uniquement des produits sains), manger sans gluten sainement est très simple et tout sauf rébarbatif. Inutile d'utiliser des pyramides alimentaires, de peser chaque portion, de tenir un journal de vos repas et de compter les calories – et vous n'êtes pas limité à la privation, non !

Ces dernières années, je me suis passionnée pour la nutrition dans sa globalité, bien au-delà de simplement déterminer si un aliment était sans gluten ou non. J'adore manger. Je pense que la nourriture doit être respectée et honorée – pour la diversité de ses saveurs, textures et consistances ; pour le plaisir de savourer un délicieux repas nutritif ; pour l'énergie qu'elle vous apporte et très certainement pour sa fonction principale qui est de nourrir votre corps dans sa globalité.

Dans ce chapitre, j'espère ainsi vous faire partager mon enthousiasme pour la nutrition. La nourriture n'a pas pour unique but de satisfaire notre faim. Manger sans gluten ne veut pas dire manger uniquement des produits de substitution. Je vous explique pourquoi faire attention à la charge glycémique de vos aliments est vital pour une bonne hygiène de vie. Avec quelques bienveillants encouragements, j'espère vous orienter sur le chemin d'un régime sans gluten bon pour votre santé.

Si le sujet de la nutrition vous semble intimidant ou complexe, ne vous inquiétez pas. Je vous résume tout cela en une leçon facile à digérer.

Examinez votre alimentation

Vous prêtez certainement déjà attention, pour la plupart d'entre vous, à ce que vous mangez – vous lisez les étiquettes en détail, pleinement conscient des sources cachées de gluten et l'évitez comme les vampires fuient l'ail. Mais si vous souhaitez être en bonne santé, vous devriez faire attention à ce que chaque aliment apporte à votre corps, au-delà de simplement savoir s'il est exempt de gluten.

On pourrait penser que « sans gluten » veut dire systématiquement « bon pour la santé ». Après tout, les produits sans gluten sont généralement disponibles dans les magasins diététiques et ils coûtent deux à quatre fois plus cher que les aliments « normaux ». De plus, ils ne contiennent pas de « méchant gluten » donc cela veut dire qu'ils sont nutritifs, non ? NON.

En général, l'approche du régime sans gluten la plus couramment observée n'est pas celle qui est la plus nutritive. Mais les gens mangent « sans gluten », c'est déjà un bon point.

Il existe une voie plus saine pour aborder la question de la nutrition. La nourriture peut vous donner de l'énergie, vous aider à prévenir les maladies, améliorer l'apparence de votre peau, vous aider à gérer votre poids, inverser les signes du vieillissement, diminuer les symptômes prémenstruels et ceux de la ménopause, augmenter la longévité. Mangez sans gluten – mais sainement ! (Pour un rapide aperçu des avantages pour la santé de vivre sans gluten, consultez le chapitre 21.)

La nourriture est évidemment essentielle à votre vie – sans elle, vous mourriez de faim. Mais le type d'aliments que vous mangez a des effets puissants sur la prévention des maladies et sur le bon fonctionnement de vos organes, vos niveaux d'énergie, votre humeur, votre apparence, vos performances, et même votre longévité et la façon dont vous vieillissez. En bref, votre apparence et votre forme sont directement liées à ce que vous mangez.

Bons glucides, mauvais glucides : comprendre les indices et charges glycémiques

Posez votre télécommande ! Je sais que vous êtes tenté de zapper cette section car son titre vous semble déjà compliqué et ennuyeux. Ne zappez pas ! C'est une section très importante pour comprendre les bases d'un régime sain. Alors, accrochez-vous !

Pour démarrer, voici un petit quiz : vrai ou faux, une pomme de terre est plus mauvaise pour la santé qu'une barre chocolatée ? La réponse est vraie – du moins au regard de la façon dont chaque aliment affecte votre glycémie. Maintenant, êtes-vous intéressé ? Lisez la suite.

Les indices glycémiques (IG)

Tous les glucides ne sont pas égaux. Lorsque vous mangez des glucides, le processus digestif les décompose en sucre, le *glucose*, qui donne à votre corps l'énergie dont il a besoin pour fonctionner. Parce que le glucose est un sucre, il augmente votre taux de sucre dans le sang (votre *glycémie*).

L'indice glycémique (IG) est simplement une valeur qui mesure l'augmentation du niveau de sucre dans le sang dans les deux heures après l'absorption d'un aliment. Les aliments riches en graisses et en protéines affectent peu votre glycémie (ou mieux, ils la stabilisent). L'indice glycémique concerne principalement les aliments riches en hydrates de carbone.

Pour mesurer l'indice glycémique des aliments, vous avez besoin d'une valeur de référence. Afin de déterminer cette valeur de référence, il a fallu choisir un aliment à fort indice glycémique – l'un des pires pour se transformer en sucre en une minute. Le gagnant est… le pain blanc ! L'indice glycémique du pain blanc a été fixé à 100, et tous les aliments sont comparés à lui.

L'indice glycémique d'un aliment mesure l'augmentation du taux de glycémie que l'aliment produit comparée à celle que produirait la même quantité de pain blanc. (La quantité d'aliment est mesurée en grammes de glucides, et non en fonction de son poids ou de son volume.)

Certains tableaux utilisent le glucose pur comme valeur de référence à la place du pain blanc. Avec l'échelle du « pain blanc », le glucose a un indice glycémique de 140. Différents tableaux ont différentes valeurs selon qu'ils utilisent le pain blanc ou le glucose comme valeur de référence. Pour convertir une valeur de l'échelle du « glucose » à celle du « pain blanc », il suffit de multiplier la valeur par 1,4.

Plus l'indice glycémique est bas, plus faible est l'impact de cet aliment sur le taux de sucre dans le sang. Évidemment, plus l'indice glycémique est élevé et plus l'aliment risque de provoquer un pic de sucre dans le sang.

L'impact glycémique des aliments dépend de multiples facteurs, y compris du type d'amidon qu'ils contiennent, si cet amidon est cuit ou non, de la quantité de graisses qu'ils contiennent et de leur acidité. Par exemple, l'ajout de vinaigre ou de jus de citron abaisse l'indice glycémique de l'aliment. Les graisses ou les fibres peuvent inhiber l'absorption des glucides, ce qui abaisse également l'indice glycémique de l'aliment. C'est pourquoi une barre chocolatée – qui contient des graisses – a un indice glycémique plus faible qu'une pomme de terre. Le traitement d'un aliment affecte également son indice glycémique. Plus il est raffiné (comme par exemple le riz, le maïs et le blé), plus il augmentera rapidement le taux de sucre dans le sang.

Les personnes diabétiques pensaient, autrefois, qu'il leur fallait éviter le sucre – comme par exemple le sucre de table. Mais le sucre simple (comme le sucre de table) ne fait pas augmenter le taux de glycémie plus vite que les glucides complexes. C'est pourquoi l'utilisation de l'indice glycémique est précieuse pour contrôler sa glycémie.

La valeur de l'indice glycémique vous indique à quelle vitesse un hydrate de carbone se transforme en glucose, mais il ne vous dit pas quelle quantité de glucides est contenue dans un aliment particulier. C'est là que la *charge glycémique* entre en jeu. Et le hasard faisant bien les choses, je vous en parle dans la section suivante !

Vous avez certainement déjà entendu parler du régime Montignac, une approche qui se fonde justement sur l'indice glycémique des aliments. L'un des buts de ce régime est de faire perdre rapidement du poids en évitant les pics de glycémie. Pour plus d'informations : www.montignac.com.

Comparez les indices glycémiques

Consultez ici les indices glycémiques de certains céréales et féculents. Rappelez-vous que plus un indice est faible, mieux c'est, car un indice faible signifie que l'aliment en question n'entraîne pas une hausse rapide de votre glycémie. Ces indices peuvent légèrement varier d'une échelle à une autre. Cet indice glycémique est fondé sur l'échelle du glucose, où le glucose = 100.

Aliment	Indice glycémique moyen	Aliment	Indice glycémique moyen
Riz blanc à cuisson rapide	87	Millet	70
Pomme de terre (cuite)	85	Farine raffinée	70
Maïs	75	Sarrasin	54
Pain blanc	73	Riz brun	50
Pain complet	72	Blé complet	45
Millet	70	Quinoa (cuit)	35

La charge glycémique (CG)

L'utilisation seule de l'indice glycémique peut être trompeuse. La pastèque, par exemple, possède un indice glycémique élevé, mais elle contient principalement de l'eau. Vous auriez à en manger une quantité très importante pour voir votre taux de sucre dans le sang augmenter considérablement. La *charge glycémique* (CG) est une valeur plus fiable. Elle mesure la quantité de glucides disponibles dans un aliment (en grammes). Les glucides disponibles sont ceux qui fournissent de l'énergie comme l'amidon et le sucre, mais pas les fibres. Elle reflète donc autant la qualité que la quantité de glucides d'un aliment.

La charge glycémique est mesurée par portion, ce qui non seulement normalise les valeurs de sorte que vous puissiez les comparer les unes aux autres mais vous permet également de mesurer la charge glycémique totale pour chaque repas. Une charge glycémique de moins de 80 par jour reflète un régime à faible charge glycémique ; plus de 120 par jour est une charge élevée.

La taille d'une portion est subjective. C'est pourquoi je ne vous donne pas ici un tableau de la charge glycémique des aliments. Ainsi, une petite tranche de pain blanc peut avoir une charge glycémique plus faible qu'une grosse portion de sarrasin.

Voici un exemple de la façon dont la taille d'une portion affecte la charge glycémique : une pomme de terre cuite possède un indice glycémique de 85 (ce qui est élevé !) et une charge glycémique de 26 pour une portion de 150 grammes. Une portion de 120 grammes de banane a un indice glycémique de 52 et une charge glycémique de 12. La banane est donc à favoriser. Mais si vous êtes principalement préoccupé par votre glycémie et que vous avez le choix entre manger une pomme de terre au four ou deux grosses bananes (130 grammes chacune), vous pouvez vous jeter sur la pomme de terre – votre taux de glycémie s'élèvera d'environ autant.

Pour calculer la charge glycémique, multipliez la valeur du pourcentage de l'indice glycémique (index glycémique divisé par 100) par le nombre total de grammes de glucides par portion. Bien sûr, vous pouvez aussi faire une recherche rapide sur Internet. On y trouve des calculateurs en ligne et des tableaux sur les charges glycémiques.

Pour chaque aliment, l'indice glycémique et la charge glycémique sont classés de la façon suivante :

	Indice glycémique	*Charge glycémique*
Bas	56	11
Modéré	56 à 69	11 à 19
Élevé	70	20

Qu'est-ce que le taux de sucre a à voir dans tout ça ?

Énormément de choses ! Votre taux de glycémie peut avoir des effets importants sur votre santé à bien des égards : causer ou prévenir des maladies, vous faire prendre ou perdre du poids, impacter vos humeurs, vos niveaux d'énergie et même votre vieillissement.

Le principe sous-jacent est simple : ce qui monte doit redescendre. Lorsque vous mangez des aliments à charge glycémique élevée – tels que le pain, les pâtes, bagels, pizzas, biscuits, gâteaux (sans gluten ou non) –, ils provoquent des pics de glycémie. Et c'est votre amie l'*insuline* qui va s'occuper de ces pics de glycémie. L'insuline est une hormone produite par le pancréas. Sa fonction est de récupérer les nutriments dans le sang et les rendre disponibles pour les différents tissus de votre organisme.

Le glucose est le carburant de votre corps. L'insuline est en charge d'apporter le glucose aux cellules qui l'utilisent alors comme source d'énergie. Considérez l'insuline comme un livreur – apportant le glucose aux cellules, ouvrant la porte des cellules et livrant le glucose à l'intérieur.

Lorsque l'insuline transporte le glucose du sang vers les cellules, elle abaisse votre glycémie (le sucre n'est plus dans le sang mais dans les cellules).

Lorsque votre taux de glycémie est élevé, votre corps produit une grande quantité d'insuline pour essayer d'abaisser ce taux. Le problème est que l'insuline est parfois un peu trop performante.

Les conséquences d'un taux d'insuline élevé

Lorsque vous mangez d'importantes quantités d'aliments à charge glycémique élevée, face à vos pics de glycémie, le pancréas doit travailler très dur et pomper de grandes quantités d'insuline pour abaisser votre glycémie. Et ça marche – votre taux de sucre dans le sang diminue rapidement. Et là, vous tombez en panne. Vous êtes fatigué et parfois même un peu étourdi – et de nouveau affamé.

Lorsque ces aliments à charge glycémique élevée provoquent des pics de glycémie qui retombent très vite, vos hormones font « les montagnes russes ». Cela a un impact important sur vos niveaux d'énergie et même sur votre humeur.

Les gens qui mangent des aliments à la charge glycémique élevée pendant des années peuvent développer une pathologie appelée la *résistance à l'insuline*. La résistance à l'insuline se produit lorsque le corps produit tellement d'insuline, en permanence, qu'il ne fonctionne plus normalement. Habituellement, il suffit juste d'un peu d'insuline pour abaisser la glycémie, mais pour une personne résistante à l'insuline, cela ne fonctionne pas. Dans son effort pour abaisser le taux de glycémie, le corps produit en permanence de l'insuline à des niveaux élevés. Au fil du temps, le corps a besoin de plus en plus d'insuline pour transporter les nutriments vers les cellules, et finalement le pancréas est incapable de produire suffisamment d'insuline pour faire le travail. Cela représente une charge insupportable pour votre corps.

Le *syndrome X*, ou *syndrome métabolique*, est un groupe de pathologies causées par une résistance à l'insuline. Ces pathologies incluent :

- Diabète de type 2
- Hypertension artérielle
- Durcissement des artères et dommages sur les artères
- Hausse du « mauvais » cholestérol dans le sang
- Taux élevé d'acide urique dans le sang (qui peut causer de la goutte ou des calculs rénaux)
- Prise de poids et obésité
- Excès de triglycérides

L'excès d'insuline provoque également des carences nutritionnelles : calcium, magnésium, zinc, vitamine E, vitamine C, vitamines B et acides gras essentiels.

L'insuline fait monter le taux de cortisol dans le corps. Le *cortisol* est surnommé « hormone du stress ». Un fort taux de cortisol peut avoir des répercussions sur le long terme et accélérer le vieillissement.

Choisissez une approche saine du régime sans gluten

Le riz, le maïs, les pommes de terre et bien d'autres aliments à charge glycémique élevée sont bien exempts de gluten, mais ne proposent souvent qu'une faible valeur nutritionnelle, comme je l'explique dans la section précédente. Se contenter uniquement de ce type d'aliments peut causer à moyen et long termes des problèmes de santé. Il existe de délicieux produits sans gluten dans le commerce mais se gaver de ces produits en permanence peut avoir des conséquences sur votre santé.

Pendant les 500 dernières générations environ (voire plus), le corps humain a dû s'adapter à des aliments comme les céréales, le sucre et les produits laitiers, car ceux-ci sont devenus peu à peu des aliments de base. Mais à forcer leur corps à s'adapter si rapidement, les êtres humains ont joué avec la nature. Il en a résulté des maladies, de l'inconfort physique et émotionnel.

Une approche plus saine de la vie sans gluten – ou de tout mode de vie, d'ailleurs – est de manger ce que votre corps a été conçu pour manger : viandes, poissons, fruits de mer, fruits, légumes, noix, légumes non farineux et baies.

Dînez avec les hommes des cavernes : le régime paléolithique

Je n'étais pas née à l'époque mais je peux affirmer que les hommes des cavernes ne mangeaient pas de croissants. Savez-vous pourquoi ? Parce que les êtres humains étaient des « chasseurs-cueilleurs ». Ils mangeaient ce qu'ils pouvaient chasser ou cueillir.

L'agriculture n'existait pas et l'élevage non plus. Ils mangeaient ce pour quoi leur corps était fait – des viandes maigres, fruits frais et des légumes non farineux. Donc, pas de gluten.

 Vous allez probablement m'opposer que les êtres humains d'aujourd'hui ne ressemblent pas vraiment aux hommes des cavernes, donc que ce genre de discours n'est pas pertinent – mais vous auriez tort. Il est en effet prouvé que l'ADN des êtres humains n'a guère changé au cours des 40 000 dernières années.

Parce que les chasseurs-cueilleurs dont je parle ont vécu à l'ère paléolithique, leur alimentation est logiquement appelée le *régime paléolithique*, un régime qui suit les principes de base suivants :

- **Viandes maigres, poissons et fruits de mer :** *la viande maigre* est une base du régime paléolithique. En ce temps-là, les hommes ne mangeaient pas de porcs dodus élevés dans les champs comme aujourd'hui. Leurs animaux étaient maigres, sauvages, guerriers – comme l'étaient les chasseurs qui les mangeaient.

  J'avoue qu'un bon steak de mammouth est difficile à trouver de nos jours. Mais de nombreuses viandes maigres sont disponibles dans n'importe quel supermarché (poulet, lapin, dinde, canard, cheval, veau…) – vous pouvez même tenter l'expérience de certains restaurants ou cultures et goûter la viande de crocodile, de buffle, d'autruche, de kangourou et de serpent à sonnettes.

✔ **Fruits et légumes non farineux :** vous pouvez manger une grande variété de fruits, dont les pommes, figues, kiwis, mangues, cerises et avocats. N'importe quel légume peut convenir (sauf les farineux comme les pommes de terre, ignames, patates douces). Les artichauts, le concombre, le brocoli, le chou, les épinards et les champignons offrent une bonne valeur nutritive.

✔ **Noix et graines :** non seulement elles font partie du régime paléo mais elles sont également des sources importantes d'acides gras monoinsaturés, qui contribuent à réduire le cholestérol et à diminuer les risques de maladies cardio-vasculaires. Vous pouvez, par exemple, manger des amandes, noix de cajou, noix de macadamia, pistaches, graines de tournesol, de courge ou de sésame.

✔ **Pas de céréales :** les céréales ne faisaient pas partie de l'alimentation humaine jusqu'à il y a environ 10 000 ans. À l'échelle de l'évolution, c'est hier ! Bien qu'il n'y ait aucune preuve scientifique pour établir cette corrélation, il est intéressant de noter que c'est lorsque les céréales ont été introduites dans l'alimentation humaine que les problèmes de santé ont commencé à augmenter : la taille moyenne de l'homme a diminué, les maladies infectieuses se sont développées, la mortalité infantile a augmenté et la durée de vie s'est raccourcie. On a dès lors trouvé plus de cas d'ostéoporose, de rachitisme et autres troubles osseux, de carences en vitamines et minéraux qui ont entraîné des maladies comme le scorbut, le béribéri, la pellagre et l'anémie ferriprive.

✔ **Pas de légumineuses :** elles incluent tous les haricots, les pois, les arachides et le soja.

✔ **Pas de produits laitiers :** il est assez facile de comprendre pourquoi les hommes des cavernes ne consommaient pas de lait. Imaginez-les essayer d'attraper un cochon sauvage ou un sanglier pour le traire ! Si vous êtes inquiet de développer une carence en calcium en supprimant les produits laitiers, n'oubliez pas que d'autres aliments en contiennent, comme le brocoli, le chou et le céleri. Les meilleures sources de calcium proviennent de légumes tels que les feuilles de betterave, le chou frisé et les feuilles de moutarde.

✔ **Pas de produits transformés :** évidemment !

En règle générale, on peut simplifier l'approche paléolithique à ce principe : « Si l'homme l'a produit, ne le mange pas. »

Vous avez déjà certainement entendu parler du régime Seignalet (ou régime « hypotoxique »). Inspiré du régime paléolithique, ce régime écarte de l'alimentation ce qui est considéré comme toxique pour le corps : aliments cuits à haute température, le blé et les produits laitiers notamment, tout en privilégiant les aliments biologiques. Pour plus d'informations : http://www.seignalet.fr/.

Pourquoi s'intéresser au pH ?

Si vous n'avez pas entendu parler du pH depuis vos classes de chimie au lycée, lisez la suite. Cela peut sembler compliqué mais ne l'est pas. Le pH de votre corps – et de vos aliments – est absolument essentiel pour la nutrition et une santé optimale.

Alors, voici un petit rappel pour ceux d'entre vous qui dormaient pendant les cours de chimie. Le pH est une échelle de 0 à 14 qui se réfère à l'acidité ou l'alcalinité d'une substance. Les substances ayant un pH de 0 sont totalement acides, tandis que les substances avec un pH de 14 sont totalement alcalines. Votre pH idéal est d'un peu plus de 7 – légèrement alcalin (la fourchette saine se situant entre 7,2 et 7,4).

La plupart des gens ont un pH chroniquement acide, inférieur à 7. Avoir un pH acide peut causer de la fatigue, une malabsorption des nutriments, une maladie chronique et affaiblir votre système immunitaire.

Les aliments transformés contenant de la farine (donc du gluten), ainsi que la viande et les produits laitiers contribuent à l'acidité de votre corps, tandis que les fruits et légumes le rendent plus alcalin. Encore une raison supplémentaire de vivre sans gluten (et sans laitages). C'est nutritionnellement avantageux !

Vous devez choisir un mode de vie dans lequel vous vous sentez à l'aise, qui vous satisfait et vous nourrit – et la bonne solution est peut-être d'opter pour une version modifiée de ce régime. Mais, dans l'ensemble, cette approche offre une alimentation complète, car elle est composée d'aliments à faible charge glycémique, et elle est sans gluten.

Trouvez votre propre équilibre. Tout le monde est différent – peut-être ne voulez-vous pas ou n'avez-vous pas besoin d'autant de protéines. Peut-être êtes-vous végétarien et trouvez-vous vos sources de protéines ailleurs. L'approche que je décris ici est simplement une suggestion de point de départ pour vivre sans gluten sainement. Pour plus d'informations, consultez votre médecin, votre nutritionniste ou diététicien.

Vous pourrez trouver plus d'informations sur le régime paléolithique sur Internet. Un de mes sites préférés est : `http://paleo-regime.fr/`.

Comparez le régime paléo au régime faible en glucides

La mode des régimes change aussi vite que l'intérêt qu'y portent les célébrités. En quelques semaines, le régime qui vous garantit de perdre 20 kilos en 20 minutes est remplacé par une méthode totalement opposée. Comment toutes ces méthodes pourraient-elles toutes avoir raison ? Elles ne le peuvent pas.

Je tiens à souligner que, bien que l'approche de l'homme des cavernes que je décris dans ce chapitre puisse vous aider à gérer votre poids, mon objectif n'est pas de vous faire perdre du poids, mais de voir comment atteindre une santé optimale grâce à la nutrition – et cela implique notamment un régime sans gluten.

Vous avez probablement compris que l'approche des chasseurs-cueilleurs est faible en glucides. Mais elle est différente d'autres régimes sans glucides ou à faible teneur en glucides. En voici les principales différences :

- **Ce n'est pas un mode de vie à faible teneur en (ou sans) glucides.** C'est un mode de vie qui intègre de *bons glucides*.

  Éliminer les glucides comme le recommandent certains régimes revient à supprimer certains fruits et légumes. Cela signifie supprimer des sources importantes de vitamines, minéraux, fibres, antioxydants et autres nutriments.

- **Certains régimes faibles en glucides suggèrent de manger des aliments riches en gras comme le fromage, le beurre et le bacon.** Ceux-ci peuvent faire monter votre taux de cholestérol en flèche.

- **Les régimes à faible teneur en glucides et chargés en graisses ne font pas la distinction entre le bon et le mauvais gras.** Les graisses mono-insaturées sont bonnes mais ce n'est pas souvent le cas des graisses saturées. Les acides gras polyinsaturés sont plus ou moins bons en fonction de la quantité consommée.

- **Ces régimes ne parlent pas des dangers du sel.** Le sodium est important dans l'alimentation pour réguler l'équilibre hydrique, mais si vous en consommez en grande quantité, il peut notamment causer de l'hypertension artérielle et conduire à des troubles cardio-vasculaires. Il détraque aussi la capacité du corps à absorber le calcium, entraînant un risque d'ostéoporose et de perte de masse osseuse.

Même si vous ne salez pas votre nourriture, vous pourriez consommer trop de sel dans votre alimentation. Le sodium que l'on retrouve naturellement dans les aliments comme les crustacés et certains fromages n'est généralement pas un problème. Mais les aliments transformés sont souvent chargés en sodium, sous forme d'exhausteurs de goût, d'épaississants et de conservateurs. Même les sodas contiennent souvent du sodium pour les aider à maintenir la carbonatation.

Si vous comptez les glucides que vous mangez, il est facile de comprendre pourquoi les fruits et légumes vous en apportent plus que le gluten. La teneur moyenne en glucides des fruits est d'environ 13 %. Pour les légumes non farineux, c'est environ 4 %. Et c'est presque zéro pour les viandes maigres, le poisson, les fruits de mer. En revanche, la teneur en glucides des céréales comme le blé est énorme, près de 72 %.

Faites la différence entre régime sans gluten et régime faible en glucides

Les stars et les médias les confondent souvent et cette confusion a été à la base de récentes polémiques autour du régime sans gluten. Toutes les stars hollywoodiennes qui prétendent perdre du poids avec un régime sans gluten suivent, en réalité, un régime faible en glucides, voire pire, un régime sans glucides : elles suppriment ainsi le pain, les pâtes, les féculents et les gâteaux pour ne manger que des protéines et des légumes, pour la plupart d'entre elles. Il est évident qu'à ce régime-là, on perd du poids. Mais elles ne suivent pas un véritable régime sans gluten sain et équilibré.

Les gens peuvent être un peu perdus parce que certains régimes faibles en glucides ont tendance à être également sans gluten, ou au moins allégés en gluten, de sorte qu'ils pensent que « sans gluten » signifie automatiquement « faibles en glucides » – mais cela ne fonctionne pas de cette façon.

En réalité, le régime sans gluten peut être très élevé en glucides. Fréquemment, quand les gens suppriment le gluten de leur alimentation, ils remplacent les aliments par leur version sans gluten (pain, bagels, pâtes, pizzas, biscuits, brownies). Non seulement ces aliments sont riches en glucides, mais ils représentent essentiellement des « calories vides », ce qui signifie qu'ils offrent très peu de valeur nutritionnelle – mais beaucoup de calories.

Attention : La confusion entre les régimes à faible teneur en glucides et le régime sans gluten est un dangereux malentendu. Sur de nombreux programmes à faible teneur en glucides, il est possible de réintroduire de petites quantités de gluten après les phases initiales. Pour ceux qui doivent vivre sans gluten, la réintroduction du gluten dans l'alimentation est proscrite.

Révisons l'approche la plus saine

Je couvre de nombreux sujets dans ce chapitre – l'indice glycémique, la charge glycémique, le régime paléolithique, les bons et mauvais glucides. Si vous vous demandez où je veux en venir, vous n'êtes probablement pas seul.

Pour suivre un régime sans gluten sain, tout peut se résumer ainsi :

✔ Mangez sans gluten, ça, c'est une certitude. Je ne veux pas que vous perdiez de vue le point le plus important !

✔ Surveillez les glucides – assurez-vous de manger de bons glucides comme ceux des fruits et des légumes.

✔ Essayez de vous en tenir au maximum à des aliments à faible charge glycémique qui augmenteront progressivement votre taux de glycémie.

✔ Assurez-vous que les aliments que vous consommez offrent une bonne valeur nutritionnelle. Évitez les calories vides.

> ✔ Une approche paléolithique est saine : viandes maigres, fruits et légumes non farineux, poissons et fruits de mer. Modifiez ce régime pour l'adapter à vos goûts et à vos besoins.

Les bons aliments sont ceux qui se dégradent rapidement. Privilégiez ainsi les produits frais et autres aliments sans conservateurs.

Adoptez des stratégies créatives pour rester en bonne santé

Lire et écrire sur la nutrition est une chose, mais *manger* en est une autre. Qu'en est-il des personnes qui pensent que les brocolis sont aussi mauvais que des pissenlits ? (Attention les pissenlits peuvent être toxiques !)

Que faire lorsqu'on souhaite profiter des nutriments qu'offrent les aliments sains mais que l'on n'apprécie pas leur goût (ou leur texture, leur consistance, leur couleur ou l'idée même de les manger) ? Ne vous inquiétez pas. Vous n'avez pas à aimer les choux de Bruxelles pour bien manger. Vous avez juste à être créatif sur la façon dont vous pouvez cacher ces aliments riches en nutriments dans vos repas. La plupart du temps, on ne les remarque même pas. Voici quelques idées :

> ✔ Cachez les fruits et même les légumes dans des smoothies en les coupant en petits morceaux et en les intégrant à votre mélange.
>
> ✔ Glissez des brocolis, courgettes et autres légumes dans des lasagnes ou sauces pour pâtes.
>
> ✔ Utilisez quelques cuillerées de poudre de protéines pour améliorer un smoothie.
>
> ✔ Utilisez du kéfir à la place du lait ou des yaourts pour vos smoothies.

Le *kéfir* est une boisson fermentée super nutritive et sans gluten qui a un goût et une consistance semblables à ceux du yaourt. Chargé de micro-organismes, le kéfir est un prébiotique et un probiotique qui favorise la croissance de bonnes bactéries dans le tractus intestinal. Vous pouvez trouver du kéfir dans le même rayon que le lait et les yaourts en magasin diététique et parfois dans le rayon frais des supermarchés ou magasins bios.

Le kéfir est très digeste, il nettoie les intestins et apporte des levures bénéfiques, vitamines et minéraux, et des protéines complètes. Même si vous êtes intolérant au lactose, vous pouvez généralement tolérer le kéfir, car la levure et les bactéries contiennent de la *lactase*, enzyme qui « digère » le lactose qui reste après culture.

Évitez les pièges nutritionnels du régime sans gluten

On entend souvent dire que le régime sans gluten peut provoquer des carences nutritionnelles. *Oui et non.*

Si vous choisissez l'approche saine du régime sans gluten que je décris dans ce chapitre, vous ne devriez pas avoir à vous soucier des carences nutritionnelles. Vous serez en meilleure santé que la plupart des gens qui mangent du gluten.

Toutefois, si vous choisissez de substituer systématiquement des produits sans gluten aux produits traditionnels, notamment le pain, les pizzas, pâtes, biscuits, les gâteaux – et si vos « accompagnements » sont constitués uniquement de riz, de maïs et de pommes de terre – alors, oui, vous allez développer des carences.

Lors de l'adoption du régime sans gluten, les gens ont tendance à se tourner vers des féculents de remplacement comme le riz, le maïs et les pommes de terre. Ironiquement, ces aliments que vous adorez manger car ils semblent vous rassasier peuvent aussi vous donner encore plus faim. Je vous en parle dans la section « Perdre du poids avec le régime sans gluten ».

Malheureusement, le riz, le maïs, les pommes de terre et autres féculents ont peu à vous offrir nutritionnellement parlant – surtout au regard des nombreuses calories qu'ils apportent.

D'autres aliments peuvent vous offrir la même sensation de satiété tout en ayant une meilleure valeur nutritionnelle que celle du blé, du riz ou des pommes de terre, à savoir par exemple :

- L'amarante
- Le sarrasin (avec précaution)
- Les pois chiches, lentilles, fèves
- Le fonio
- Le millet
- Le sorgho
- Le teff

Ces grains alternatifs vous offrent des protéines complètes, des fibres et de nombreux vitamines et minéraux. (Si vous voulez en savoir plus sur la valeur nutritionnelle de ces alternatives au blé, consultez le chapitre 5.)

Les carences potentielles, quand on est au régime sans gluten, sont celles en folates ou acide folique, en fer, fibres et vitamines B. Les vitamines B peuvent manquer à certaines farines sans gluten comme les vitamines B1 (thiamine), B2 (riboflavine) et B3 (niacine). Choisir une approche plus saine de votre alimentation est le meilleur moyen d'éviter ces carences.

Des compléments alimentaires peuvent vous y aider également. Mais assurez-vous qu'ils ne contiennent pas de gluten et consultez votre médecin au préalable. Avant d'être diagnostiqué sensible au gluten ou cœliaque, vous avez dû développer, pour la plupart d'entre vous, des carences nutritionnelles car votre corps n'absorbait pas tous les nutriments qui lui étaient nécessaires.

Au début d'un régime sans gluten, votre médecin pourra vous proposer des compléments alimentaires ou des vitamines pour combler ces carences. Par exemple, il pourrait vous prescrire des probiotiques pour équilibrer votre flore intestinale, de la L-glutamine contre l'hyperperméabilité, des vitamines D, B et E, du zinc pour renforcer les jonctions serrées de votre intestin, ou encore du sélénium pour renforcer votre système immunitaire. Tout au long du régime, si vous optez pour une approche saine, vous ne devriez pas souffrir de carences, si vous vous faites suivre également par votre médecin.

Lorsque vous étiez encore « glutenovore », vous mangiez des farines souvent enrichies en fer et en vitamines. Les farines sans gluten ne sont pas enrichies. Des carences en vitamines B et en fer peuvent alors se développer.

Si vous êtes au régime sans gluten et également végétarien, attention à ne pas consommer de seitan (à base de blé). Si vous êtes végétarien (vous mangez donc du poisson et des œufs notamment), vos besoins en vitamines B, D, calcium, fer et protéines sont couverts. Vous ne devriez pas souffrir de carences. Prudence par contre si vous êtes végétalien, car vous pourriez souffrir de carences.

Intégrez les fibres nécessaires dans votre régime sans gluten

Les fibres sont importantes pour le bon fonctionnement de votre transit intestinal. Elles peuvent aider également à réduire le cholestérol, les risques de maladies cardio-vasculaires et de cancers.

Si, dans le cadre de votre régime sans gluten, votre alimentation se compose essentiellement de farines comme le riz, la pomme de terre ou le tapioca, vous risquez de ne pas manger assez de fibres. Si vous utilisez des farines, essayez d'intégrer des graines de lin, de la farine de pois chiches ou d'amarante dans vos plats. Elles apportent plus de fibres que le riz blanc et même que le riz complet.

Le régime le plus sain, qui vous assure un apport adéquat en fibres, est l'approche qui ressemble le plus à la diète de nos ancêtres, riche en fruits et légumes farineux. De bons choix à retenir : pommes, kiwis, bananes, avocats, tomates, choux, brocolis, épinards et choux de Bruxelles.

La vérité, rien que la vérité sur les céréales complètes

Si vous prenez des céréales, choisissez des céréales complètes. Une céréale est composée de trois parties : le germe, l'endosperme et le son.

- ✔ **Germe** : c'est la partie de la céréale qui donne une nouvelle plante après fertilisation par le pollen. Elle contient des vitamines B et de la vitamine E, des antioxydants, des graisses insaturées, du magnésium, du phosphore, du fer et du zinc.

- ✔ **Endosperme** : noyau du grain, l'endosperme est l'essentiel de la céréale. Parce que la graine stocke l'énergie dans l'endosperme, c'est là que l'on trouve le plus de protéines et d'hydrates de carbone, ainsi que des vitamines et des minéraux.

- ✔ **Son** : couche extérieure de la graine, le son contient la plupart des éléments nutritifs de la céréale. C'est une source de niacine, thiamine, riboflavine, magnésium, phosphore, fer et zinc. C'est là que se trouvent la plupart des fibres aussi.

Les grains raffinés ont été dépouillés de leurs couches de son et de germe, donc tout ce qui reste est l'endosperme. Ils contiennent peu de protéines et de matières grasses et peuvent garder une certaine quantité de fibres, mais la plupart des bonnes choses ont été jetées pendant le processus de raffinage – comme « le bébé avec l'eau du bain » dit la maxime.

Les composants individuels des grains complets – vitamines, minéraux, fibres et autres nutriments – travaillent ensemble pour nous protéger des maladies chroniques comme le diabète, les maladies cardio-vasculaires et certains cancers. Les composants des céréales sont *synergiques*, ce qui signifie que chaque composant individuel est important, mais la valeur du grain entier est supérieure à la somme de ses parties.

Le quinoa, le sarrasin et certaines des autres céréales alternatives dont je parle dans le chapitre 5 sont des grains complets et ils vous apportent toute la valeur nutritive des céréales complètes.

Les grains raffinés sont généralement enrichis en nutriments mais ils ne sont pas aussi nutritifs que les grains complets, et ils ne contiennent pas les fibres des grains complets. (S'ils étaient vraiment nutritifs, pourquoi auraient-ils besoin d'être enrichis ?)

 Les fruits contiennent presque deux fois plus de fibres que les céréales, et les légumes non farineux en contiennent huit fois plus. Pour maximiser votre apport en fibres, quand cela est possible, mangez aussi la peau des fruits.

Gagnez la bataille du poids

Le régime sans gluten est paradoxal – si vous êtes en surpoids, il est susceptible de vous aider à en perdre. Si vous êtes trop mince, il est susceptible de vous aider à en gagner. Je sais, même les pilules miracle vues à la télévision ne prétendent pas faire les deux. Mais croyez-moi : c'est vrai !

Perdre du poids avec le régime sans gluten

Si vous luttez contre la surcharge pondérale, vous n'êtes évidemment pas seul. Dans notre monde de *globésité*, que vous soyez de la génération des baby-boomers ou de la génération Y n'a aucune importance : la majorité de la population, notamment dans certaines régions du monde, est de la génération XXL.

Le régime sans gluten peut être une clé pour perdre du poids et maintenir un poids de santé. Malheureusement, se gaver de gâteaux et de pains sans gluten ne fait pas partie du plan pour perdre du poids. La clé, pour une bonne gestion de votre poids, est une alimentation à bonne teneur en protéines, faible charge glycémique et riche en nutriments.

Luttez contre les fringales

Votre glycémie affecte votre faim et vos fringales. Les aliments contenant du gluten comme le pain et les gâteaux sont vos ennemis numéro 1. Ces aliments – et leurs homologues sans gluten – provoquent une augmentation rapide de votre glycémie, qui envoie des signaux à votre corps pour qu'il produise plus d'insuline.

L'insuline fait son travail et abaisse votre taux de glycémie mais elle l'abaisse si bas que vous avez de nouveau faim. Bien souvent, vous avez alors envie de manger encore plus de ces aliments qui ont fait monter votre glycémie. C'est un cercle vicieux. L'insuline indique également à votre corps de stocker les graisses.

Des niveaux élevés d'insuline inhibent également la libération de sérotonine, un neurotransmetteur du cerveau qui dit au corps qu'il est temps d'arrêter de manger.

D'autre part, lorsque votre corps absorbe les sucres lentement, comme lorsque vous mangez des aliments à faible charge glycémique et riches en protéines, la hausse de la glycémie est progressive, et commence donc sa descente après que l'insuline a commencé à faire son travail. La diminution progressive du sucre dans le sang réduit vos fringales.

Produire trop d'insuline provoque un stockage important des graisses et pousse le foie à produire plus de cholestérol, ce qui augmente le taux de cholestérol dans le sang. L'excès d'insuline inhibe également la dégradation des graisses stockées dans votre corps, même si vous faites du sport tous les jours, perdre ces kilos en trop est bien difficile.

Le pouvoir des protéines

Les protéines sont de puissantes alliées dans votre lutte contre la surcharge pondérale. Elles ont un *effet thermogénique* puissant, ce qui signifie qu'elles réveillent votre métabolisme et vous aide à brûler des calories. Elles augmentent également, plus que les glucides et les graisses, votre sensation de satiété, donc vous avez tendance à manger moins.

Les protéines stimulent également la sécrétion par le pancréas d'une hormone appelée *glucagon*. La fonction du glucagon est notamment de faciliter la mobilisation de la graisse stockée. Des niveaux élevés de glucagon favorisent la prise d'énergie dans les graisses stockées autour de vos cuisses, vos poignées d'amour ou votre bouée ventrale.

D'autre part, des repas à forte charge glycémique et riches en glucides vont stopper la sécrétion de glucagon. L'hormone qui favorise la mobilisation des graisses stockées est absente mais celle qui en favorise le stockage, elle, est bien là : l'insuline. Et hop, vous prenez un tour de taille !

Vous avez peut-être entendu dire que manger trop de protéines était mauvais pour les os. On dit que l'excès de protéines peut pousser votre corps à se débarrasser du calcium au lieu de l'absorber (pour faire des os solides). Trop de protéines peut en effet « lessiver » vos os (tout comme le peuvent les boissons gazeuses ou contenant de la caféine) mais il faudrait manger vraiment beaucoup de protéines : environ 140 grammes – l'équivalent de 500 g de poulet, poisson, bœuf, porc ou de plus de 1 kg de noix –, le tout en un seul jour.

Prendre du poids avec le régime sans gluten

Certaines personnes qui ont souffert de malabsorption des suites d'une sensibilité au gluten ou de la maladie cœliaque sont souvent en insuffisance pondérale et ont vraiment besoin de regagner un peu de poids.

En adoptant le régime sans gluten, leur intestin guérit généralement rapidement, et ils commencent à absorber les nutriments et calories. Leur poids se normalise alors assez rapidement, simplement en mangeant sans gluten.

Il arrive aussi qu'en mangeant sans gluten, on réduise par inadvertance les calories en supprimant des aliments comme le pain et le beurre. Si vous êtes déjà en insuffisance pondérale, vous pouvez avoir besoin de compléments alimentaires en plus d'un régime sain en ajoutant des aliments riches en calories comme les noix, les avocats, le thon et le saumon. Il est important de se faire suivre par un médecin pour éviter et réguler les carences.

Prise de poids non désirée avec le régime sans gluten

Nombreux sont ceux qui prennent du poids en adoptant le régime sans gluten, souffrant alors d'un surpoids qui n'était pas présent avant. Cela se produit généralement pour deux raisons :

✔ Les gens qui ont une forme d'intolérance au gluten n'absorbent souvent pas tous les nutriments – ni leurs calories – avant de commencer leur régime. Ensuite, leur état de santé commence à s'améliorer et ils sont de nouveau en mesure d'absorber les nutriments et calories. Mais ils mangent généralement toujours le même nombre de calories – souvent trop nombreuses pour maintenir un poids correct.

✔ Certaines personnes prennent du poids parce qu'elles mangent beaucoup de riz, de maïs et de pommes de terre, qui sont des aliments à forte charge glycémique et qui se transforment immédiatement en sucre. Elles peuvent également se jeter trop souvent sur des friandises sans gluten (cookies, gâteaux) pour conjurer leur sentiment de privation.

Si vous avez pris quelques kilos superflus depuis le début de votre régime sans gluten, essayez de vous en tenir à une alimentation riche en protéines et à faible charge glycémique et vous devriez contrôler plus facilement votre poids.

Améliorez vos performances sportives avec le régime sans gluten ?

Certains athlètes hésitent à suivre un régime sans gluten car ils pensent qu'ils n'y trouveront pas assez de glucides pour soutenir leurs intenses besoins énergétiques. Avant, pendant et après l'entraînement ou la compétition, les glucides sont essentiels pour maintenir les niveaux d'énergie et accélérer la récupération après l'effort.

Non seulement, avec le régime sans gluten, il est possible pour un athlète d'obtenir tous les glucides qui lui sont nécessaires, mais il peut aussi y trouver de nombreux avantages complémentaires. Après tout, on ne fait pas le plein de glucides avec des pizzas et des spaghettis – qui sont relativement sans valeur, nutritionnellement parlant. Ces aliments provoquent également des pics de glycémie parce qu'ils possèdent une charge glycémique élevée, comme je vous l'ai expliqué un peu plus haut.

Certains grands champions sportifs, comme le tennisman Novak Djokovic, ont adopté un régime sans gluten et ont vu leurs performances s'améliorer. Mais le tennisman souffre d'une véritable intolérance au gluten. De toute évidence, le régime sans gluten a pu apporter un soulagement important à son corps et lui permettre d'être plus performant. Pourtant, cela a suffi pour que d'autres sportifs se lancent dans l'aventure afin d'améliorer leurs performances sportives, entraînant un « effet de mode ».

Ce n'est pas l'absence de gluten qui est avantageuse pour les sportifs, c'est surtout une haute teneur en protéines et une approche faible en charge glycémique (qui se trouve être aussi sans gluten). On ne peut donc pas réellement parler de régime sans gluten pour les sportifs mais plutôt d'une alimentation pauvre en gluten. Cette approche présente plusieurs avantages pour les athlètes :

- ✔ Elle permet à l'organisme d'apprendre progressivement à utiliser l'énergie plus efficacement à partir des réserves de graisses et d'être moins dépendant de la nourriture disponible dans les intestins ;

- ✔ Elle réduit l'effet d'hypoglycémie soudaine que l'effort intense peut provoquer ;

- ✔ Elle augmente la quantité d'acides gras libres dans le sang, permettant d'économiser le glycogène musculaire (utilisé pour l'énergie) pendant l'effort ;

- ✔ Elle permet de maintenir des niveaux de glycémie stables pendant l'effort, ce qui est essentiel pour la croissance des muscles (et de la force) ainsi que pour le flux d'énergie ;

✔ Elle augmente les défenses immunitaires, aide à lutter contre les allergies et surtout améliore la digestion (moins de ballonnements et soucis digestifs pendant l'effort). Le système digestif du sportif est plutôt fragile car, pendant l'effort, le sang se déplace vers les muscles qui travaillent et le tube digestif est moins irrigué. Certains nutritionnistes du sport auraient constaté une véritable optimisation des performances du corps avec ce régime pauvre en gluten.

Deuxième partie

Se préparer et s'organiser avant de cuisiner

Un dîner presque parfait ! 40 % de graisses, 30 % de protéines, 20 % de glucides et 10 % de culpabilité pour les 40 % de graisses.

Dans cette partie...

Nous apprendrons comment préparer des repas sans gluten. Même si votre idée de la cuisine se résume à mettre un plat surgelé à réchauffer au micro-ondes (oui, il existe des plats surgelés sans gluten !), vous devez connaître les aliments autorisés et interdits et choisir judicieusement vos produits. Que vous soyez un fin cordon-bleu ou non, préparer vos repas et faire vos courses vous demanderont des efforts et de l'organisation si vous êtes au régime sans gluten.

Je vous propose de nombreux conseils pour concevoir des menus équilibrés et sains exempts de gluten et pour faire vos courses sans casser votre tirelire (eh oui, les produits sans gluten peuvent être chers).

Enfin, vous trouverez dans cette partie des trucs et astuces pour cuisiner sans gluten et découvrirez que toute recette est adaptable en version « libre de gluten ».

Chapitre 8

Une cuisine
à l'épreuve du gluten

***

Dans ce chapitre :

▶ Faire cohabiter les aliments « avec » et « sans » gluten dans votre cuisine

▶ Éviter les risques de contamination

▶ S'approvisionner en produits et ingrédients pratiques

***

Votre conception de la cuisine se limite à ouvrir une boîte de conserve ou à réchauffer un plat au micro-ondes ? Vous possédez, au contraire, tous les derniers robots et gadgets du marché, êtes abonné à des dizaines de magazines de cuisine et stockez des ingrédients exotiques dans votre placard ? Peu importe votre rapport à la cuisine, vous passez probablement beaucoup de temps dans cette pièce.

Lorsqu'on est au régime sans gluten, notre cuisine nécessite un peu d'attention. Si vous partagez votre vie avec des glutenovores, cuisiner sans gluten, en toute sécurité, n'est pas compliqué si vous suivez les recommandations de ce chapitre.

Partagez votre cuisine avec des glutenovores

Certaines personnes pensent que la seule façon de garantir des repas exempts de gluten est de mettre toute la famille au régime sans gluten (voir les avantages et inconvénients de ce choix au chapitre 19). Ce n'est pas vrai. Bien sûr, cela va vous faciliter la vie au niveau de votre organisation, de la planification de vos menus et vous n'aurez pas à vous soucier des risques de contamination croisée. Mais partager sa cuisine avec des glutenovores est tout à fait possible sans risques.

Voici quelques conseils pour partager votre cuisine en toute sérénité :

✔ **Le « sans gluten » en priorité.** Si vous cuisinez par exemple des croque-monsieur, faites griller ceux qui sont sans gluten en premier, pour bénéficier d'ustensiles propres.

✔ **L'aluminium est votre ami.** Il vous simplifiera énormément la vie. Couvrez-en vos plaques de cuisson avant de cuire ou réchauffer vos aliments.

✔ **Les emballages sous vide.** Si vous cuisinez maison, comme vos aliments ne contiennent pas de conservateurs, pensez à utiliser des emballages sous vide. Ils sont pratiques pour conserver la fraîcheur de vos aliments mais aussi pour pouvoir les emporter facilement à l'extérieur.

✔ **Congelez.** Les aliments « faits maison » ne contiennent pas de conservateurs. Ils ne se conservent donc pas longtemps. N'hésitez pas à les congeler pour les utiliser selon vos besoins.

✔ **Utilisez des étiquettes aux couleurs vives.** Vous êtes susceptible de vous retrouver avec des restes de plats avec et sans gluten. Pensez à utiliser des étiquettes autocollantes aux couleurs vives pour marquer les récipients qui contiennent vos aliments sans gluten. Cela est bien pratique, par exemple, si vous avez une baby-sitter. Elle pourra ainsi choisir le bon plat à réchauffer.

Évitez la contamination croisée

Si vous partagez votre cuisine avec des glutenovores, du gluten peut contaminer vos aliments en se déposant (miettes, traces) sur vos plans de travail, vos ustensiles, vos plaques de cuisson. Si vous n'êtes pas un maniaque compulsif du ménage, eh bien, il va falloir le devenir. La propreté n'est plus une option, elle est vitale pour votre vie sans gluten.

Les miettes : ennemies publiques n° 1

Si vous pensez que les fourmis ou les cafards sont les pires des plaies en cuisine, reconsidérez votre position. Certes, ce sont des nuisances, mais, même si vous les mangez, ils ne vous feront pas nécessairement du mal (et, rassurez-vous, ils sont « sans gluten » !). Non. Votre ennemi public numéro 1, c'est la miette. Les miettes se glissent partout.

Imaginez : vous avez préparé un délicieux sandwich sans gluten puis vous le placez sur le plan de travail sur lequel se trouvent des miettes contenant du gluten. Eh bien, vous allez manger un sandwich _gluténisé_. Tous vos efforts n'auront servi à rien. Si vous pensez que quelques miettes ne posent pas de problème, relisez les chapitres 2 à 7, si vous êtes cœliaque, bien sûr.

Même quelques miettes peuvent rendre un plat sans gluten « toxique » pour un cœliaque. Ne tardez pas à nettoyer les miettes qui traînent et n'oubliez pas la règle d'or : « Dans le doute, abstiens-toi. » Si vous n'êtes pas certain que votre repas est sans gluten, évitez de le manger.

Que dire des miettes sans gluten ? Est-ce que vous devez aussi les nettoyer ? Oui, si vous partagez votre cuisine avec des glutenovores. Non pas par souci d'hygiène mais parce que, rapidement, vous ne vous rappellerez plus si elles sont gluténisées ou non…

De nouvelles règles pour vos ustensiles

Vous n'avez pas forcément à acheter de nouvelles casseroles, poêles et ustensiles, mais vous devez faire attention à la façon dont vous les utilisez. Si vous les nettoyez correctement, ils ne porteront pas de traces de gluten. Les ustensiles antiadhésifs sont les plus pratiques.

Quelques exceptions cependant :

- **La passoire.** Il vaut mieux en avoir une pour les pâtes sans gluten et une autre pour les pâtes gluténisées. Les pâtes ont tendance à laisser des résidus difficiles à faire disparaître. Étiquetez clairement vos passoires.

- **Le grille-pain.** Je vous recommande d'en posséder deux. C'est un réservoir à miettes, donc trop risqué. Vous pourrez aussi l'emporter en vacances. Si vous souhaitez griller du pain, pensez à utiliser le gril de votre four et à mettre du papier d'aluminium sur vos plaques ou bien servez-vous de sacs de cuisson dans votre grille-pain.

Utiliser un marqueur permanent n'est peut-être pas très tendance en cuisine, mais cela peut vous faire économiser du temps et du stress. Une mention de type « Noglu » ou « SG » sur vos ustensiles peut réduire le risque de contamination par inadvertance de vos aliments.

La technique du « lancer-déposé »

Non, ce n'est pas une technique de lancer de ballon au basket (en tout cas, pas ici), mais une méthode qui vous évitera de *gluténiser* vos aliments, (notamment vos tartinades) et qui requiert une certaine pratique.

J'appelle *tartinades* tout ce qu'on peut tartiner (logique, non ?) : beurre, margarine, pâte chocolatée, mayonnaise, miel… On peut bien sûr les trouver sous forme de bouteille « distributeur » mais, si vous n'en avez pas, je vous conseille d'apprendre cette technique du lancer-déposé.

Les gens trempent leur couteau dans une barquette pour prélever la substance à tartiner puis ils la déposent sur leur pain/biscuit/brioche… et ils recommencent ce geste plusieurs fois. Chaque fois que le couteau touche du pain contenant du gluten, des miettes se détachent pour se coller au couteau et elles sont redéposées dans la barquette. Et voilà, votre tartinade est gluténisée !

Voici comment pratiquer le lancer-déposé et garder vos tartinades exemptes de gluten :

1. Utilisez un couteau pour prendre de la tartinade.

2. Lancez d'un coup sec la tartinade sur votre pain (voir la figure 8-1).

3. Répétez ce geste autant de fois que nécessaire. Ainsi le couteau ne touche jamais le pain.

4. Vous pouvez étaler votre tartinade.

Cette technique demande un peu de dextérité et d'entraînement. Si vous lancez trop fort, vous en mettez à côté et si vous ne lancez pas assez fort, la tartinade va rester collée à votre couteau. Dans les pires cas, vous allez devoir utiliser un second couteau pour racler ce qui est resté collé au premier.

Vous allez me demander : « Est-ce que je peux remettre le couteau dans le pot, une fois que j'ai fini de tartiner mon pain sans gluten ? » Non, il ne vaut mieux pas car vous allez y mettre des miettes et vous ne saurez plus si elles sont avec ou sans gluten.

Dernière question : « Est-ce que je dois apprendre cette technique si tout le monde mange sans gluten à la maison ? » Non, évidemment. Cette partie ne concerne que les personnes cœliaques qui doivent partager leur cuisine avec des glutenovores.

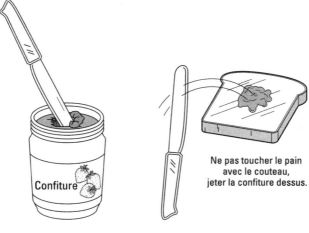

Ne pas toucher le pain avec le couteau, jeter la confiture dessus.

Confiture

1.)

2.)

Figure 8-1 : Le lancer-déposé.

Évitez d'avoir trop de monde en cuisine

Avoir trop d'apprentis cuisiniers est déjà compliqué à gérer mais quand on est au régime sans gluten, cela peut vite devenir un enfer, surtout quand vous avez à préparer des aliments sans et avec gluten. Inutile donc de vous stresser et déclinez gentiment l'aide de votre sympathique tante ou cousine pour beurrer les toasts. Une contamination croisée (avec un couteau ou une spatule) est vite arrivée.

Si vous avez des invités occasionnels qui souhaitent vous aider, attribuez-leur des tâches précises et sans risque pour vos aliments sans gluten : verser le thé, mettre la table, par exemple. Si vos invités sont des membres proches de votre famille qui viennent souvent vous rendre visite, alors il sera peut-être utile de leur enseigner quelques techniques comme celle du « lancer-déposé » dont je parle plus haut.

Rangez les produits sans gluten à part

Vous n'avez pas à attribuer des espaces de rangement spécifiques pour vos produits sans gluten, sauf si cela vous arrange. Dédier un placard ou une étagère à vos produits peut être très pratique.

Si vous avez des enfants qui doivent suivre un régime sans gluten et d'autres membres de la famille qui n'en ont pas besoin, avoir des espaces de rangement différenciés peut s'avérer une bonne idée. Tout le monde trouvera alors vite ses marques.

En séparant les produits sans gluten des autres produits dans vos placards, il sera plus facile pour chacun de savoir ce qu'il peut manger ou non et il perfectionna ainsi son apprentissage du régime. C'est un petit coup de pouce que vous leur donnez qui peut également les aider psychologiquement.

Pensez à marquer vos aliments sans gluten du sigle « SG » dès que vous rentrez de vos courses. Ainsi, il vous sera plus facile (et à vos enfants s'ils vous aident) de ranger les produits au bon endroit.

Faites l'inventaire du garde-manger et du réfrigérateur

Vous devez avoir quelques ingrédients de base et quelques produits sans gluten dans votre cuisine. Certes, ils sont plus chers que leurs homologues contenant du gluten et un peu plus difficiles à trouver (quoique de moins en moins !). Dans le chapitre 9, je vous donne des conseils pour optimiser votre shopping. N'oubliez pas, pour ceux que cela concerne, qu'une partie du prix de ces produits peut être prise en charge par l'Assurance maladie en France (voir le chapitre 9).

Les ingrédients de base

Ne vous laissez pas impressionner par la longueur de cette liste d'ingrédients ! Il n'est pas nécessaire de tous vous les procurer. Si vous n'aimez pas cuisiner tous les jours, vous n'aurez probablement pas à les stocker. Mais si vous aimez ou devez cuisiner, pensez à en acheter au moins quelques-uns pour toujours les avoir sous la main.

✔ **Céréales et grains alternatifs :** je vous parle de leurs vertus au chapitre 5. Ils sont chargés de nutriments et il est bon d'en avoir en stock sous forme de grains entiers ou de farines. En voici quelques-uns à tester :

  - Amarante

  - Chanvre

  - Fonio

  - Mesquite

  - Millet

  - Montina

  - Quinoa

  - Sarrasin (avec précaution)

  - Sorgho

  - Teff

Les grains – en particulier les grains entiers – contiennent beaucoup d'huile. L'huile peut rancir rapidement, donc, lorsque vous achetez des grains entiers et des farines complètes, assurez-vous de les choisir dans un magasin qui a un turn-over important ou n'achetez que la quantité nécessaire que vous pensez utiliser dans les quelques mois. Réfrigérez les farines et grains, si vous le pouvez, et portez une attention particulière à leur odeur. Une odeur de renfermé ? Jetez-les.

✔ **Farine d'arrow-root (marante) :** elle a une très bonne valeur nutritive et peut facilement remplacer la fécule de maïs.

✔ **Farine de riz complet :** plus nutritive que la farine de riz blanc, elle a un léger goût de noisette.

✔ **Farine de maïs :** vous pouvez la mélanger avec d'autres farines (de riz notamment) ou l'utiliser pour faire du pain au maïs ou des tortillas.

- **Farine de pois chiches, fèves ou lentilles :** ne laissez pas leur nom vous rebuter. Elles n'en ont pas le goût. Elles font partie des farines les plus efficaces pour la pâtisserie sans gluten.

- **Farine de sorgho :** cette farine très nutritive fait son trou dans le monde de la cuisine sans gluten. Sa saveur est relativement fade et lui permet ainsi d'être un bon ingrédient polyvalent pour la pâtisserie.

- **Farine de soja :** on l'utilise surtout mélangée à d'autres farines. Elle a une saveur forte que certaines personnes n'aiment pas.

- **Farine de riz gluant :** elle réagit différemment de la farine de riz blanc à la cuisson. On l'utilise surtout pour épaissir des sauces ou des soupes.

- **Farine de châtaignes :** riche en sucres lents, cette farine ne contient pas de gluten et possède de réels atouts nutritionnels (protéines, acides aminés, fibres, vitamines E et B tout en restant faible en matières grasses). Vous pouvez l'utiliser pour faire des crêpes, des pâtes, des pâtes à tarte et des gâteaux.

- **Farine ou fécule de tapioca :** on l'appelle également manioc. Elle donne de l'élasticité aux produits.

- **Farine de pépins de raisin :** elle s'ajoute au müesli du matin, se saupoudre sur un yaourt ou se mélange à d'autres farines en petite quantité. Une cuillerée à café suffit pour bénéficier de ses nombreux apports nutritionnels, notamment en vitamines C et E.

- **Farine de souchet :** le souchet est un tubercule de Méditerranée, riche en fibres, en vitamine E et en minéraux. La farine de souchet a un indice glycémique bas (35). Sa saveur est douce et sucrée et elle peut donc être utilisée pour faire des gâteaux.

- **Farine de coco :** très riche en fibres, cette farine a également un indice glycémique bas mais doit être mélangée à d'autres farines car elle n'a aucune tenue. Elle a un léger goût de noix de coco.

- **Farine de riz blanc :** longtemps considérée comme l'ingrédient de base du régime sans gluten, la farine de riz blanc a été éclipsée par d'autres farines aux consistances meilleures et à l'indice glycémique plus faible, comme le pois chiche, le riz brun, l'arrow-root, le sorgho. Mais elle reste incontournable. Sa saveur douce ne fausse pas le goût de vos produits de boulangerie.

- **Fécule de maïs :** vous pouvez l'utiliser pour épaissir des sauces, seule pour faire des crêpes, par exemple, ou mélangée à d'autres farines.

- **Fécule de pomme de terre :** à ne pas confondre avec la farine de pommes de terre (qui a le goût de pomme de terre). La fécule est une poudre blanche très fine qui n'a pas beaucoup de goût et ne fausse donc pas celui de vos aliments. Vous pouvez vous en servir comme épaississant ou mélangée à d'autres farines.

- **Flocons :** les flocons de millet, quinoa, riz, soja ou encore de châtaigne peuvent se consommer cuits dans du lait ou tels quels dans des salades. Vous pouvez également les utiliser dans la préparation de pâte à pains, cakes ou de vos müeslis du petit déjeuner.

- **Gomme de guar :** vous pouvez stocker soit de la gomme de guar, soit de la gomme xanthane. Attention, la gomme de guar peut avoir un effet laxatif.

- **Gomme xanthane :** un must, si vous faites du pain sans gluten et d'autres produits de boulangerie. Elle permet de donner une consistance plus dense et évite que vos pains s'effritent.

- **Lécithine :** la lécithine est un émulsifiant, ce qui signifie qu'elle permet aux ingrédients de se lier ensemble. La lécithine de soja, par exemple, améliore l'aération et la texture des produits de boulangerie et les empêche de rassir trop vite.

- **Légumes secs :** lentilles, pois chiches, fèves, haricots… les légumes secs sont bien pratiques et peuvent servir pour de nombreuses recettes.

- **Levure :** la levure de boulanger (sèche) est un ingrédient important pour faire du pain sans gluten ou pour tout autre produit dont la pâte doit lever. Choisir de la levure fraîche est une clé de votre réussite.

  La levure chimique, en revanche, peut contenir du blé. Elle est facilement remplaçable par un mélange de bicarbonate de sodium (1/4 de cuil. à café) et de crème de tartre (1/4 de cuil. à café) ou un peu de vinaigre ou de jus de citron. On en trouve également en version sans gluten.

- **Poudre de gélatine :** elle permet de lier les aliments ensemble, notamment en pâtisserie, et apporte humidité et protéines à votre préparation.

- **Psyllium blond :** connu pour être un excellent régulateur de la fonction intestinale, le psyllium blond apportera souplesse et consistance à vos pains. Il peut être ajouté à des mélanges de farines. Vous le trouverez en magasin bio ou en pharmacie.

Les mélanges à avoir en stock

Gardez en stock dans votre buffet plusieurs mélanges de farines et de mix à pâtisserie prêts à l'emploi. Ainsi vous serez paré en toutes circonstances. Non, ce n'est pas « tricher » que de les utiliser. Pourquoi se priver ? Ils sont pratiques, demandent peu de travail et donnent des résultats incroyables.

Vous pensez que le prix de ces mélanges est un peu élevé ? C'est vrai. Mais si vous achetez tous les ingrédients, un à un, toutes les farines nécessaires pour partir de zéro et comptez le temps que vous allez y passer, cela en vaut la peine.

Voici quelques mix que je vous suggère d'avoir toujours à portée de main :

- **Mélange « tout usage » :** plusieurs sociétés proposent ces mix de farines. Vous les trouverez facilement en grande surface, en magasin spécialisé ou sur Internet. Utilisez ces mélanges pour cuisiner, faire de la pâtisserie et réaliser vos panures.

- **Mix à pain :** de nombreux mélanges sont disponibles (blanc, brioché, aux graines, complet…). Ils sont utilisables également en machine à pain.

- **Brownies :** plus faciles à trouver, pour le moment, sur Internet, ces mix délicieux sont à personnaliser selon vos goûts (morceaux de chocolat, noix de pécan, glaçage…).

- **Gâteaux et cakes :** les mélanges à pâtisserie sont nombreux et donnent d'excellents résultats.

Plusieurs sociétés ont développé des mix de farines prêts à l'emploi. Ils deviennent de plus en plus faciles à trouver en magasin (même au supermarché et dans la grande distribution). Ils sont simples à utiliser et savoureux, alors pourquoi ne pas les essayer ?

- **Crêpes :** indispensable surtout quand on a des enfants (même s'il est très simple de réaliser sa pâte à crêpes maison – voir le chapitre 17).

- **Cookies :** vous pouvez y ajouter des pépites de chocolat, des éclats de pistaches, de noix ou de noisettes, par exemple.

- **Muffins :** plus faciles à trouver en magasin spécialisé ou sur Internet, ces mix vous permettent, si vous les personnalisez, de réaliser de nombreuses recettes : à la vanille, aux myrtilles, aux pommes, aux poires, au chocolat, aux bananes…

- **Pancakes et gaufres :** un seul mix sert pour les deux. Seules les proportions utilisées changent (et, bien sûr, vous devez avoir un gaufrier).

- **Pâte à tarte :** dans la troisième partie de cet ouvrage, je vous donne des idées et des recettes pour faire des pâtes à tarte. Vous pouvez notamment utiliser un mix à pain pour les confectionner ou vous rabattre ou sur des pâtes prêtes à l'emploi.

- **Pâte à pizza :** il existe depuis peu des mix à pizza très simples à utiliser en grande surface. Vous n'avez qu'à vous préoccuper des garnitures.

N'oubliez pas que la plupart des produits sans gluten, même ceux que vous achetez dans le commerce, ne contiennent pas de conservateurs. Contrairement à un gâteau acheté en boulangerie qui peut se conserver pendant des jours, les aliments sans gluten doivent être réfrigérés, voire congelés ou consommés très rapidement.

Les produits pratiques à conserver

En complément des mélanges de farines et mix à pâtisserie, vous pouvez acheter des produits sans gluten (au supermarché, en magasin bio, en boutique spécialisée ou sur Internet). On commence à trouver également de plus en plus de produits frais de boulangerie sur le marché.

Dans cette section, je vous liste quelques produits sans gluten bien pratiques que vous pourriez avoir dans votre garde-manger :

- ✔ **Brioches :** pratiques pour les petits déjeuners ou les goûters sur le pouce. Natures, aux pépites de chocolat ou aux fruits secs, elles peuvent se congeler facilement puis se toaster.

- ✔ **Céréales :** difficile de trouver en grande surface des marques de céréales sans gluten pour le petit déjeuner. Mais vous en trouverez sûrement en magasin bio ou sur Internet.

    Mis à part le blé, la céréale très répandue qui contient du gluten est l'orge, que l'on trouve sous forme de malt ou d'arôme de malt dans les céréales. Le malt peut être issu du maïs, mais, en général, il vient de l'orge.

- ✔ **Cookies :** on en trouve de plus en plus dans les rayons de nos supermarchés. Leurs qualités et leurs goûts sont encore très disparates.

- ✔ **Crackers :** chips ou gâteaux apéritifs, voire gressins, on trouve à présent de quoi accompagner nos apéros et grignoter à toute heure. Ils nous changent des éternels crackers de riz.

- ✔ **Croissants et pains au chocolat :** oui, on en trouve. Oui, ils sont sous vide et il faut les réchauffer mais il y a de l'idée.

- ✔ **Pains :** on trouve à présent du pain frais sans gluten dans certaines villes et magasins, le rêve ! Mais si vous n'avez pas la chance de vivre à proximité d'une boulangerie sans gluten, achetez du pain sous vide (il se trouve même dans la grande distribution). Il se conserve assez longtemps tant que le paquet n'est pas ouvert mais vous pouvez aussi le congeler. Pain de mie, foccacia, ciabatta, pain de campagne… il y en a pour tous les goûts. N'oubliez pas de le réchauffer ou de le toaster selon le type de pain.

    Il est recommandé de toaster le pain sans gluten (sauf le pain frais) même quand vous en emportez au bureau.

- ✔ **Pâtes :** on en trouve de tous types et de toutes formes : spaghettis, pennes, torsades, étoiles, feuilles de lasagnes… à la farine de riz, à la farine de maïs, de quinoa… attention à les consommer avec modération, leur indice glycémique peut être plus élevé que celui des pâtes à la farine de blé.

- ✔ **Pâtes à pizza :** sous vide ou surgelées, vous n'avez qu'à les garnir et à les mettre au four.

- ✔ **Plats surgelés ou préparés :** en magasin de surgelés, voire en grande surface ou à commander sur Internet, on trouve des plats préparés sans gluten. Et vous savez quoi ? Ils sont bons !

Chapitre 9

Réapprendre à faire les courses

Dans ce chapitre :

▶ Organiser ses repas avant de faire ses courses

▶ Faire des listes de produits à acheter

▶ Choisir les bons magasins

▶ Faire des économies

I l fut un temps, dans les années quatre-vingt, où on ne trouvait des produits sans gluten qu'en pharmacie. Les produits de cette offre médicalisée restent, semble-t-il, de mauvais souvenirs pour ceux qui les ont connus, tant pour la qualité de leur texture que pour leur goût. Fort heureusement, depuis quelques années (moins d'une dizaine seulement), l'offre est devenue plus vaste et a quitté les comptoirs des pharmaciens pour les rayons de la grande distribution.

Les produits sans gluten deviennent de plus en plus faciles à trouver et leur qualité s'est considérablement améliorée. C'est une bonne nouvelle, non ?

Dans ce chapitre, je vous donne des conseils et astuces pour faire vos courses en économisant du temps, de l'argent et de la frustration.

Sachez ce que vous voulez manger

Pour vous faciliter la vie, quand vous suivez un régime sans gluten, la première règle à suivre en matière de shopping est de planifier vos courses. Plutôt que de tourner en rond dans les allées d'un magasin à chercher ce que vous pouvez manger, prévoyez vos menus à l'avance. Vous gagnerez du temps et économiserez votre énergie.

Faire des listes de courses vous simplifiera la vie, vous évitera de déclencher une migraine dans un magasin et vous apportera une tranquillité d'esprit certaine. Vos repas seront bien exempts de gluten et, si vous avez lu attentivement le chapitre 7, ils pourraient même être bons pour votre santé.

Planifiez vos repas

Dans ma deuxième vie, je suis une femme d'affaires et je dois en permanence organiser mon travail selon la devise : « Planifie ton travail et travaille selon ton plan. » C'est la même chose pour les repas : « Planifie tes repas et mange selon ton menu. »

La planification des repas vous semble être un bon conseil à suivre ? Vous y parviendrez facilement… une ou deux fois. Mais la majorité d'entre nous font leurs courses de façon impulsive et spontanée. Ils voient un produit qui les attire dans un magasin (et, généralement, ils ont faim alors tout leur semble bon) et le jettent aussitôt dans leur Caddie. Il serait pourtant plus qu'utile d'apprendre à élaborer des stratégies avant de vous rendre en magasin.

 Lorsque vous planifiez vos repas, essayez de ne pas réfléchir en termes de régime sans gluten mais pensez plutôt aux solutions de substitution. Pensez aux mets que vous appréciez – avec ou sans gluten – et construisez vos menus à partir de ces aliments en réalisant les substitutions nécessaires. (Dans le chapitre 10, je vous explique comment faire.)

 Je sais que s'asseoir sur le canapé avec une feuille et un stylo et organiser des menus n'est pas un exercice facile, mais il va vraiment payer quand vous irez faire vos courses. Voici quelques conseils utiles :

✔ **Préparez des repas sans gluten pour toute la famille.** Même si certains membres de votre famille sont glutenovores, vous pouvez vous simplifier la vie en planifiant la plupart, voire la totalité de vos repas sans gluten. Cela ne sera pas bien compliqué, si vous suivez l'approche nutritionnelle du chapitre 7, qui recommande de manger principalement de la viande, des fruits, des légumes et des produits frais. Et même si vos repas incluent des pâtes, leurs versions sans gluten sont tellement bonnes que personne ne fera la différence.

✔ **Planifiez vos menus quelques jours à l'avance.** Feuilletez des livres de cuisine (pas nécessairement des livres de cuisine sans gluten) ou jetez un œil sur des blogs culinaires sur Internet pour trouver de l'inspiration, en gardant en mémoire les lignes directrices d'une alimentation saine (dont je vous parle au chapitre 7). Souvenez-vous que le régime sans gluten ne signifie pas ne compter que sur le riz, le maïs et les pommes de terre. En réalité, plus vous variez vos aliments, mieux c'est. La variété n'est pas seulement un piment dans la vie, elle est aussi importante d'un point de vue nutritionnel. Le riz, le maïs et la pomme de terre n'ont pas beaucoup à vous offrir sur ce plan. Essayez de nouveaux aliments plus nutritifs (voir le chapitre 5 à ce propos) comme le quinoa et le millet.

🖝 **Prévoyez une journée marathon en cuisine.** Choisissez, par exemple, le dimanche pour passer une partie de la journée en cuisine. Avec votre plan de menus préalablement élaboré, vous pouvez préparer plusieurs repas à la fois, gagner du temps pour le reste de la semaine et aussi faire des économies en nettoyage et en shopping.

🖝 **Utilisez des ingrédients qui peuvent faire double emploi.** Si vous choisissez de cuire un gros poulet pour le dîner (je vous propose une recette savoureuse de poulet rôti au chapitre 14), vous pourrez utiliser les restes pour un sauté de poulet le soir suivant, ou encore une soupe de poulet avec du bouillon.

🖝 **Privilégiez des plats que vous pouvez faire cuire en cocotte.** Les cocottes sont parfaites pour préparer des repas complets. Il suffit souvent d'y plonger tous les ingrédients et de laisser mijoter.

Proposez à l'ensemble de la famille de participer à la création de vos menus. Rien n'est plus frustrant que de passer un week-end entier à organiser des menus et cuisiner pour la semaine et de n'entendre que des gémissements de plainte le soir à table. Laissez-les vous apporter des suggestions et profitez-en même pour leur demander de vous aider en cuisine (et pour faire la vaisselle !).

Faites des listes

Les industriels comptent sur votre impulsivité. Ils vont essayer de vous tenter avec leurs produits – délicieux mais souvent mauvais pour votre ligne – dont ils peuvent maximiser la marge commerciale. (Je vous explique comment sont organisés les rayons en supermarché un peu plus loin dans ce chapitre.) Combien de fois avez-vous parcouru les rayons d'un magasin en pensant rentrer chez vous avec de quoi cuisiner des repas sains pour toute la semaine et êtes revenu, au final, à la maison les sacs pleins d'aliments inutiles ? Oui, ça m'est arrivé à moi aussi.

Je pense que les listes de courses sont vraiment utiles. Non seulement elles vous rappellent les aliments et ingrédients dont vous avez besoin, mais elles vous aident aussi à résister aux achats impulsifs.

Maintenez une liste de courses à jour avec les ingrédients dont vous êtes à court et ceux que vous devrez acheter lors de votre prochain passage au supermarché pour élaborer vos plats de la semaine. Assurez-vous que cette liste est à disposition de tous les membres de votre famille pour qu'ils puissent y contribuer (et qu'ils ne se plaignent pas de ne pas avoir leur « aliment préféré » dans le réfrigérateur). Affichez-la, par exemple, sur la porte du réfrigérateur.

Lors de l'élaboration de vos menus, notez sur la liste les ingrédients nécessaires à la réalisation de vos plats. Si vous devez contacter un fabricant pour savoir si certains composants sont sans gluten, c'est le meilleur moment pour le faire. N'attendez pas votre passage au magasin pour vous retrouver pris au dépourvu dans un rayon. Et n'oubliez pas votre liste à la maison (je vous assure que cela m'arrive encore !). Pourquoi ne pas essayer les applications de listes de courses pour smartphone ? Si vous êtes technophile, elles peuvent être très pratiques.

Si vous collectionnez les bons de réductions, vous pouvez intégrer à votre liste de courses les produits qui en bénéficient. Ils vous donneront peut-être aussi des idées pour vos repas. Mais utilisez-les seulement pour les produits dont vous avez réellement besoin.

N'oubliez pas les collations ! Crème glacée ou raisins secs, ces collations constituent une partie importante de votre journée. Lorsque vous dressez votre liste de courses, encouragez les membres de votre famille à y ajouter leurs idées de collations favorites – de préférence saines – de sorte que tout le monde y trouve son compte.

Choisissez vos produits

Gardez en mémoire les conseils suivants pour faire vos achats : achetez ce que vous aimez, ce que vous allez cuisiner et vérifiez si ces produits sont sans gluten.

Gardez à l'esprit qu'il existe deux types d'aliments sans gluten : les produits sans gluten industriels prêts à l'emploi et les produits naturellement sans gluten.

Les produits industriels sans gluten

Les produits sans gluten sont bien souvent fabriqués par des entreprises spécialisées en produits sans blé/sans gluten. La plupart du temps, ces produits sont des versions sans gluten de produits qui en contiennent traditionnellement – pains, pâtes, biscuits, gâteaux – mais ont été repensés sans gluten. (Voir le chapitre 8 pour plus de détails sur les produits disponibles.)

La plupart de ces produits sont étiquetés « sans gluten ». Ainsi, vous n'avez pas à vous poser de questions sur les risques de contamination. S'ils affichent le logo de l'épi de blé barré, ils sont bien garantis sans gluten.

Grâce aux réglementations, le blé, en tant qu'allergène, doit être indiqué sur l'étiquette, donc il est assez facile à éviter. Mais n'oubliez pas que « sans blé » ne veut pas dire « sans gluten ». Un produit sans blé peut encore contenir du seigle, de l'orge ou d'autres ingrédients contenant du gluten. Lisez attentivement les étiquettes.

Les produits naturellement sans gluten

Nombreux sont ceux qui pensent que vivre sans gluten les limite à acheter des produits labellisés « sans gluten ». Ce n'est pas vrai ! Vous limiter à ces denrées est ultra-restrictif et vous passez à côté d'une foule d'aliments qui sont par nature – ou naturellement – sans gluten et, en outre, très nutritifs. Ils ne contiennent pas de gluten, bien que le distributeur ne le mentionne pas sur le paquet, par exemple : la viande, les volailles, les poissons, les fruits de mer, les fruits, les légumes, les noix…

De nombreux aliments, même certains bonbons, chocolats, céréales de maïs, charcuteries, condiments, épices, sont intrinsèquement sans gluten. Ils ne sont pas étiquetés comme tels.

Les ingrédients de la cuisine asiatique – comme les feuilles de riz ou de nombreux aliments thaïlandais – sont de bons exemples d'aliments intrinsèquement sans gluten (attention en revanche à la sauce soja qui contient souvent du blé). Les cuisines ethniques comme la cuisine mexicaine offrent de nombreux aliments naturellement sans gluten. Ils sont souvent utilisables en toute sécurité.

Les meilleurs produits sont les produits frais, sans étiquetage : viande, poissons et crustacés, légumes, fruits… De nombreux aliments sont exempts de gluten mais cela n'est pas mentionné sur leur emballage. Faites la liste des ingrédients et, si vous ne voyez rien de suspect ou si vous avez un doute, appelez le fabricant pour vous faire confirmer que le produit n'en contient pas.

Si vous portez des lunettes pour lire, emportez-les dans votre sac si vous souhaitez pouvoir déchiffrer les étiquetages des produits en magasin.

Demandez des avis

La dernière chose dont vous ayez besoin est de dépenser du temps et de l'argent pour vous retrouver avec un produit dont le goût et la qualité sont médiocres, n'est-ce pas ? Parce que les produits sans gluten sont chers et certains vraiment peu goûteux, consulter l'avis d'autres consommateurs peut s'avérer très précieux. Les opinions varient bien sûr d'une personne à l'autre.

D'aucuns peuvent aimer un produit, d'autres le détester, mais en prenant plusieurs avis, vous pourrez vous faire votre propre idée.

Si vous souhaitez prendre l'avis d'autres consommateurs sur les produits, vous pouvez l'obtenir de plusieurs façons, en voici quelques-unes :

- **Groupes sur Facebook, Twitter ou les forums sans gluten :** demandez aux membres s'ils ont déjà testé un produit particulier ou s'ils ont des suggestions à vous faire pour, par exemple, des brownies. Échanger avec d'autres personnes peut vous donner énormément d'idées.

- **Listes de diffusion :** vous pouvez vous abonner gratuitement à des listes de diffusion par e-mail pour recevoir de l'information produit.

- **Systèmes de notation en ligne :** certaines boutiques en ligne proposent aux clients un système d'évaluation des produits avec des étoiles et/ ou des commentaires. Ils seront précieux pour vous aider à choisir vos produits.

- **Clients du magasin :** si vous rencontrez des personnes qui achètent un produit que vous n'avez pas encore testé, osez leur demander leur avis.

- **Personnel du magasin :** les membres du personnel d'un magasin sont parfois bien informés sur les produits. Demandez-leur s'ils ont testé un produit en particulier, ceux qu'ils aiment le plus ou le moins. Soyez prudent malgré tout, car certains employés ont parfois l'air bien informés mais sont juste de bons commerciaux. Assurez-vous que vous connaissez bien votre sujet pour savoir faire la différence.

Quand vous trouvez des produits que vous appréciez et qui sont bien sans gluten, conservez-en l'étiquetage ou une partie de l'emballage ou encore notez-les dans un petit cahier. Ainsi, vous aurez toujours une liste de produits à repérer facilement en magasin. Encore un gain de temps !

Consultez des blogs

Vous avez déjà probablement consulté un blog sur Internet. Les blogueurs donnent des avis sur les produits, proposent des recettes de cuisine, débattent de sujets particuliers, collectent des avis d'autres internautes. Les blogs liés au « sans gluten » fleurissent sur la Toile, qu'ils soient informatifs ou bien culinaires. Vous y trouverez un maximum d'informations et d'idées de recettes, de trucs et astuces, vous pourrez échanger des informations sur les produits et demander des conseils. Je vous propose une sélection de blogs au chapitre 6.

Choisissez les magasins pour faire vos courses

Alors, vous avez déterminé vos menus, vous avez une idée des aliments que vous souhaitez acheter et avez établi votre liste de courses ? Où allez-vous faire vos courses ? Eh bien, pour la plupart des produits, vous pouvez tout simplement vous rendre au supermarché de votre quartier, car vous n'êtes pas aussi limité que vous le pensez.

Épiceries et supermarchés « traditionnels »

Vous pouvez faire une grande partie de vos courses au supermarché de quartier. Ne soyez pas surpris. Rappelez-vous que je vous encourage à choisir des produits frais, non transformés, sains pour votre santé et naturellement sans gluten. Et vous trouverez tous ces produits dans votre supermarché de quartier.

Il est bien plus pratique et un peu moins cher d'y faire ses courses plutôt que d'aller au magasin bio ou diététique. Mais d'autres raisons moins tangibles peuvent vous pousser à faire vos courses au supermarché traditionnel.

Tout d'abord, un régime sans gluten peut sembler restrictif pour certaines personnes. Elles pensent même que cela les isole (espérons qu'elles ne le penseront plus à la fin de ce livre). Être forcé de faire ses courses uniquement en magasin spécialisé ou sur Internet peut renforcer ce sentiment de différence, d'isolement et de tristesse. Pouvoir faire ses courses, comme tout le monde, au supermarché du coin est vraiment libérateur pour ces personnes-là.

 Si vous avez des enfants au régime sans gluten, faire ses courses au supermarché peut avoir un impact psychologique encore plus important. Les enfants souhaitent être comme les autres et manger les mêmes produits (même la malbouffe, oui !). Aller au supermarché avec vous leur donne ce sentiment de normalité.

De nombreuses enseignes de supermarchés commencent à intégrer quelques produits sans gluten dans leurs rayons, notamment des pâtes, du pain sous vide et des biscuits. N'hésitez pas à encourager ces initiatives auprès du gérant du magasin. Plus il aura de demandes, plus il sera enclin à renforcer ses commandes de produits sans gluten.

Certaines enseignes (comme les surgelés Picard) possèdent des listes de produits sans gluten accessibles sur demande aux caisses ou bien elles les publient en ligne sur leur site internet.

Magasins bios et diététiques

Ces magasins sont bien conscients de l'intérêt croissant de leurs clients pour les produits sans gluten et ils s'approvisionnent en conséquence. Les rayons sans gluten y grossissent à vue d'œil. Ces magasins proposent des fruits et légumes, des viandes et poissons mais aussi des cosmétiques et produits ménagers. Vous pourriez faire toutes vos courses au même endroit, si vous n'êtes pas regardant en termes de budget. Le coût de vos courses pourrait s'avérer plus élevé qu'au supermarché traditionnel.

Marchés de producteurs et coopératives

Dans les grandes villes ou à la campagne, vous trouverez toujours un marché de producteurs locaux : produits frais, œufs, viandes, poissons, miel, noix et bien d'autres produits naturellement sans gluten, la plupart sont même bios.

Il est bon de soutenir les producteurs locaux. Acheter directement au producteur peut également vous revenir moins cher. Il existe dans tous les pays francophones des coopératives ou groupements d'achats solidaires de l'agriculture paysanne comme les AMAP en France ou les associations telles La Ruche qui dit oui, GASAP en Belgique, FRACP en suisse, BIOG au Luxembourg et ASC au Québec.

Magasins ethniques

À la recherche de nouvelles saveurs sans gluten ? Tentez l'expérience d'un magasin ethnique, notamment asiatique ou indien, où vous pourrez trouver de nombreux produits naturellement sans gluten : sauces, feuilles de riz, papadums, nouilles de riz et de tapioca. Ils ne sont pas étiquetés sans gluten comme tels mais ils sont naturellement sans. Si l'étiquetage est en français, vous pourrez vérifier que le gluten ne fait pas partie des ingrédients. Les Asiatiques notamment utilisent très peu de gluten dans leurs produits. Les produits importés sont soumis à une réglementation claire et les étiquettes doivent mentionner précisément les ingrédients. Si vous tombez sur des produits dont les étiquettes ne sont pas en français, n'allez pas plus loin.

Ces cuisines ethniques peuvent agréablement vous surprendre. Explorez ces cultures et produits sans gluten sans jamais quitter votre maison, ce n'est pas du luxe, ça ?

Magasins spécialisés sans gluten

Non, ce n'est pas un rêve ! Les magasins spécialisés en produits sans gluten existent ! Je crois que j'ai versé une larme la première fois que j'ai passé la porte de l'un d'entre eux. Des boulangeries, pâtisseries, salons de thé et épiceries ouvrent chaque mois un peu partout. Restez à l'affût !

Boutiques en ligne

Vous pouvez faire votre shopping sans gluten confortablement installé dans votre canapé, à tout moment du jour ou de la nuit et même en pyjama ! De nombreux sites spécialisés ou de grande distribution proposent des produits sans gluten. Quelques jours plus tard, votre colis est livré chez vous. Vous verrez, la première fois, on a l'impression d'être un enfant qui ouvre son cadeau d'anniversaire !

La plupart des fabricants spécialisés en produits alimentaires sans gluten ont des sites internet, donc si vous connaissez une marque spécifique que vous souhaitez acheter, vous pourrez probablement la commander directement sur leur site. Il existe de nombreuses boutiques spécialisées en ligne où vous trouverez pléthore de produits sans gluten à vous faire livrer. Voici quelques sites pratiques qui proposent un vaste choix de produits de toutes marques :

Livraison en France, Suisse, Belgique, Luxembourg et Dom Tom :

- ✔ www.rizen-sans-gluten.com
- ✔ www.allergoora.com
- ✔ www.exquidia.com
- ✔ www.gourmetsansgene.com

Pour la France métropolitaine seulement :

- ✔ www.tout-sans-gluten.com

Pour le Canada :

- ✔ www.well.ca **ou** www.bobsredmill.com

La grande distribution :

- ✔ **France** : www.auchandirect.fr **ou** www.carrefour.fr
- ✔ **Belgique** : www.delhaize.be **ou** www.drive.be
- ✔ **Suisse** : www.coopathome.com
- ✔ **Luxembourg** : www.corapido.com

✔ Québec : `www.metro.ca`

✔ `www.amazon.fr` ou `www.amazon.com` (rubrique « Hygiène et Santé »)

Oui, même `Amazon.fr` vend des produits sans gluten !

Certains sites proposent également des produits qui répondent à d'autres intolérances alimentaires. Vous pouvez ainsi affiner les produits selon vos besoins : sans gluten, sans caséine, sans lactose, sans soja… Certains sites offrent également des avis de clients sur les produits qui peuvent vous aider dans vos choix.

Si vous n'avez pas d'ordinateur, certaines entreprises proposent de passer vos commandes par téléphone ou par fax.

Naviguez dans les rayons

Vous pensiez que faire des courses au supermarché était juste une promenade sympathique et tranquille suivant l'ordre des rayons du magasin ? Et je parie que vous pensiez avoir un contrôle total sur vos achats, non ? En réalité, depuis des décennies, les responsables marketing des grandes surfaces étudient des moyens de faire dépenser plus d'argent à leurs clients et ils ont mis en place des stratégies subtiles, voire subliminales incroyablement efficaces.

Résistez aux achats impulsifs

Les acteurs de la grande distribution ont dépensé des milliards en études pour savoir comment consomment leurs clients pour en arriver à la conclusion suivante : les clients sont impulsifs. Ainsi, ces enseignes capitalisent sur votre impulsivité et organisent leurs magasins pour que vous cédiez à vos tentations. On peut dire qu'ils « organisent » vos achats impulsifs. Ils placent des articles à certains endroits stratégiques, organisent votre parcours dans le magasin jusqu'à même choisir la musique et les odeurs diffusées pour vous pousser à consommer.

Ne me dites pas que vous n'avez jamais cédé à ces tentations ! Vous vous rendez au magasin pour simplement quelques articles (« Je vais juste prendre un panier et passer à la caisse moins de dix articles ! ») et vous ressortez avec des produits que vous n'aviez même pas sur votre liste. Vous vous êtes laissé séduire par des échantillons gratuits, des promotions spéciales, un packaging attrayant, une nouveauté. Sans oublier vos enfants qui ont tendance à vous influencer en matière d'achats impulsifs.

Il est pourtant rare que ces achats impulsifs vous fassent rapporter à la maison des produits sains pour votre santé, encore moins des produits sans gluten. Si vous rencontrez des difficultés pour tenir le régime sans gluten et si vous vous savez faible face à la tentation de ces produits « gluténisés », soyez conscient des efforts que vous devez réaliser pour faire vos courses et vous tenir à l'écart des achats impulsifs.

Restez dans le périmètre de sécurité

Une des meilleures façons d'éviter les tentations dans un magasin est de rester dans le « périmètre de sécurité ». L'aménagement d'un magasin est bien souvent prévisible : les produits frais, les produits laitiers, la viande et autres produits de base sont aussi loin de la porte d'entrée de la boutique que possible afin que vous ayez à passer devant tous les aliments les plus chers (et généralement les moins nutritifs) avant d'arriver à ce que vous voulez vraiment.

Pour la plupart, les produits sans gluten de votre liste se trouvent le long de ce périmètre de la boutique. Alors il faut vous y rendre directement. Si par ailleurs votre magasin possède un rayon diététique, vous y trouverez sûrement des pâtes, des farines et des céréales sans gluten. Évitez donc les rayons biscuits et pains et passez directement aux rayons qui vous intéressent vraiment. Vous gagnerez aussi du temps.

Faites vos achats par rayon

Pour ne pas vous perdre dans les méandres d'un magasin de la grande distribution, voici, par rayon, quelques conseils de produits à acheter ou à éviter. Faites toujours attention à leur composition, surtout pour les produits transformés.

Rayon fruits et légumes

- Autorisés : tous fruits et légumes frais entiers, salades préemballées, légumes secs (pois chiches, lentilles, haricots, fèves), fruits secs et oléagineux natures et non grillés à sec, olives natures…
- À vérifier : fruits secs en vrac, légumes et fruits cuisinés, oléagineux grillés à sec…
- Non autorisés : fruits secs roulés dans la farine…

Rayon viandes et charcuteries

- Autorisés : toutes viandes et volailles fraîches natures, steak haché pur bœuf, jambon blanc et cru, bacon, foie gras au naturel, chair à saucisse nature, rillettes AOC…
- À vérifier : boudin blanc, mousses et pâtés, chorizo, salami…
- Non autorisés : toutes viandes panées ou en beignets, en croûte, friands, bouchées, boudin noir, pâtés industriels…

Rayon produits de la mer

- ✔ Autorisés : tous poissons natures frais, salés ou fumés, fruits de mer et crustacés frais, œufs de poisson…
- ✔ À vérifier : surimi, tarama, saumon mariné…
- ✔ Non autorisés : tous poissons farinés ou panés, plats industriels à base de produits de la mer…

Rayon produits laitiers, œufs et matières grasses

- ✔ Autorisés : œufs, lait frais, concentré, en poudre, yaourts natures, fromages cuits, à pâte molle, parmesan, mozzarella, camembert, beurre doux et demi-sel…
- ✔ À vérifier : fromages à moisissures, crèmes, mousses, margarine…
- ✔ Non autorisés : produits laitiers aux céréales, semoule, viande de soja (seitan)…

Rayon surgelés

- ✔ Autorisés : fruits, légumes, viandes, poissons et fruits de mer natures, sorbets…
- ✔ À vérifier : plats industriels, crèmes glacées…
- ✔ Non autorisés : glaces en cornets, pâtisseries…

Rayon boissons

- ✔ Autorisés : eau, vins, alcools, sodas, jus de fruits…
- ✔ À vérifier : thés et infusions, liqueurs, cafés en poudre…
- ✔ Non autorisés : bières, panachés…

Rayon sauces et condiments

- ✔ Autorisés : sel, poivre en grains, huiles, cornichons, vinaigre de vin, de cidre, de Xérès, épices pures non mélangées, fines herbes…
- ✔ À vérifier : poivre moulu, cubes de bouillons, moutardes, mélanges d'épices, ketchup…
- ✔ Non autorisés : sauce soja, vinaigre de malt…

Rayon céréales, farines et féculents

- Autorisés : farines et fécules de pomme de terre, légumes secs, maïs, riz, millet, manioc, soja, arrow-root, fonio, teff, amarante…
- À vérifier : avoine, sarrasin, biscuits apéritifs, céréales petit déjeuner…
- Non autorisés : blé sous toutes ses formes, orge, seigle, pâtes, pizzas, quiches, chapelure, pain azyme…

Rayon conserves

- Autorisés : viandes, poissons, fruits et légumes au naturel, compotes…
- À vérifier : soupes, légumes, viandes et plats cuisinés…
- Non autorisés : raviolis…

Rayon petit déjeuner

- Autorisés : galettes de riz sans autres céréales, gelées, pétales de riz et maïs sans gluten, gelées et confitures…
- Non autorisés : pain, biscottes, viennoiseries…

Rayon confiseries et produits sucrés/aides à la pâtisserie

- Autorisés : tous les sucres, caramel liquide, cacao pur…
- À vérifier : tablettes de chocolat, tous bonbons et confiseries…
- Non autorisés : réglisse, pâtisseries, nougats, dragées…

Rayon cosmétiques et hygiène

- Autorisés : tous, sauf ceux qui peuvent s'ingérer
- À vérifier : rouges à lèvres, dentifrices

Rayon produits pour bébés

- Autorisés : Lait pour nourrissons, lait de soja, lait anti-régurgitation, farines sans gluten, petits pots sans gluten…
- Non autorisés : petits pots n'ayant pas la mention sans gluten, biscuits pour bébés…

Les additifs et colorants

- Autorisés : acidifiants, agar-agar, amidon (sans autre précision), arômes dont arôme de malt, béta carotène, carraghénanes, caroube, dextrines, dextrose, émulsifiants, exhausteurs de goût, extrait de levure, extrait de malt, extrait d'algues, ferments lactiques, fructose, gélatine alimentaire, glucose et sirop de glucose, glutamate, gomme arabique, gomme de guar, gomme de xanthane, gomme d'acacia, isomalt, lécithine, maltodextrines, maltitol, polyols, sulfites

✔ Non autorisés : amidon issu des céréales interdites, fécule de blé fécule (sans autre précision), extrait de malt d'orge, germe de blé, sirop de malt et de blé, son de blé, son d'avoine, gélifiants non précisés, matières amylacées, polypeptides, protéines végétales, gruau, liant protéinique, E411 : gomme d'avoine, E1400 : dextrines, amidon torréfié, E1401 : amidon traité aux acides, E1402 : amidon traité aux alcalis, E1403 : amidon blanchi, E1404 : amidon oxydé, E1405 : amidons traités aux enzymes, E1410 : phosphate d'amidon, E1411 : glycérol de d'amidon, E1412 : phosphate de d'amidon, E1413 : phosphate de d'amidon phosphaté, E1414 : phosphate de d'amidon acétylé, E1420 : amidon acétylé, E1421 : amidon acétylé à acétate de vinyle, E1422 : adipate de d'amidon acétylé, E1413 : glycérol de d'amidon acétylé, E1440 : amidon hydroxypropylé, E1442 : phosphate de d'amidon hydroxypropylé, E1443 : glycérol de d'amidon hydroxypropylé

Une copie de la liste des aliments autorisés et interdits, ainsi que des marques bénéficiant du logo de l'épi de blé barré, est disponible sur les sites des associations d'intolérants au gluten (notamment l'AFDIAG en France). Vous pouvez l'emporter toujours avec vous, quand vous faites du shopping.

Faites le tri au rayon diététique

Ces rayons pourraient vous sembler les plus adaptés à vos besoins, mais ce n'est pas nécessairement le cas.

De nombreux produits diététiques sont chargés de grains entiers, bons pour la santé car ils apportent des fibres et des nutriments. Certes, le régime sans gluten autorise les grains entiers comme le riz brun, le millet ou le quinoa, mais la plupart de ces produits diététiques contiennent du gluten.

Le rayon diététique propose souvent un avantage majeur, c'est qu'on y trouve des produits sans gluten mais aussi d'autres produits dont le nombre d'ingrédients est limité. Il est donc plus facile de lire les étiquettes et de vous faire une idée rapidement.

Je suis heureuse de voir grossir les étagères de produits sans gluten au sein des rayons diététiques des magasins. N'hésitez pas à demander à votre épicerie de quartier de référencer des produits sans gluten. Plus il y aura de demandes, plus vous aurez de chance qu'ils se mettent à les stocker.

Vivez sans gluten à prix abordable

L'un des principaux inconvénients du régime sans gluten qui m'est régulièrement rapporté est son coût. Mais en réalité, vous n'avez pas besoin de faire sauter la banque pour vivre sans gluten. Il est vrai qu'une baguette de pain traditionnelle est deux, voire trois fois moins chère qu'un pain sans gluten. Mais avez-vous besoin d'en acheter tous les jours ? J'ai, moi aussi, fait les frais de mes erreurs en début de régime et dépensé sans compter et sans réaliser que cela n'était pas nécessaire. Il existe de nombreuses astuces pour ne pas grever votre budget tout en étant au régime. Donc, avant d'hypothéquer votre maison pour financer votre vie sans gluten, donnez une chance aux conseils suivants qui peuvent vous aider à réaliser des économies.

N'abusez pas des produits industriels même s'ils sont sans gluten

La plus grande part du surcoût du régime sans gluten vient des produits sans gluten dont le prix est élevé. Je ne vous suggère pas de fêter l'anniversaire de votre petit dernier avec des galettes de riz soufflé pour faire des économies. Il faut bien sûr toujours avoir à portée de main des gourmandises sans gluten pour les grandes occasions.

Mais, si vous trouvez que vous dépensez beaucoup trop d'argent depuis que vous avez adopté le régime sans gluten, regardez le nombre et le type de produits sans gluten que vous achetez. Pains, biscottes, biscuits, gâteaux, pizzas, croissants – ils sont chers, c'est sûr. Mais avez-vous vraiment besoin de tous ces produits ? Vous pouvez facilement les remplacer ou vous en passer, en rendant leur consommation plus « exceptionnelle ».

De toute façon, tous ces produits sont-ils réellement bons pour votre santé ? Ils sont riches en calories, en mauvaises graisses, en sucres, ont un indice glycémique élevé (ils augmentent rapidement votre taux de glycémie – voir le chapitre 7) et n'ont pas une grande valeur nutritionnelle. Si vous suivez l'approche plus saine proposée au chapitre 7, vous n'accorderez plus autant de place à ces gourmandises trop coûteuses.

Attention, certains produits naturellement sans gluten ont vu leur prix augmenter une fois estampillés « sans gluten » (les joies du marketing !).

Il est bon d'avoir à portée de main quelques produits sans gluten pour des occasions spéciales, comme du pain ou quelques gâteaux secs, mais, en général, les gens achètent bien plus de produits sans gluten qu'ils n'en ont vraiment besoin et cela pèse sur leur budget.

Le remboursement des produits sans gluten

Les modalités de remboursement des produits sans gluten varient selon les pays.

En France, la prise en charge par la CPAM des produits sans gluten est soumise à une procédure administrative qui pourra vous sembler un peu fastidieuse. Elle commence par la demande de prise en charge d'une ALD (affection de longue durée) *via* le formulaire cerfa n° 1162603 qui doit être rempli par votre médecin traitant. La reconnaissance de la maladie cœliaque par la CPAM est soumise à une biopsie positive. Si la prise en charge est acceptée, vous recevrez une notification d'acceptation avec votre taux de prise en charge et sa durée. Vous devrez procéder à une demande de renouvellement trois mois avant l'expiration de votre durée de prise en charge. Le montant des remboursements est plafonné à 33,54 € par mois pour un enfant et à 45,73 € pour un adulte et il se fait à partir des vignettes de remboursement disponibles sur les produits. Pour plus d'informations sur l'ensemble du protocole, vous pouvez vous adresser à votre caisse d'assurance maladie ou à l'AFDIAG qui propose un *Petit guide de remboursement des produits sans gluten*.

Au Québec, tout comme aux États-Unis, les produits sans gluten ouvrent le droit à une réduction d'impôts en tant que frais médicaux, sous certaines conditions. On peut déduire la différence entre le prix du produit sans gluten et son équivalent « traditionnel ».

En Belgique : l'INAMI (Institut national d'assurance maladie invalidité) accorde un remboursement plafonné après acceptation de votre dossier transmis par votre médecin traitant. La période de remboursement est limitée à 24 mois maximum avant demande de renouvellement. Informez-vous auprès de votre mutualité.

Au Luxembourg : la prise en charge par la CNS (Caisse nationale de la santé) est subordonnée à un accord préalable de la caisse sur la base d'un dossier médical. Le remboursement est forfaitaire d'un montant de 276,75 € par semestre et se fait à partir de factures détaillées et acquittées.

En Suisse : pour les enfants et adultes de moins de 20 ans, une somme forfaitaire qui augmente en fonction de l'âge est versée par l'Assurance invalidité pour couvrir le surcoût engendré par les frais du régime sans gluten. Les adultes de plus de 20 ans n'en bénéficient plus, mais il est possible de déduire 2 500 CHF de son revenu imposable si cette somme dépasse 5 % du revenu imposable et pour la part qui dépasse cette valeur.

Faites des économies sur les frais de livraison

Si vous commandez en ligne des produits sans gluten, il y a toujours moyen de faire des économies sur les frais de livraison. Préférez une boutique en ligne qui offre le plus vaste choix de produits. N'acheter qu'un ou deux produits vous reviendrait très cher en frais de livraison. Guettez aussi les promotions, car souvent les frais de livraison sont offerts ! Profitez des ventes privées qui ont lieu depuis quelques mois en ligne. On commence à voir apparaître des sites d'achats groupés de produits bios qui proposent également des produits sans gluten.

Les produits de la grande distribution

La plupart des enseignes de la grande distribution, au-delà de distribuer des marques de produits sans gluten, se sont mises à en faire fabriquer à leur nom. Ces produits sont souvent un peu moins chers. Veillez cependant à bien vérifier leur composition et appelez le service client en cas de doute. Ces produits possèdent bien souvent le logo épi de blé barré qui vous garantit qu'ils sont exempts de gluten, mais parfois, les autres ingrédients utilisés ne sont pas si sains que cela pour votre santé (huile de palme, graisses, sucres…).

Mangez sainement

Certains pensent que manger des aliments sains revient beaucoup plus cher. Pas forcément. Les viandes et les produits frais vous semblent chers ? Ils le sont. Mais les aliments transformés, pleins de sucres, qui n'ont pas un grand intérêt nutritionnel, peuvent vous faire prendre du poids ou vous donner encore plus faim et ils représentent souvent une perte d'argent. Le chapitre 7 vous en dit plus sur la façon de manger sainement dans le cadre d'un régime sans gluten.

Achetez des aliments nutritifs mais en quantité nécessaire. Ils sont souvent périssables et si vous ne les utilisez pas dans les quelques jours, n'oubliez pas de les congeler.

Mangez à la maison

Dîner au restaurant représente un budget conséquent. Manger à la maison vous assure d'avoir des repas sans gluten et de réaliser des économies. Je ne dis pas bien sûr que vous devez vous empêcher de sortir !

Il est vrai que la planification et l'organisation des repas prennent du temps (je vous donne quelques conseils pour les optimiser au chapitre 10), mais l'argent que vous économiserez et la tranquillité d'esprit que vous trouverez en valent la peine, croyez-moi.

Utilisez des mélanges sans gluten prêts à l'emploi

Les mélanges sans gluten prêts à l'emploi, notamment pour les produits de boulangerie (pains, gâteaux), peuvent vous sembler chers et ils le sont. Mais, en comparaison à l'achat de tous les ingrédients et différents types de farines nécessaires pour les réaliser, ils représentent bien souvent un bon investissement. Ils sont de plus inratables !

Adoptez de bonnes habitudes d'achat

Voici une liste complémentaire pour vous aider à gagner du temps et de l'argent quand vous faites vos courses :

✔ **Ne faites pas vos courses le ventre vide.** Si vous allez dans un magasin le ventre vide, vous serez plus tenté par des achats impulsifs.

✔ **Apportez votre liste de courses.** Bien organiser votre sortie au supermarché vous permet de rester focalisé sur les aliments sains et sans gluten dont vous avez besoin et vous éloignera des tentations.

✔ **Faites des stocks quand vous le pouvez.** Acheter des aliments en grande quantité s'avère souvent plus économique, si vous pouvez vous permettre de le faire et si vous pouvez stocker de la nourriture chez vous. N'oubliez pas non plus que les aliments sans gluten ont une durée de conservation plus courte, donc si vous vous approvisionnez en produits prêts à l'emploi, assurez-vous d'avoir assez de place dans votre congélateur.

✔ **Testez les magasins de coopératives agricoles et les associations qui créent des liens entre les producteurs et les consommateurs.** Si vous avez la chance d'en avoir près de chez vous, n'hésitez pas à aller y chercher des produits frais et souvent bios.

✔ **Profitez des bons de réduction, cartes de fidélité et promotions régulières des boutiques en ligne ou supermarchés.** Vous pouvez économiser plusieurs centaines d'euros à l'année en restant à l'affût de ces promotions, que ce soit sur les frais de livraison, avec les ventes privées en ligne de produits sans gluten, les opérations commerciales des marques ou les bons d'achats offerts.

✔ **Osez comparer.** Regardez toujours le prix unitaire d'un produit et pas seulement le prix du paquet. Vous retrouverez le prix unitaire sur les étiquettes du rayon sous les produits. Le prix indiqué sur le paquet vous indique le prix du produit lui-même tandis que le prix unitaire peut vous donner le prix au kilo par exemple. Ainsi, vous pouvez comparer les prix de produits similaires. Je me suis fait avoir une fois par un paquet de pâtes bien moins cher que les autres pour me rendre compte une fois chez moi qu'il ne contenait que 250 g de pâtes sans gluten contre 500 g pour les autres.

Utilisez si nécessaire une calculatrice de poche ou la calculatrice de votre smartphone pour faire vos comparaisons.

✔ **Surveillez le scanner aux caisses.** Assurez-vous que les prix sont corrects. Il arrive souvent que les magasins fassent des erreurs et elles ne sont souvent pas en notre faveur. Incroyable, non ?

✔ **Si possible, ne faites pas les courses avec vos enfants.** Oui, ils sont adorables, mais ils sont vos ennemis numéro 1 en matière d'achats impulsifs. Les enfants sont les cibles préférées des industriels. Notez où se trouvent les céréales sucrées – à droite, au niveau des yeux et à portée de main d'un enfant de 5 ans. Les magasins comptent sur vos bambins pour vous pousser à acheter des friandises à fortes marges, comme les céréales et les produits à grignoter.

✔ **Profitez des marques de grande distribution.** Les marques de grande distribution ont presque toutes lancé leurs gammes de produits sans gluten. Ils sont souvent un peu moins chers que les autres.

Chapitre 10

Cuisiner sans gluten : techniques et astuces

*J'*aime cuisiner mais je cuisine à ma façon. Je n'ai pas forcément le temps et la patience de le faire avec un livre de recettes de grand chef. Bien souvent, les quantités d'ingrédients que j'utilise sont approximatives (car, fort heureusement, ma grand-mère italienne m'a appris à gérer les quantités *al occhio* – à l'œil). En résumé, en cuisine, j'improvise. Si vous aimez cuisiner sans filet, comme moi, tout ira bien, rassurez-vous, dès lors que vous connaîtrez les techniques et astuces de la cuisine sans gluten.

Si vous préférez suivre des recettes pas à pas, je vous en propose de savoureuses et simples à réaliser dans la troisième partie.

Découvrez ici des conseils et des techniques pour vous aider à cuisiner sans gluten.

En cuisine, improvisez !

Je respecte généralement ces quelques règles fondamentales pour cuisiner :

✔ Peser les ingrédients, c'est fait pour les gens patients, ce n'est pas forcément mon cas.

✔ Si une recette nécessite 1/4 de cuillerée à café de quelque chose, pourquoi s'embêter à utiliser cet ingrédient ?

✔ Si une recette nécessite plus de 12 ingrédients dont certains ne sont disponibles qu'à l'étranger, je passe mon chemin.

✔ Pourquoi me servir d'un tamis ?

✔ Faites cuire un plat dans votre four et il est « fait maison ». Par conséquent et par définition, si vous utilisez des mélanges prêts à l'emploi, vos plats seront « faits maison ».

Je pense que si vous donnez une recette à quelqu'un, vous le nourrissez pour un repas, alors que si vous lui apprenez à cuisiner, vous le nourrissez pour la vie.

J'ai une admiration sans limite pour les chefs cuisiniers et les auteurs d'ouvrages culinaires, surtout depuis que j'ai écrit cette partie. Si vous aimez les recettes, alors vous en trouverez une bonne centaine dans ce titre, mais sachez qu'il existe des dizaines de livres de cuisine sans gluten sur le marché. Vous ne serez jamais à court d'idées.

Je crois également que savoir improviser en cuisine est une qualité précieuse à développer. Cela signifie qu'il faut apprendre à adapter parfois une recette qui contient normalement du gluten, ou alors se lancer sans filet et sans livre de cuisine.

L'ingrédient le plus important en cuisine est la créativité. Vous n'aurez pas forcément toujours sous la main tous les ingrédients nécessaires à la recette que vous souhaitez réaliser. Vous ne trouverez pas toujours une version sans gluten du plat que vous souhaitez manger. Ne vous arrêtez pas à cela. Tout est possible dans la cuisine sans gluten. Vous verrez combien il est simple d'improviser et d'utiliser des ingrédients alternatifs.

Adapter une recette en version sans gluten

Petit quiz : vous faites la queue à la caisse du supermarché et apercevez votre magazine culinaire préféré. La photo de couverture attire votre attention. C'est une très belle photo de (notez votre plat favori), et quel dommage, il contient du gluten ! Vous :

A) Quittez la boutique en larmes et allez vous étouffer avec des galettes de riz.

B) Achetez le magazine en souvenir de votre vie de glutenovore.

C) Vous réjouissez car vous avez acheté le livre *Vivre sans gluten pour les Nuls* et avez appris comment adapter cette recette en version sans gluten.

La bonne réponse est, bien sûr, la réponse C. Vous pouvez adapter à peu près n'importe quelle recette en version sans gluten. Certains plats sont plus faciles que d'autres – les produits de boulangerie et de pâtisserie sont les plus difficiles. Vous pouvez adapter un plat de deux façons : avec ou sans recette.

Avec une recette

Si vous utilisez la recette d'un plat qui contient du gluten et souhaitez l'adapter en version « sans », commencez par regarder en détail la liste des ingrédients nécessaires. Notez ceux qui contiennent habituellement du gluten et trouvez une idée de substitution. À l'exception des farines dont je vous parle dans la section « utilisez les farines de substitution », les ingrédients se convertissent à quantités égales.

Vous n'avez pas les bons ingrédients de substitution ? Improvisez ! Par exemple, si une recette nécessite de plonger un aliment dans de la farine avant de le faire sauter et que vous n'avez pas de farine sans gluten, vous avez peut-être un mélange prêt à l'emploi qui peut faire l'affaire. Même un mélange pour crêpes ou gâteau peut fonctionner. Et pourquoi pas des graines de sésame ?

Cuisiner sans recette

Si vous n'utilisez pas de recette, soyez créatif. Admettons que vous souhaitiez faire des nuggets de poulet. Pas besoin de recette pour cela, si ? Coupez du poulet en morceaux et choisissez vos ingrédients pour les assaisonner avant de les faire frire ou cuire.

La clé du succès est d'être créatif avec les aliments de substitution. Vous trouverez dans ce chapitre de nombreuses idées. À vous de les utiliser selon vos goûts et votre budget.

Évitez la contamination croisée

Après avoir travaillé dur pour préparer votre repas sans gluten, vous ne voudriez pas voir un nuage de farine de blé le contaminer, n'est-ce pas ? Bien sûr que non ! Pourtant, des gestes simples peuvent entraîner une contamination au gluten. Les cœliaques doivent être absolument vigilants dans la cuisine, surtout s'ils doivent la partager avec des glutenovores.

Cuire des aliments sans gluten ET avec gluten dans votre cuisine est tout à fait possible si vous respectez quelques règles simples pour éviter de « gluténiser » vos aliments :

- ✔ **Les ustensiles de cuisine :** si vous êtes cœliaque, vous ne pouvez pas utiliser la même spatule pour retourner aussi bien un pain à hamburger avec gluten qu'un pain sans gluten. Enfin, vous pouvez mais votre burger ne sera plus exempt de traces de gluten. Même chose pour la cuisson des pâtes ou des sauces. Utilisez des ustensiles différents.

✔ **Les plaques de cuisson :** si vous vous servez des mêmes plaques pour cuire des aliments avec et sans gluten, ou des mêmes moules, faites cuire la version sans gluten en premier. Il vous faudra bien les nettoyer. Encore plus simple : utilisez du papier cuisson pour protéger vos plaques.

✔ **L'huile de friture :** lorsque vous faites frire des aliments panés dans de l'huile, des morceaux de pâte ou de la chapelure se déposent dans l'huile de friture. Si vous faites frire des aliments contenant du gluten, n'utilisez pas la même huile pour faire frire vos aliments sans gluten. Changez l'huile ou changez de casserole.

Soyez vigilant si vous cuisinez des aliments *avec* et *sans gluten* dans votre friteuse. Une friteuse n'est pas facile à nettoyer. Peut-être vous faudra-t-il envisager d'en posséder deux différentes.

Les ingrédients de substitution

Pour convertir une recette qui contient habituellement du gluten en une version sans gluten, vous devez réaliser quelques substitutions simples. À l'exception des farines pour les produits de boulangerie et pâtisserie, il vous suffit généralement d'échanger un ingrédient contre un autre. Je détaille les farines plus loin dans ce chapitre.

✔ **La bière :** certains plats, notamment les aliments frits, peuvent contenir de la bière. Des bières sans gluten sont à présent disponibles dans le commerce ou bien tentez de la remplacer par du cidre.

✔ **Les liants :** un liant est un ingrédient qui permet de lier des aliments ensemble. Le gluten apporte de l'élasticité aux produits de boulangerie alors, pour le remplacer, vous pouvez utiliser des liants comme la gomme xanthane, la gomme de guar, la poudre de gélatine ou les œufs.

✔ **La chapelure :** quiconque a déjà mangé un morceau de pain sans gluten (surtout sans le toaster) sait qu'il est facile de faire de la chapelure. Vous pouvez acheter de la chapelure sans gluten en magasin ou sur Internet mais vous pouvez également la faire « maison » avec du pain sans gluten. Mettez du pain dans un sac de congélation et écrasez-le en miettes. Vous pouvez passer les miettes au gril pour les rendre plus croquantes. Les céréales concassées sont aussi une bonne alternative à la chapelure. Pensez également aux flocons de pomme de terre ou de quinoa.

✔ **Les petits pains :** utilisez un morceau de laitue, une tortilla de maïs ou, bien sûr, du pain sans gluten.

✔ **Les panures :** vous avez plusieurs options à votre disposition. Laisser tomber de désespoir (ah ah ! je plaisante, bien sûr) ou utiliser l'une des farines sans gluten dont je parle plus loin dans ce chapitre, ainsi que n'importe quel mélange sans gluten « tout usage ». Essayez également la semoule de maïs ou la farine de maïs qui, bien assaisonnées avec des épices, donnent des textures intéressantes, ou bien encore des chips sans gluten écrasées, voire des graines de sésame.

✔ **Les veloutés :** utilisez du bouillon de poulet et de la crème aigre. Pour un velouté ultra-nutritif, mixez du chou-fleur qui servira de « crème ». Vous pouvez ensuite ajouter des champignons, du céleri, des pommes de terre pour compléter.

✔ **Les croûtons :** les croûtons faits maison sont très simples à réaliser. On recommande souvent d'utiliser du pain rassis mais, avec le pain sans gluten, je vous le déconseille. Coupez du pain sans gluten frais en cubes et faites-les frire. Égouttez-les et laissez-les refroidir puis roulez-les dans du parmesan ou des épices de votre choix (voir le chapitre 13 pour des versions faibles en lipides et pour d'autres substitutions aux croûtons).

✔ **Les farces :** elles sont utilisées pour « fourrer » un aliment comme du poulet, des légumes ou une dinde. On utilise souvent du pain que vous pouvez remplacer par du pain sans gluten bien sûr, ou encore des flocons de pomme de terre, du riz ou même une céréale non sucrée préalablement écrasée.

✔ **La farine :** de nombreuses recettes nécessitent l'utilisation de farine. Le plus souvent, elle sert d'épaississant (voir la liste des épaississants plus bas). Utilisez des farines sans gluten, comme la farine de riz, de riz gluant, des fécules, de la farine de sorgho, de pois chiches, de fèves ou de la farine Montina®.

✔ **Les tortillas à la farine :** la substitution ici est évidente : la tortilla de maïs. Vous pouvez également remplacer la tortilla par des feuilles de laitue ou des feuilles de riz.

✔ **La pâte à tarte :** le plus simple est d'écraser vos céréales préférées (ou des petits-beurre sans gluten) dans un peu de beurre et d'ajouter un peu de sucre puis de verser ce mélange dans un moule à tarte. Vous pouvez également vous lancer dans la réalisation d'une vraie pâte à tarte sans gluten (vous trouverez des recettes dans la troisième partie). Des pâtes à tarte prêtes à l'emploi sont également disponibles en magasin spécialisé ou sur Internet.

✔ **La sauce à burgers :** vous pouvez mélanger de la mayonnaise et du ketchup et le tour est joué. De plus, ces sauces existent sans gluten.

✔ **La sauce soja :** la plupart des sauces soja contiennent du blé mais il existe heureusement des marques sans gluten.

✔ **La sauce teriyaki :** comme la plupart des sauces soja contiennent du blé, les sauces teriyaki en contiennent également. Il existe des marques sans gluten mais vous pouvez essayer la recette que je vous propose ci-dessous.

✔ **Les épaississants :** de nombreuses recettes utilisent de la farine comme épaississant mais il existe moult alternatives. Pour les plats sucrés, utilisez par exemple de la gélatine, de l'amidon de maïs pour les ingrédients acides, de la farine d'arrow-root, de l'agar-agar, de la fécule de tapioca, de la farine de riz gluant. Retrouvez plus de détails sur les épaississants plus loin dans ce chapitre.

Faire une sauce teriyaki

Le terme *teriyaki* fait référence à une méthode de cuisson (il est dérivé des mots japonais *teri* qui signifie « éclat » et *yaki* qui signifie « gril »). Les plats teriyaki traditionnels sont marinés dans la sauce puis grillés ou rôtis, leur donnant ainsi un aspect brillant (*teri*). L'ingrédient clé de la sauce teriyaki, même si vous pouvez le substituer, est la sauce mirin, un vin de riz sucré japonais.

12 cl de sauce soja sans gluten

12 cl de mirin (à défaut, utilisez 12 cl de saké et 1 cuil. à soupe de sucre)

3 cuil. à soupe de sucre

Dans une petite casserole, mélangez la sauce soja, le mirin et le sucre. Faites chauffer à feu doux pendant environ 3 minutes puis laissez la sauce refroidir. Vous pouvez conserver votre sauce dans une bouteille propre au réfrigérateur.

Les alternatives au blé

La cuisine sans gluten est assez simple, en réalité. Vous n'avez qu'à substituer les ingrédients « avec gluten » par des ingrédients « sans gluten ». Pour la pâtisserie et la boulangerie, c'est un peu plus complexe, mais je vais vous expliquer comment faire dans ce chapitre. La cuisine sans gluten n'est pas bien différente de la cuisine traditionnelle, alors laissez votre créativité s'exprimer.

Intégrez des céréales et grains alternatifs à votre alimentation

Non seulement les céréales sans gluten et grains alternatifs dont je parle au chapitre 5 sont ultra-nutritifs, mais ils donnent également des saveurs et textures uniques à vos plats. Ils se cuisent, pour la plupart, comme d'autres grains, mais je vous livre ici quelques petites astuces pour vous perfectionner dans l'art de les accommoder.

Lorsque vous cuisinez les grains entiers (par opposition à l'utilisation de leur farine en pâtisserie), il vous suffit, comme pour les autres céréales ou grains, de les jeter dans de l'eau bouillante et de les laisser mijoter à feu doux. Seules les proportions et la quantité d'eau varient. Le tableau 10-1 vous donne des valeurs approximatives en quantité de liquide et temps de cuisson. Vous pouvez les adapter selon vos goûts.

Tableau 10-1 : Cuisson des grains et céréales alternatifs

Céréale/grain sans gluten (1 mesure)	Eau ou bouillon de poulet	Temps de cuisson
Amarante	2,5 mesures	20 à 25 minutes
Fonio	2,5 mesures	25 minutes
Larmes de Job	2 mesures	1 heure
Millet	3 mesures	35 à 45 minutes
Quinoa	2 mesures	15 à 20 minutes
Riz blanc	2 mesures	15 minutes
Riz brun (court et long)	3 mesures	40 minutes
Riz sauvage	4 mesures	45 minutes
Sarrasin	2 mesures	15 à 20 minutes
Semoule de maïs	3 mesures	5 à 10 minutes
Teff	2 mesures	15 à 20 minutes

Le quinoa, le millet, le teff, le fonio, l'amarante, le sarrasin (avec précaution) et bien d'autres grains alternatifs sont parfaits pour réaliser des soupes, des farces et bien d'autres préparations, qu'ils soient précuits ou mélangés à d'autres ingrédients :

✔ **Farces** : utilisez les grains les plus gros, comme le quinoa cuit, le millet ou le sarrasin à la place de la chapelure pour faire une farce. Assaisonnez la farce à votre goût avant de farcir des légumes ou de la viande.

✔ **Snacks** : ajoutez un peu d'huile dans une poêle et faites cuire des graines d'amarante comme du pop-corn.

✔ **Soupes** : utilisez du sarrasin, du quinoa ou du millet à la place du riz ou des nouilles dans vos soupes. Il n'est pas nécessaire de les précuire. Ajoutez-les simplement lors de la cuisson de la soupe. L'amarante et le teff sont des grains un peu petits et peuvent sembler granuleux dans une soupe. Pour épaissir une soupe, il est préférable de les utiliser en version farine.

Épaississants sans gluten : farines, fécules et amidons

Les gens utilisent habituellement des épaississants à base d'amidon ou de fécule comme celles de maïs, d'arrow-root et de tapioca pour épaissir leurs sauces. Ils donnent de la brillance et sont parfaits pour les garnitures de tartes et les glaçages. Tous les épaississants ne se valent pas. Il est bon de connaître ceux à utiliser et quand.

L'amidon et la fécule sont les deux noms donnés à une même substance et doivent leur dénomination à la partie de la plante dont ils sont extraits. L'amidon est issu des graines de céréales (blé, maïs, riz) et la fécule provient de certains tubercules, racines ou rhizomes (pomme de terre, manioc, tapioca…).

Pour utiliser des amidons ou fécules afin d'épaissir une préparation, mélangez-les avec une quantité égale de liquide froid jusqu'à ce qu'ils forment une pâte, puis ajoutez cette préparation à celle que vous souhaitez épaissir et fouettez. Faites cuire au moins 30 secondes pour vous débarrasser du goût d'amidon. Attention à ne pas cuire le tout trop longtemps, ni à température trop élevée, car les liquides que vous essayez de lier pourraient se fluidifier de nouveau.

Certaines farines fonctionnent bien avec les aliments acides, comme les fruits en conserve, les agrumes, les tomates, le vinaigre. Les bananes, figues, avocats et pommes de terre sont au contraire des aliments *alcalins* (non acides).

Voici quelques options pour vos épaississants :

- ✔ **Arrow-root :** si vous souhaitez donner un aspect brillant à vos sauces desserts ou glaçages, l'arrow-root est un bon choix. Utilisez-la pour épaissir un liquide acide mais pas avec des produits laitiers (car elle les rend visqueux). L'arrow-root a un goût plus neutre que tous les amidons/fécules, donc si vous ne souhaitez pas risquer d'altérer le goût de votre plat, choisissez-la ! Notez que toutes les sauces réalisées avec de l'arrow-root peuvent être congelées.

- ✔ **Amidon modifié de maïs :** cet amidon de maïs fonctionne particulièrement bien avec les conserves de fruits car il se marie parfaitement avec les ingrédients acides, tolère des températures élevées et, grâce à lui, les fruits ne rendent pas d'eau. Il n'épaissit pas votre préparation avant que celle-ci commence à refroidir, ce qui permet à la chaleur d'être mieux répartie dans le pot si vous préparez des conserves.

✔ **Fécule de maïs :** la fécule de maïs est à privilégier pour épaissir les préparations à base de lait (une sauce Béchamel, par exemple) mais à éviter pour les aliments acides. Elle ne donne pas un résultat aussi brillant que le tapioca ou l'arrow-root. Ne pas l'utiliser si vous comptez congeler votre sauce, car elle deviendrait spongieuse.

✔ **Fécule de pomme de terre :** utilisée habituellement pour épaissir des soupes ou des sauces, la fécule de pomme de terre ne donne pas de bons résultats dans les liquides portés à ébullition. La farine et la fécule sont bien différentes : la farine de pomme de terre est assez lourde et a le goût de la pomme de terre. La fécule a un goût plus fade et est idéale pour être mélangée à d'autres farines, pour faire de la pâtisserie et comme épaississant pour les soupes ou sauces.

✔ **Tapioca :** vous pouvez utiliser des perles ou des granulés de tapioca pour épaissir des puddings et des tartes, mais sachez qu'ils ne se dissolvent pas totalement lors de la cuisson. Si les petites boules gélatineuses ne vous gênent pas, vous pouvez les mettre également dans vos soupes, sauces et ragoûts. Si vous ne les aimez pas, prenez plutôt de la fécule de tapioca. Le tapioca donne un éclat brillant aux aliments et tolère une cuisson longue et même la congélation.

Vous pouvez utiliser n'importe laquelle de ces céréales pour épaissir vos sauces, ragoûts et puddings. En fonction de votre recette, optez pour les céréales entières ou leur farine. Choisissez une farine pour les sauces mais les grains entiers, qui peuvent être très nutritifs, s'accommodent parfaitement aux soupes et ragoûts.

Lorsque vous utilisez ces farines ou fécules en tant qu'épaississants, les quantités de substitution sont un peu différentes. Voici les quantités équivalentes pour remplacer 1 cuillerée à soupe de farine de blé :

✔ **Agar-agar :** 1/2 cuil. à soupe

✔ **Arrow-root :** 2 cuil. à café

✔ **Fécule de maïs :** 1/2 cuil. à soupe

✔ **Gélatine en poudre :** 1/2 cuil. à soupe

✔ **Farine de riz (brun ou blanc) :** 1 cuil. à soupe

✔ **Farine de patate douce :** 1 cuil. à soupe

Réduire la caséine

Nombreux sont ceux qui éliment le gluten ET la caséine de leur alimentation. Même s'il peut vous sembler doublement difficile de supprimer les deux, cela peut en valoir la peine (voir le chapitre 4 pour en connaître les raisons).

La caséine est la protéine principale du lait – le lait de vache mais aussi de brebis et de chèvre.

Il ne faut pas confondre la caséine avec le lactose. Le lactose est un sucre présent dans les produits laitiers. La caséine est la protéine principale du lait. L'intolérance au lactose s'explique par une absence totale ou partielle de *lactase* (une enzyme que produit notre corps pour digérer le lactose, le décomposer pour qu'il puisse être ensuite assimilé ou métabolisé). On peut être intolérant au lactose sans être intolérant ou allergique à la caséine. Un produit qui ne contient pas de lactose n'est pas nécessairement exempt de caséine.

Voici une liste (non exhaustive) de produits à surveiller si vous évitez la caséine :

- Lait
- Crème
- Fromage
- Fromage blanc
- Crème aigre
- Beurre
- Yaourt
- Glaces et crèmes glacées
- Sorbets (certains)
- Chocolat
- Veloutés de légumes
- Pain
- Fromages végétariens (certains)
- Viandes végétales (certaines)
- Lactosérum (ou petit-lait)

Faites appel à votre bon sens. Si le milk-shake n'est pas dans cette liste, c'est qu'il contient le mot *milk* (lait en anglais) donc vous pouvez supposer qu'il contient de la caséine. Même chose avec le fromage frais, le fromage à tartiner, la crème fleurette.

N'imaginez pas qu'un produit « sans fromage » veut dire qu'il est « sans caséine », juste parce que la caséine se trouve dans le fromage. On peut en trouver malgré tout car elle est ajoutée pour améliorer la texture du produit ou ses propriétés de cuisson. (Par exemple, la caséine rend le fromage plus fondant.)

Soyez également vigilant avec les ingrédients qui contiennent d'autres formes de caséine, comme le carbonate d'ammonium, le caséinate de potassium, le caséinate de sodium…

Les aliments possédant le label « Casher Parve » ou les succédanés de fromage casher sont sans caséine.

Essayez-vous à la pâtisserie sans gluten

Je ne vais pas vous mentir : la pâtisserie sans gluten est une discipline délicate mais je vous invite à tenter l'expérience. Il est de plus en plus facile de faire de la pâtisserie grâce à l'évolution constante de la qualité des produits disponibles. On est bien loin des pains à la texture de brique ou des gâteaux qui tombaient en miettes à la sortie du four !

Le gluten donne de l'élasticité et du moelleux aux pains et aux gâteaux. Sans gluten, les aliments cuits ont tendance à s'effondrer ou à devenir très compacts. L'utilisation de gomme xanthane (ou de guar) et d'un mélange de plusieurs farines sans gluten sont les clés de la réussite de bons produits de boulangerie sans gluten, souvent aussi bons que les originaux.

Essayez les préparations prêtes à l'emploi

Ravaler sa fierté est mieux que d'avaler un cookie raté et sans saveur, non ? Cuisiner à la maison, en partant de zéro, c'est formidable, d'autant qu'avec un bon livre de recettes sans gluten, on est presque sûr de réussir son plat.

Mais il est également très pratique de tester des mélanges prêts à l'emploi pour faire des crêpes, des cookies, des gâteaux, du pain, de la pâte à pizza… Ils rivalisent bien souvent, en termes de qualité et de goût, avec les produits de boulangerie. Ces mélanges sont simples à utiliser et de plus en plus faciles à trouver.

La plupart des préparations n'exigent que l'ajout d'un œuf (ou substitut d'œuf), d'eau, de lait (ou de lait végétal) ou d'huile. De nombreuses marques prennent en compte les intolérances alimentaires et proposent notamment des produits sans gluten, sans caséine, sans soja, sans fruits à coque. Vous pouvez les utiliser telles quelles ou les accommoder en y ajoutant vos ingrédients préférés (voir le chapitre 8).

Le principal reproche que l'on pourrait faire à ces préparations est d'être un peu chères. Mais si l'on considère qu'elles vous garantissent un résultat parfait et si l'on prend en compte le prix des différentes farines sans gluten ainsi que celui de la gomme xanthane à acheter si vous réalisez la recette vous-même, vous vous rendrez compte que votre cookie vous coûtera au moins 5 euros (c'est bien trop onéreux !) et qu'acheter une préparation est un bon compromis.

La reine des pâtes : la gomme xanthane

Bénéficiant de propriétés uniques qui améliorent la consistance des aliments, la *gomme xanthane* est un ingrédient clé dans la réussite d'une pâtisserie sans gluten. Elle permet aux particules de bien se lier ensemble, par exemple dans les vinaigrettes, les sauces, les crèmes glacées auxquelles elle donne du crémeux et une texture lisse. La gomme xanthane fonctionne très bien dans la cuisine sans gluten car elle apporte de l'élasticité offerte habituellement par le gluten.

Voici les quantités de gomme xanthane à utiliser pour 130 g de farine :

- **Pains :** 1 cuil. à café
- **Cakes :** 1/2 cuil. à café
- **Cookies :** 1/4 de cuil. à café
- **Muffins :** 3/4 de cuil. à café
- **Pizza :** 2 cuil. à café

Je vous préviens, la gomme xanthane est chère. Certaines personnes utilisent de la gomme de guar à la place car elle est moins onéreuse. Mais, attention, elle a une teneur élevée en fibres et peut avoir un effet laxatif.

Une pâte sans gluten est particulièrement collante. Utilisez alors une poêle, une plaque de cuisson ou une casserole antiadhésives ou servez-vous de papier de cuisson ou d'aluminium.

Les farines de substitution

De nombreuses farines sans gluten sont parfaites pour faire de la pâtisserie, mais elles ne fonctionnent pas toujours seules. Vous ne pouvez pas remplacer une mesure de farine de blé par une mesure de fécule et vous attendre à de bons résultats.

Vous pouvez vous amuser avec ces différents mélanges et choisir les saveurs et textures que vous préférez. Je vous donne ici quelques idées pour démarrer vos tests. N'oubliez pas que chaque quantité de farine de substitution vaut pour 130 g de farine :

- Farine d'amarante : 130 g
- Farine d'arrow-root : 130 g
- Farine de sarrasin : 110 g
- Farine de maïs : 140 g
- Fécule de maïs : 115 g
- Farine de pois chiches : 70 g
- Farine de fèves : 120 g
- Farine de mesquite : 130 g
- Farine de millet : 130 g
- Farine Montina® : 125 g
- Farine de pomme de terre : 100 g
- Fécule de pomme de terre : 115 g
- Farine de quinoa : 110 g
- Farine de riz (blanc ou brun) : 160 g
- Farine de sorgho : 120 g
- Farine de soja : 80 g
- Farine de patate douce : 130 g
- Farine de riz gluant : 140 g
- Farine ou fécule de tapioca : 120 g
- Farine de teff : 140 g

Faites vos mélanges de farines

Les grands chefs le disent : si vous mélangez plusieurs variétés de farines, le résultat obtenu au niveau du goût et de la consistance est bien meilleur. Il existe de nombreuses combinaisons possibles de farines sans gluten. À vous de les tester et de trouver celle qui vous convient le mieux.

Si vous cuisinez beaucoup, je vous conseille de préparer une grande quantité de mélange de farines et de le stocker dans un endroit sombre et sec. Ainsi, vous en aurez à disposition selon vos besoins. Vous pouvez également acheter des mix de farines prêts à l'emploi dans le commerce. Achetez-en plusieurs paquets d'avance.

En surfant sur Internet ou en feuilletant des livres de cuisine sans gluten, vous découvrirez qu'il existe des dizaines de mélanges de farines sans gluten. En voici quelques-uns :

Mélange « tout usage » de Bette Hagman

- 285 g de farine de riz
- 100 g de fécule de pomme de terre
- 40 g de farine de tapioca

Vous pouvez utiliser d'autres types de mélanges de farines, chacun aura une saveur unique et ses propres propriétés de cuisson. Le mélange suivant est intéressant car il apporte à la fois des protéines et une belle texture aux produits :

Mélange à base de farine de fèves

- 120 g de farine de fèves
- 130 g de farine de riz brun (ou blanc)
- 130 g de fécule de maïs
- 125 g de fécule de tapioca
- 110 g de farine de riz gluant

Mélange de Carol Fenster

- 180 g de farine de sorgho
- 280 g de fécule de pomme de terre ou de maïs
- 125 g de farine de tapioca
- 70 g de farine de maïs

Mélange « pain et tartes » de Solène du blog *Sunny Délices*

- 600 g de farine de riz complet ou riz blanc
- 100 g de farine de soja ou de tapioca
- 300 g de fécule de maïs ou de pomme de terre
- 20 g de gomme xanthane ou de gomme de guar

Des conseils pour vous faire gagner du temps

Cuisiner sans gluten demande un peu de temps et d'efforts. Quand on a une vie active bien remplie, il est pratique de connaître quelques astuces pour gagner du temps :

✔ Faites vos mélanges de farines à l'avance, doublez même les proportions et stockez-les dans des pots hermétiques, dans un endroit frais, sec et sombre. N'oubliez pas de les étiqueter (mélange à pain SG, mélange à pâtisserie SG) et d'ajouter la levure uniquement quand vous réalisez une recette. La levure fraîche a une couleur brun ambré. Conservez-la, elle aussi, bien au sec.

✔ Si vous avez une famille recomposée (ou non), dont certains des membres suivent un régime sans gluten et d'autres non, cuisinez un maximum de plats exempts de gluten, cela vous facilitera la vie et vous fera gagner du temps. Ainsi, ceux qui mangent sans gluten ne se sentiront pas exclus.

✔ Gardez les restes de vos plats « ratés » : le pain n'a pas levé ? Le gâteau est en miettes ? Gardez-les et utilisez-les pour faire vos farces ou de la chapelure.

Faites du pain sans gluten

Ceux qui ont tenté l'exploit, il y a quelques années, de goûter du pain sans gluten, savent que le mot *pain* est un euphémisme pour cette brique de ciment à peine comestible que l'on trouvait alors en magasin. Mais n'ayez crainte. De nos jours, faire du pain sans gluten, *du bon pain*, est très simple et le résultat vous étonnera.

Même si certains pains sans gluten ont un goût excellent, il est différent des pains à la farine de blé. Pourquoi êtes-vous surpris ? C'est comme faire une tarte aux pommes en remplaçant les pommes par des cerises. Elle n'aura pas le même goût. Le pain sans gluten n'a pas le même goût que le pain à la farine de blé parce qu'il ne contient pas de blé !

Les pains sans gluten ont un aspect un peu différent des pains traditionnels. Même si de grands progrès ont été réalisés pour rendre leur mie plus légère et aérée, ils restent encore un peu denses et meilleurs si vous les faites cuire dans de petits moules. Ils ne gonflent pas autant que les pains avec gluten et peuvent être un peu plats ou même concaves.

Le pain sans gluten doit généralement être toasté. Cela lui donne une meilleure consistance et le rend moins friable. Il est ainsi parfait pour les croque-monsieur et les sandwichs toastés.

Voici quelques conseils pour la panification :

- Tous les ingrédients utilisés, sauf l'eau, doivent être à température ambiante.

- L'eau que vous mélangez à la levure doit être tiède. Si elle est trop chaude, vous tuez les bactéries de la levure. Si elle est trop froide, vous ne les activez pas. Il vous faut dissoudre la levure dans l'eau avant de l'ajouter au reste des ingrédients.

- L'ajout d'un supplément de protéines (œufs, substituts d'œufs, lait en poudre, ricotta, fromage blanc) est important pour accélérer le travail de la levure.

- Le vinaigre de cidre est un bon ingrédient pour activer la levure et faire émerger la saveur du pain. Certaines recettes contiennent du jus de citron ou un exhausteur de goût. Ils peuvent tous deux également servir d'agents de conservation.

- Privilégiez des petits moules à pain.

- La cuisson du pain sans gluten est un peu plus longue que celle du pain traditionnel. Couvrez votre pain avec du papier d'aluminium sur les 15 dernières minutes de cuisson.

- Attendez que le pain ait refroidi avant de le trancher.

Si je dois choisir entre faire quelque chose à la main ou utiliser une machine pour le faire à ma place, j'ai tendance à choisir la deuxième option. Si, comme moi, vous aimez utiliser une machine à pain pour confectionner vos pains sans gluten, gardez en mémoire les points suivants :

- Le pain sans gluten n'a besoin que d'un seul pétrissage et d'un seul temps de repos.

- Essayez de ne pas utiliser votre machine à pain pour faire du pain avec et sans gluten. Nettoyer tous les résidus de gluten sur le batteur, le bol et la machine est presque impossible.

- Si vous ne possédez pas encore de machine à pain, choisissez-en une qui propose un programme « spécial pain sans gluten ».

- Si votre pain semble détrempé, sortez-le de la machine quelques minutes après la cuisson, avant que la machine ne commence son cycle « maintien au chaud ».

- Gardez vos ingrédients secs séparés des ingrédients humides et ajoutez-les dans l'ordre indiqué par le fabricant de votre machine à pain. Fouettez les ingrédients humides ensemble avant de les mélanger aux ingrédients secs.

✔ Quelques minutes après que la machine a démarré, vous pouvez utiliser une spatule en caoutchouc pour racler la pâte sur les côtés du bol et bien homogénéiser la pâte.

Si vous êtes un bourreau de travail et souhaitez malaxer votre pâte vous-même :

✔ Si vous utilisez une recette qui nécessite une machine à pain, doublez la quantité de levure et ajoutez un peu plus de liquide (environ 2 cuillerées à soupe).

✔ Si vous suivez une recette qui nécessite une machine à pain et qu'il y est précisé de mettre 1 cuillerée à café de gélatine, ne l'ajoutez pas.

Troisième partie

Des recettes sans gluten pour tous les gastronomes

Je n'ai pas vraiment l'intention d'acheter ce produit.
Je m'en sers juste pour leur cacher les fruits et légumes
jusqu'à la caisse.

Dans cette partie...

*J*e vous propose ici une centaine de délicieuses recettes sans gluten simples à réaliser. Je ne suis pas un grand chef ni auteur de livres culinaires, mais toutes les recettes données ici ont été testées et approuvées.

Vous allez découvrir des trucs et astuces pour adapter des plats traditionnels en version sans gluten : les miennes et celles de talentueuses blogueuses culinaires.

Non seulement vous apprendrez à adapter des recettes, mais vous découvrirez également que de nombreux plats sont naturellement sans gluten.

Simples ou sophistiquées, ces recettes restent toutes faciles à préparer et à la portée de toutes les bourses.

Chapitre 11

Le petit déjeuner

*Q*uand on pense au petit déjeuner, on imagine des croissants, des tartines grillées ou du müesli. Mais sommes-nous toujours autorisés à en manger quand on vit « sans gluten » ? La réponse est : oui ! Certains aliments qui, au premier abord, vous semblent interdits ont leurs équivalents « sans gluten ».

Mais, au lieu de simplement substituer votre petit déjeuner habituel par une version « sans gluten », pourquoi ne pas en profiter pour tester de nouvelles recettes et renforcer votre santé ? Osez, par exemple, les smoothies. Ils sont délicieux, pratiques et nutritifs. Ce chapitre vous donnera des idées pour commencer la journée du bon pied.

Bien démarrer la journée

Le petit déjeuner est le repas le plus important de la journée. Ne le négligez pas, même si vous manquez de temps le matin. Non seulement il joue un rôle important dans la gestion de votre poids en renforçant votre métabolisme dès le réveil mais il vous rend aussi plus performant (c'est prouvé !) à l'école ou au travail. Démarrer la matinée avec un petit déjeuner sans gluten équilibré aura un impact positif sur l'ensemble de votre journée.

Le petit déjeuner est le premier repas que vous prenez après un jeûne nocturne de plusieurs heures. Votre corps est littéralement affamé. Il a besoin de nutriments et d'énergie pour la journée. Pourtant, nombreux sont ceux qui n'ont pas faim le matin (ou le pensent) et passent directement de leur lit à leur bureau en sautant ce repas.

Petit déj' à emporter

Vous avez peu de temps le matin ? Emportez votre petit déjeuner avec vous ! Il existe de nombreuses options de petits déjeuners sans gluten à glisser dans votre sac. Il suffit de vous approvisionner en aliments sains, faciles à emporter et à déguster. Voici quelques suggestions :

- Du fromage blanc (avec ou sans fruits)
- Des fruits frais ou secs
- Des craquelins sans gluten avec une tranche de fromage
- Des œufs durs
- Du müesli fait maison ou des barres de céréales sans gluten
- Les restes d'une quiche sans gluten
- Un yaourt allégé (ou au soja)

Le « mélange montagnard », à base de noix et de fruits secs, pratique à emporter, peut être grignoté à volonté. Les mélanges montagnards sont savoureux, nutritifs et rassasiants. On en trouve facilement en magasin, mais faites attention car certains fruits secs sont enrobés de produits ou farines contenant du gluten. Assurez-vous donc que le mélange est bien sans gluten. Le plus simple est de préparer votre propre mélange. Il peut contenir au choix :

- Noix (cacahuètes, amandes, noisettes, noix de cajou…)
- Fruits secs (raisins, abricots, bananes, baies, figues…)
- Morceaux de noix de coco
- Pépites de chocolat (pour les gourmands)
- Brisures de caroube
- Graines (lin, courge, tournesol, chia, sésame…)

Si vous êtes pressé le matin, préparez un petit déjeuner à emporter, la veille au soir : un mélange montagnard, un yaourt, une pomme, une bouteille d'eau. Et n'oubliez pas la petite cuillère pour le yaourt !

Müesli croquant sans gluten

Star du petit déjeuner, le müesli est délicieux et nutritif. La bonne nouvelle, c'est qu'il existe en version sans gluten ! Même s'il est assez facile d'en trouver en magasin bio, le préparer soi-même est un jeu d'enfant ! Pour composer votre müesli maison, il vous suffit de choisir vos ingrédients favoris ou ceux que vous avez à disposition dans votre placard.

Vous pouvez facilement remplacer le sirop d'érable par du sirop d'agave, du miel, du sucre ou du jus de fruits. Pour les oléagineux, n'hésitez pas à varier les plaisirs (noix de macadamia, pistaches, noix du Brésil, cacahuètes, graines de tournesol, de courge…). Même chose pour les fruits séchés (abricots, bananes, ananas, noix de coco, raisins…).

Pour 6 personnes

Préparation : *10 min*

Cuisson : *15 à 20 min*

200 g de flocons de riz (ou de soja ou d'avoine sans gluten)

200 g de maïs soufflé

100 g de quinoa soufflé

50 g de noix de coco (râpée ou en lamelles)

150 g d'oléagineux (noisettes, amandes, noix de pécan, cacahuètes…)

20 g de sucre de canne complet (ou 4 cuil. à soupe de sirop d'érable, de miel ou de sirop d'agave)

4 cuil. à soupe d'huile végétale (noisettes, sésame, coco, arachide, pépins de raisin…)

200 g de fruits secs (raisins, canneberges, bananes, figues…)

Pour les gourmands : 50 g de pépites de chocolat noir (à 70 % de cacao minimum)

Pour des apports supplémentaires en fibres : graines de lin moulues ou de chia par exemple ou bien 2 cuil. à soupe d'enveloppes de psyllium.

1. Préchauffez le four à 180 °C (th. 6).

2. Dans un saladier, mélangez les oléagineux (entiers ou en petits morceaux) avec les céréales et la noix de coco.

3. Dans une petite casserole, faites chauffer, à feu doux, l'huile végétale et le sirop d'érable, en mélangeant le tout régulièrement.

4. Versez cette préparation tiède sur le mélange céréales/oléagineux.

5. Déposez le tout sur une plaque recouverte de papier de cuisson et enfournez pour 15 à 20 minutes, en remuant régulièrement.

6. Coupez les fruits secs en petits morceaux. Ajoutez-les au mélange céréales/oléagineux. Intégrez (pour les gourmands) les pépites de chocolat afin qu'elles fondent légèrement dans le müesli tiède.

 7. Laissez refroidir à température ambiante avant de servir.

Pour prolonger la fraîcheur de votre müesli, conservez-le dans une boîte hermétique.

Par portion : 584 calories ; lipides = 25 g ; glucides = 72 g ; protéines = 10 g.

Les bienfaits du psyllium

Les enveloppes de psyllium sont issues de la partie extérieure d'une plante que l'on appelle le « plantain des Indes » ou encore « ispaghul ». Elles sont réputées pour avoir de nombreuses propriétés, notamment celle de réduire le taux de cholestérol et la réponse glycémique. Un peu de psyllium ajouté à votre müesli du matin contribue à augmenter votre apport en fibres et est un bon régulateur de la fonction intestinale (constipation, diarrhée). Le psyllium est également utilisé pour faire du pain sans gluten car il apporte du gonflant à la pâte. On peut le trouver facilement en magasin bio ou en pharmacie.

Donnez de l'énergie à votre journée avec des protéines

Les protéines donnent un vrai coup de pouce nutritionnel à votre journée. Elles aident à réguler votre taux de glycémie et vous fournissent de l'énergie qui va se libérer tout au long de votre journée. Alors, pour être en forme, pensez aux protéines !

 Les protéines représentent non seulement des sources d'énergie durable pour votre journée mais elles contribuent également à la perte de poids. Elles stimulent la sécrétion de *glucagon*, une hormone hyperglycémiante qui pousse votre corps à mobiliser les graisses et à les décomposer. Elles ont un

« effet thermique » plus élevé que les autres macromolécules, leur digestion brûle plus de calories et elles diminuent la charge glycémique des aliments (pour plus d'informations, rendez-vous au chapitre 7).

L'essentiel à retenir : les protéines sont bonnes pour vous et vous aident à maintenir ou à perdre du poids.

La plupart des aliments contenant du gluten que l'on trouve au menu des petits déjeuners « traditionnels » (bagels, pancakes, tartines) ne sont pas source de protéines (ou de tout élément nutritif d'ailleurs). En revanche, de nombreux aliments par nature sans gluten, tels que les œufs et la viande, sont très riches en protéines. Que vos protéines proviennent de sources animales ou végétales, peu importe.

L'œuf est, par exemple, une très bonne source de protéines pour le petit déjeuner (voir les recettes ci-dessous), mais vous pouvez intégrer bien d'autres sources de protéines à votre premier repas de la journée :

✔ Jambon ou bacon

✔ Produits laitiers ou végétaux (lait écrémé, lait de brebis, lait de chèvre, lait d'amande, lait de riz, lait de soja, fromage, tofu, yaourt…)

✔ Noix et oléagineux

✔ Des boissons protéinées ou des smoothies (voir les idées de recettes de smoothies ci-dessous)

✔ Blanc de dinde

L'œuf, un incontournable

Les œufs sont extrêmement nourrissants. Ils contiennent des acides aminés essentiels et d'innombrables vitamines et antioxydants. Ils sont pratiques, peu coûteux, faciles à préparer et servent de base à de nombreuses recettes.

Si vous êtes intolérant ou allergique aux œufs, il existe bien d'autres sources de protéines et de vitamines pour votre petit déjeuner : fromage, jambon, viandes, poissons, légumes à feuilles vertes, soja…

Savez-vous reconnaître un œuf frais d'un œuf dur ? Il suffit de le faire tourner sur lui-même. Un œuf dur tourne librement et rapidement, dans un sens unique car il est solide. L'œuf frais, qui n'est pas un monocorps, tourne lentement. Avec cette astuce, plus de gaspillage !

Œufs brouillés aux tomates séchées et jambon fumé

Les œufs sont faciles à cuisiner : à la coque avec des mouillettes sans gluten, en omelette ou durs. Je vous propose ici un classique des petits déjeuners continentaux revisité qui ravira petits et grands.

Pour 2 personnes

Préparation : 5 min

Cuisson : 3 min

4 œufs

4 tomates séchées

1 tranche de jambon fumé

30 g de parmesan ou de pecorino râpé

basilic - sel - poivre

2 cuil. à soupe de crème fraîche (facultatif)

1 cuil. à soupe huile d'olive

1. Faites chauffer l'huile d'olive, à feu moyen, dans une poêle antiadhésive.

2. Pendant ce temps, cassez les œufs dans un saladier, battez-les puis incorporez la crème fraîche.

3. Faites cuire le mélange à feu doux.

4. Dès que les œufs commencent à épaissir, ajoutez les tomates séchées, le jambon coupé en petits dés et le fromage.

5. Remuez jusqu'à obtenir la consistance souhaitée.

6. Assaisonnez à votre goût avec du basilic, du sel et du poivre.

Manger des œufs au petit déjeuner apporte une meilleure satiété. Cela permet ainsi de réduire ses apports caloriques dans la journée. Attention : pour ceux qui surveillent leur cholestérol, veillez à ne pas en manger plus de deux ou trois fois par semaine selon votre pathologie.

Par portion : 400 calories ; lipides = 33 g ; glucides = 2,5 g ; protéines = 25 g.

Pommes de terre paillasson (« hashbrowns »)

Cette spécialité américaine se déguste aussi bien au petit déjeuner qu'au déjeuner. Vous pouvez également réaliser cette recette sans œuf pour un petit déjeuner végétarien.

Pour 2 personnes

Préparation : 20 min

Cuisson : 20 min

3 pommes de terre farineuses (de type bintje)

1/2 oignon

1 œuf (facultatif)

1 cuil. à soupe d'huile végétale (coco, olive)

sel - poivre

1. Pelez et coupez les pommes de terre en julienne. Laissez-les tremper dans de l'eau froide et rincez-les plusieurs fois jusqu'à ce que l'eau soit claire (pour en laver tout l'amidon). Égouttez-les longuement dans un torchon.

2. Coupez l'oignon en julienne.

3. Mélangez les lamelles d'oignon et de pomme de terre et ajoutez l'œuf. Mélangez bien.

4. Versez un peu d'huile dans une poêle et faites une galette avec le mélange.

5. Laissez cuire jusqu'à ce que les pommes de terre soient tendres et un peu grillées (brunies). Salez et poivrez à votre goût.

ASTUCE

Vous pouvez accompagner vos pommes de terre paillasson de protéines ou d'une salade de mâche, par exemple.

Par portion : 335 calories ; lipides = 11,5 g ; glucides = 50 g ; protéines = 9 g.

Les smoothies, une bombe nutritive pour bien démarrer la journée

Boire un smoothie est une excellente idée pour démarrer sa journée. Les smoothies sont des boissons à base de fruits (ou de jus de fruits) et de lait (yaourt ou crème glacée). Doux, onctueux, rafraîchissants, énergisants et nutritifs, ils allient santé et plaisir. Vous pouvez facilement les réaliser selon vos envies et vos goûts avec des fruits et même des légumes.

Si vous avez quelques bananes trop mûres ou quelques fraises trop molles qui traînent dans le réfrigérateur, au lieu de les jeter, utilisez-les pour votre smoothie. Elles l'adouciront et lui donneront une plus grande valeur nutritive.

Pour renforcer votre santé, soyez créatif ! Voici une liste d'idées de compléments que vous pouvez ajouter à vos smoothies pour améliorer leurs qualités nutritionnelles. Vous trouverez la plupart de ces ingrédients en magasin bio.

- **Protéines en poudre :** il en existe des centaines de types sur le marché – faibles en glucides, faibles en calories, riches en glucides… Elles sont généralement faites à base de dérivés de lactosérum, d'œufs, de soja ou de riz. Elles peuvent être aromatisées ou non.
- **Spiruline :** une algue riche en vitamines et minéraux.
- **« Super-aliments » :** leur richesse nutritionnelle est si exceptionnelle qu'on les appelle « super-aliments ». Ils contiennent des vitamines, des minéraux, des antioxydants, des acides aminés, des acides gras, des fibres et bien d'autres nutriments. Issus de plantes, d'algues ou de fruits, on les trouve sous forme de poudres dans les magasins spécialisés.
- **Graines de lin :** le lin est riche en protéines mais surtout en acides gras essentiels et en fibres. (Notez que le lin est un puissant laxatif alors faites attention !)
- **Oméga-3, 6 et 9, des acides gras essentiels :** bien que ceux-ci offrent les mêmes acides gras que le lin, certaines personnes préfèrent les huiles aux grains pour faire des smoothies.

La meilleure façon de renforcer la valeur nutritive et les bienfaits de vos smoothies reste encore d'utiliser des fruits et légumes frais.

Smoothie vitaminé

Voici la recette originale du smoothie. Elle allie la douceur des bananes et du miel avec l'acidité légère du yaourt à la fraise. Vous pouvez, à partir de cette base, selon vos envies, y ajouter d'autres ingrédients pour créer votre propre recette.

Pour 3 verres

Préparation : *4 min*

12 cl de lait (ou lait végétal)

240 g de yaourt à la fraise

2 bananes

1 cuil. à café de miel

quelques glaçons

1. Placez tous les ingrédients dans le mixeur.

2. Mixez jusqu'à obtenir la consistance souhaitée.

Rappelez-vous que vous pouvez réaliser vos smoothies avec de nombreux fruits (et légumes). Le seul fruit qui ne se prête pas très bien à cette recette est le citron.

Par verre : 203 calories ; lipides = 2 g ; glucides = 29 g ; protéines = 4 g.

Des idées pour accompagner un bon café chaud

Mmmmm !!! Quoi de meilleur que de se réveiller avec l'odeur du café chaud et d'une brioche fraîchement sortie du four ? Vous pensez que tout cela est fini avec le régime sans gluten ? Eh bien non, les amis !

De nombreuses recettes de viennoiseries et de boulangerie nécessitent l'utilisation de farine sans gluten. Vous pouvez soit acheter un mélange prêt à l'emploi (que l'on peut trouver désormais même en supermarché), soit créer votre propre mélange. Je vous propose des idées de mélanges de farines au chapitre 10.

Brioche

Pour accompagner votre café, pourquoi ne pas vous laisser tenter par un morceau de brioche ? La brioche est une viennoiserie à pâte levée et aérée contenant du beurre et des œufs. La bonne nouvelle, c'est qu'elle existe en version sans gluten ! Le seul défaut de la brioche sans gluten est que sa durée de conservation est courte. Dégustez-la sans tarder, à la sortie du four, le jour même ou le lendemain au plus tard. Au-delà, elle durcit, mais vous pourrez alors l'utiliser pour faire du pain perdu !

Pour 6 personnes

Préparation : *10 min*

Repos : *40 min*

Cuisson : *30 min*

2 œufs + 1 jaune pour dorer

250 g de mix de farines à pain sans gluten

1,5 sachet de levure de boulanger

15 cl de lait

90 g de beurre

50 g de sucre en poudre

1 pincée de sel

le jus de 1/2 citron

1. Préchauffez le four à 180 °C (th. 6).

2. Séparez les blancs des jaunes d'œufs. Délayez le mélange de farine et de levure dans le lait tiède.

3. Ajoutez les jaunes d'œufs, le beurre fondu et le sucre. Mélangez bien pour obtenir une pâte lisse.

4. Battez les blancs en neige avec la pincée de sel.

5. Incorporez les blancs en neige dans la pâte, ajoutez le jus de citron et versez le tout dans un moule beurré.

6. Laissez lever la pâte à température ambiante à l'abri de l'humidité et des courants d'air pendant environ 40 minutes.

7. Badigeonnez la pâte avec un jaune d'œuf avant de l'enfourner pour 30 minutes. Vous pouvez ajouter du sucre perlé pour décorer votre brioche.

Par portion : 337 calories ; lipides = 15 g ; glucides = 42 g ; protéines = 6,5 g.

Pain perdu

Il vous reste de la brioche ou du pain de mie sans gluten ? Ne les jetez pas. Testez la recette du pain perdu. C'est un plat à base de pain/brioche trempé(e) dans un mélange de lait (ou lait végétal bien sûr) et d'œuf, puis cuit à la poêle ou au four. Vous pouvez accompagner votre pain perdu de sucre et le déguster aussi bien au petit déjeuner qu'au goûter ou en dessert.

Pancakes

Un pancake est une sorte de crêpe épaisse servie habituellement en Amérique du Nord. L'épaisseur de la pâte vient du fait qu'on utilise un agent levant, comme le bicarbonate de sodium ou la levure de boulanger, pour la préparer. Les pancakes se dégustent traditionnellement avec du sirop d'érable mais vous pouvez aussi les napper de confiture, de miel, ou les réaliser en version salée avec des œufs et du bacon.

Je vous propose ici la recette gourmande de Solène, du blog *Sunny Délices* www.sunny-delicess.fr.

Pour 12 pancakes environ

Préparation : *30 min*

Repos : *30 min*

Cuisson : *20 min*

40 cl de lait (ou de lait d'amande par exemple)

3 œufs

20 g de sucre roux

1 pincée de sel

225 g de mix à pâtisserie sans gluten

20 g de levure chimique sans gluten ou 1 cuil. à café de bicarbonate

Pour parfumer la pâte : 70 g de sirop d'érable (facultatif)

1. Faites chauffer le lait dans une casserole.

2. Dans un saladier, blanchissez les œufs avec le sucre roux et la pincée de sel.

3. Dans un autre saladier, mélangez la farine et la levure puis versez peu à peu le mélange œufs-sucre.

4. Battez bien avec un fouet pour éviter les grumeaux.

5. Ajoutez le sirop d'érable pour parfumer la pâte et laissez reposer environ 30 minutes avant de faire cuire vos pancakes à la poêle.

Pour réussir ses pancakes, la température de la poêle est importante. La pâte doit commencer à cuire dès qu'elle touche la poêle mais ne doit pas grésiller. Attendez que de petites bulles apparaissent puis éclatent avant de retourner votre pancake.

Pour impressionner vos invités, vous pouvez agrémenter vos pancakes de nappages créatifs et empiler les pancakes à volonté. Voici quelques idées (même si elles ne sont pas très « light ») :

- **Sauce chocolat et bananes caramélisées :** faites fondre du chocolat noir dans un peu d'eau et rôtissez 1 ou 2 bananes dans un peu de beurre ou de margarine végétale.

- **Coulis de fraises ou framboises :** mixez les fruits avec du sucre et de l'eau, de la ricotta ou du fromage blanc. Ajoutez quelques fruits frais sur les pancakes, en décoration.

- **Nappages prêts à l'emploi :** sucre d'érable, miel, confitures, compote ou crème fouettée.

Par portion : 113 calories ; lipides = 2,5 g ; glucides = 18,1 g ; protéines = 4,5 g.

Muffins aux myrtilles

Originaires des pays anglo-saxons, ces petits gâteaux individuels ressemblent à nos madeleines. À partir de la préparation de base, vous pouvez laisser libre court à votre créativité pour les parfumer selon vos envies.

Pour 8 à 10 muffins de taille moyenne

Préparation : 10 min

Cuisson : 20 min

300 g de mix à pâtisserie sans gluten

1 sachet de levure chimique sans gluten

150 g de sucre

125 g de poudre d'amandes

1 sachet de sucre vanillé

1 pincée de sel

50 g de beurre fondu

5 cl d'huile végétale (tournesol…)

25 cl de lait

2 œufs

150 g de myrtilles

1. Préchauffez le four à 180 °C (th. 6).

2. Dans un saladier, mélangez la farine, la levure, le sucre, la poudre d'amandes, le sucre vanillé et le sel. Dans un deuxième saladier, mélangez le beurre fondu, l'huile, le lait et les œufs.

3. Mélangez les deux préparations ensemble (ce n'est pas grave s'il reste des grumeaux). Ajoutez les myrtilles et versez la préparation aux trois quarts des moules à muffins.

4. Enfournez pour 20 minutes environ. Vous pouvez vérifier la cuisson des muffins en insérant la pointe d'un couteau dans le gâteau. Si elle ressort sèche, vos muffins sont prêts.

Vous pouvez facilement remplacer les myrtilles par des bananes, des cerises, des fraises, des framboises, voire des pépites de chocolat.

Par portion : 192 calories ; lipides = 6 g ; glucides = 31 g ; protéines = 4 g.

Chapitre 12

Les apéritifs

Dans ce chapitre :

▶ Créer des amuse-bouches

▶ Craquer pour les dips

▶ Découvrir les roulés (wraps)

Chaque repas convivial en famille ou entre amis et toute soirée mondaine commence traditionnellement par un apéritif.

Les amuse-bouches, par définition, aiguisent l'appétit et l'imagination. Mais ils sont bien souvent des gouffres à gluten. Ils sont, pour la plupart, composés de farine, chapelure et d'une multitude d'ingrédients contenant du gluten. Et là, c'est la panique : « Que vais-je pouvoir servir à mes invités qui soit bon et sans gluten ? »

Si vous êtes angoissé à l'idée d'organiser un apéro, n'ayez crainte : les amuse-bouches sans gluten sont là pour vous aider ! Ils sont tellement savoureux que vos convives pourraient bien ne plus avoir assez faim pour le plat principal !

Concoctez d'alléchants amuse-bouches

Qu'y a-t-il de mal à manger avec les doigts tant que vous avez de quoi vous essuyer les mains ? Les gens adorent ça ! Dans cette partie, je vous propose quelques-unes de mes recettes préférées pour un apéritif réussi.

Chips de légumes et tuiles de parmesan

Vous pouvez facilement en trouver au supermarché, mais les chips faites maison sont bien meilleures et plus diététiques.

Pour 4 personnes

Préparation : 20 min

Cuisson : 30 min

1 carotte

1 betterave

1 patate douce

1 courgette

1 cuil. à soupe de gros sel ou de fleur de sel

3 cuil. à soupe d'huile d'olive

100 g de parmesan râpé

1. Préchauffez le four à 210 °C (th. 7) et préparez une plaque avec du papier de cuisson préalablement huilé.

2. Pelez et tranchez finement (avec une mandoline, si possible) vos légumes.

3. Placez vos légumes, saupoudrés de sel, sur la plaque.

4. Enfournez pour 30 minutes environ jusqu'à ce que les légumes soient croustillants, en les retournant de temps en temps.

5. Pendant ce temps, préparez une nouvelle plaque avec une feuille de papier de cuisson. Déposez dessus des petits tas de parmesan râpé et aplatissez-les avec le dos d'une cuillère pour former des tuiles.

6. Quand les légumes sont prêts, enfournez les tuiles de parmesan jusqu'à ce qu'elles soient légèrement colorées (entre 3 et 5 minutes).

7. Laissez refroidir les chips et les tuiles avant de servir.

Variante : vous pouvez utiliser d'autres légumes, comme le topinambour, la pomme de terre à chair bleue (vitelotte) ou le panais.

Par portion : 270 calories ; lipides = 16,5 g ; glucides = 19 g ; protéines = 11,5 g.

Papadums

Faites voyager vos convives aux confins de l'Inde en leur proposant ces galettes croquantes aux épices fines : les *papadums* (ou *papads*). Elles peuvent être cuites au four ou frites et servir d'apéritif, ou d'aide digestif en fin de repas. Les *papadums* se conservent très bien à l'abri de l'air libre.

Pour 4 personnes

Préparation : *20 min*

Cuisson : *1 h*

1 kg de farine de lentilles

1 cuil. à café de graines de cumin

1/2 cuil. à café de sel

1/2 cuil. à café de poivre noir

huile végétale

1. Préchauffez le four à 100 °C (th. 3).
2. Dans un saladier, mélangez la farine et les épices puis creusez un puits.
3. Ajoutez 25 cl d'eau et mélangez jusqu'à obtenir une pâte bien lisse.
4. Séparez la pâte en boules et aplatissez-les sur une plaque légèrement huilée.
5. Enfournez pour 1 heure.

Variante : vous pouvez également réaliser vos *papadums* avec de la farine de riz, de pommes de terre ou de pois chiches et les faire frire. Variez les épices en utilisant du piment, du piment d'Espelette, de la coriandre ou de la noix de coco.

Par portion : 371 calories ; lipides = 3,2 g ; glucides = 60 g ; protéines = 26 g.

Socca niçoise

Considérée pendant longtemps comme un « plat de pauvre », la socca est une spécialité incontournable de la région niçoise et du pourtour méditerranéen. Elle se déguste à l'apéritif ou se grignote à toute heure de la journée. La socca se cuit traditionnellement au four à bois mais vous pouvez la réaliser également chez vous, au four et au gril. Cette recette est une occasion de découvrir la farine de pois chiches.

Pour 8 personnes

Préparation : *10 min*

Cuisson : *15 min*

250 g de farine de pois chiches

4 à 6 cuil. à soupe d'huile d'olive

sel - poivre

1. Préchauffez le four à son thermostat maximum (th. 8-9).

2. Dans un saladier, délayez au fouet la farine dans 50 cl d'eau froide.

3. Ajoutez 2 cuillerées à soupe d'huile d'olive et 1 cuillerée à café de sel. Mélangez pour éliminer les grumeaux. Tamisez le mélange si besoin. La pâte doit avoir une consistance de pâte à crêpes. Ajoutez de l'eau si nécessaire.

4. Mettez à chauffer une plaque huilée avec le reste de l'huile d'olive pendant 5 minutes.

5. Sur la plaque bien chaude, versez la pâte et étalez-la de façon homogène. Faites cuire environ 2 minutes puis passez votre four en position gril et laissez cuire entre 5 et 7 minutes jusqu'à ce que la socca soit bien dorée.

6. Poivrez généreusement avant de servir (coupez la socca en petits carrés, par exemple).

Par portion : 168 calories ; lipides = 9,5 g ; glucides = 13,75 g ; protéines = 6,75 g.

Cake apéritif au citron confit, olives noires et jambon fumé

Rien de tel que des petits dés de cake salé pour aiguiser l'appétit de vos invités ! Grâce à cette base simple de cake salé sans gluten, vous pouvez laisser libre court à votre imagination et concocter différentes recettes. Ce cake peut servir d'apéritif mais aussi de déjeuner (servi avec une salade verte) et se congèle très bien.

Pour 8 personnes

Préparation : 5 min

Cuisson : 40 min

Pour la base :

3 œufs

5 cl d'huile d'olive

20 cl de lait (ou lait végétal)

120 g de farine de maïs jaune

50 g de fécule de pomme de terre

1 sachet de levure chimique sans gluten

100 g d'emmental râpé

sel - poivre

Pour la garniture :

25 g de citron confit

25 g d'olives noires

30 g de jambon fumé (environ 3 tranches) ou de chorizo

1. Préchauffez le four à 180 °C (th. 6).

2. Dans un saladier, battez les œufs, ajoutez du sel et du poivre. Incorporez l'huile et le lait. Mélangez bien.

3. Ajoutez les farines et la levure. Mélangez pour éviter les grumeaux (mais pas trop). Intégrez l'emmental.

4. Détaillez le citron confit, les olives noires et le jambon fumé en petits dés et mettez-les dans la pâte.

5. Déposez un petit morceau de papier cuisson huilé dans un moule à cake.

6. Versez la pâte dans le moule et enfournez pour 40 minutes environ. Piquez avec un couteau pour vérifier la bonne cuisson.

7. Laissez refroidir. Démoulez encore tiède. Attendez que le cake soit bien froid avant de le couper et de le servir en petits cubes (avec des petites piques).

Variante : vous pouvez utiliser d'autres garnitures. Le poids de cette garniture ne doit pas dépasser 300 g au total. Par exemple : carottes-gingembre, carottes-lardons, aubergines-chèvre.

Si vous utilisez des légumes qui rendent de l'eau à la cuisson (courgettes, tomates), ajoutez un œuf de plus ou réduisez la quantité de lait pour garder la même consistance.

Par portion : 754 calories ; lipides = 52 g ; glucides = 4 g ; protéines = 65 g.

Conseils pour vos fritures

La friture n'est incontestablement pas le mode de cuisson le plus sain mais reste néanmoins une des méthodes de cuisson fréquemment utilisées pour faire des apéritifs. Voici quelques conseils importants pour vous aider à réussir vos fritures :

🖙 **Utilisez de l'huile réservée à vos aliments sans gluten.** Évitez absolument d'utiliser la même huile pour cuire des aliments avec et sans gluten. Changez bien l'huile entre les deux. Les chapelures, par exemple, peuvent contaminer votre huile.

🖙 **Choisissez une huile adaptée.** Certaines huiles, comme l'huile de sésame, de tournesol ou de colza, ne sont pas destinées à être chauffées à des températures élevées. Favorisez les huiles d'olive, de coco, de canola, d'arachide. Choisissez une huile qui correspond à la saveur que vous souhaitez donner à votre aliment. Chaque huile possède un point de fumée (ou température critique). Attention à ne pas la dépasser car l'huile se dégrade, fume et peut devenir toxique. Il est alors préférable de la jeter.

🖙 **Ne surchargez pas le panier de votre friteuse.** Si, comme moi, vous êtes impatient, vous pourriez être tenté de surcharger votre friteuse. Mieux vaut éviter cela, au risque d'entraîner une cuisson inégale de vos aliments et même de les rendre plus gras.

🖙 **Filtrez et nettoyez.** Si l'huile fume ou contient trop de débris, jetez-la et recommencez avec une huile propre. Nettoyez votre friteuse régulièrement.

Réutiliser de l'huile, quand on cuisine sans gluten, est déconseillé, surtout si vous préparez également des aliments contenant du gluten pour le reste de votre famille. L'huile peut facilement être contaminée par les aliments contenant du gluten, sauf si vous prenez le soin de cuire vos aliments sans gluten en premier. Une fois votre friture réalisée, ne videz pas cette huile dans l'évier, c'est mauvais pour l'environnement et cela finira par boucher vos canalisations. Attendez que l'huile refroidisse, versez-la dans une boîte vide ou un bocal hermétique que vous jetterez à la poubelle. Pensez à garder des boîtes vides pour vous débarrasser proprement de vos huiles de cuisson.

Buffalo wings

Direction les USA avec ces *Buffalo chicken wings*, une recette créée dans la ville de Buffalo, dans l'État de New York, en 1964. Les *Buffalo wings* sont traditionnellement frits après avoir mariné dans une sauce épicée. Si vous aimez la cuisine un peu « hot », cette recette est pour vous !

Pour 20 wings environ

Préparation : 5 min

Cuisson : 10 min

24 ailes de poulet

200 g de farine sans gluten

1 cuil. à café de sel

huile de friture

<u>*Pour la sauce :*</u>

1 cuil. à café de sel

12 cl de vinaigre de vin rouge

12 cl de miel

3 cl de mélasse

4,5 cl de ketchup

quelques gouttes de sauce piquante de votre choix (Tabasco®, par exemple)

1. Dans un sac à congélation, mettez la farine et le sel. Secouez le sac pour les mélanger. Ajoutez les ailes de poulet (environ 5 à la fois). Secouez le sac pour bien les enrober du mélange.

2. Faites chauffer l'huile sur feu moyen dans une poêle profonde et faites-y frire les ailes de poulet pendant environ 5 minutes jusqu'à ce qu'elles soient croustillantes à l'extérieur. Cassez une aile pour vous assurer que la viande n'est pas rosée, sinon laissez-les cuire un peu plus. Égouttez les ailes sur du papier absorbant.

3. Préparez la sauce : dans un bol, mélangez le sel, le vinaigre de vin rouge, le miel, la mélasse, le ketchup et la sauce piquante.

4. Trempez les ailes de poulet cuites dans ce mélange pour bien les enrober de sauce.

Pour respecter la recette traditionnelle, servez vos *Buffalo wings* avec des bâtonnets de céleri et une sauce au bleu (mélangez 25 cl de mayonnaise, 25 cl de crème aigre, 250 g de fromage bleu, le jus de 1 citron, 1 gousse d'ail écrasée ou 1 oignon finement haché).

Par portion : 785 calories ; lipides = 27 g ; glucides = 131 g ; protéines = 9 g.

Des dips pour tous les goûts

Il existe une multitude de recettes de dips sans gluten pour tremper des légumes, des frites ou des fritures. Bien que de nombreuses recettes soient naturellement sans gluten, d'autres peuvent être facilement adaptées.

Si vous êtes cœliaque ou hypersensible au gluten et que vos invités mangent des aliments contenant du gluten, évitez la « double trempette » (tremper vos aliments dans les mêmes dips). Une contamination est si vite arrivée ! Vous pouvez également utiliser vos recettes de dips pour farcir des légumes, napper des œufs durs, tartiner des quesadillas, des crêpes ou des tortillas de maïs, et même les utiliser dans vos roulés (voir ci-dessous la partie consacrée aux roulés et wraps).

Guacamole

Le guacamole est un dip originaire du Mexique, à base d'avocat. Il se prépare traditionnellement avec des avocats frais, du jus de citron vert (ou jaune), des tomates, des oignons, de la coriandre, de l'ail et des épices. Pour éviter que le guacamole noircisse à l'air libre, utilisez le jus de citron vert mais laissez aussi le noyau de l'avocat dans la préparation jusqu'au moment de servir votre apéritif. N'hésitez pas à épicer un peu plus votre guacamole en y ajoutant quelques gouttes de votre sauce piquante préférée.

Pour 6 personnes

Préparation : 15 min

2 avocats mûrs

1 tomate moyenne

1/2 oignon rouge

1 cuil. à café de piment jalapeño finement haché (ou de mélange tex-mex sans gluten)

4 cuil. à soupe de jus de citron vert

2 cuil. à café de coriandre hachée

quelques gouttes de sauce piquante (facultatif)

sel - poivre

1. Pelez les avocats, séparez la chair du noyau et coupez-la en dés. Gardez le noyau. Pour apprendre comment piquer un avocat, voir la figure 12-1.

2. Coupez la tomate en petits dés. Pelez et hachez l'oignon rouge.

3. Dans un bol, mélangez la chair d'avocat, la tomate, l'oignon, le piment jalapeño, le jus de citron vert, la coriandre, la sauce piquante, salez et poivrez.

4. Mélangez tous les ingrédients en gardant une consistance un peu grumeleuse. Placez le noyau d'avocat dans le mélange et retirez-le juste avant de servir.

Par portion : 266 calories ; lipides = 11 g ; glucides = 35 g ; protéines = 8 g.

Figure 12-1 : Piquer un avocat.

Sauce à la mangue fraîche

La sauce à la mangue fraîche est l'une des sauces pour dips les plus faciles à réaliser. Vous pouvez l'utiliser en apéritif, pour accompagner des plats principaux (porc, saumon ou poulet grillé) ou faire des tacos.

Pour 6 personnes

Préparation : 20 min

Réfrigération : 1 h

1 mangue mûre

1/2 oignon rouge

1 piment jalapeño

1 grosse tomate

25 g de coriandre fraîche hachée

4 cuil. à soupe de jus de citron vert

sel - poivre

1. Pelez, dénoyautez et coupez la mangue en dés. Pelez et hachez finement l'oignon. Émincez le piment. Détaillez la tomate en petits dés.

2. Dans un bol, mélangez la mangue, l'oignon, le piment, la tomate, la coriandre, le jus de citron vert, du sel et du poivre jusqu'à obtenir une sauce homogène. Attention à ne pas totalement écraser la mangue. Il doit rester des morceaux.

3. Mettez la sauce au frais pendant au moins 1 heure pour que toutes les saveurs se mêlent bien.

Avec son gros noyau central, il est souvent difficile de découper une mangue. Pour apprendre à le faire, reportez-vous à figure 12-2.

Par portion : 192 calories ; lipides = 6 g ; glucides = 31 g ; protéines = 4 g.

Méthode du hérisson

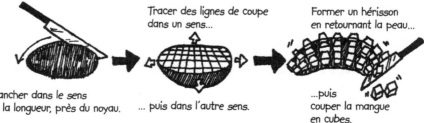

Figure 12-2 : Découper une mangue.

Trancher dans le sens de la longueur, près du noyau.

Tracer des lignes de coupe dans un sens...

... puis dans l'autre sens.

Former un hérisson en retournant la peau...

...puis couper la mangue en cubes.

Tartinades

La différence entre un dip et une tartinade se trouve dans la consistance du produit. Une tartinade doit se servir avec un couteau et sur un support (craquelins, pain sans gluten grillé, tortillas, quesadillas). Un dip est plus crémeux et on peut directement y tremper des aliments.

Une large variété de galettes de riz, de maïs, de craquelins et pains sans gluten est disponible sur le marché pour faire vos tartinades. Voici quelques idées d'ingrédients sans gluten à tartiner :

- **Rillettes et pâtés :** terrines, rillettes faites maison, tapenades d'olives vertes ou noires, tartares de tomates séchées. Autant d'options disponibles sans gluten en magasin et qui peuvent se réaliser facilement à la maison.

- **Camembert rôti au four :** préchauffez le four à 180 °C (th. 6). Enfournez un camembert dans sa boîte en bois (n'oubliez pas de retirer le papier !) pendant une quinzaine de minutes. Vous pouvez accompagner le camembert d'une sauce au miel, par exemple.

- **Rillettes de poisson :** écrasez dans un bol une boîte de thon avec du fromage frais, mélangez et assaisonnez.

- **Houmous :** le houmous, à base de pois chiches, est aromatisé à l'ail et aux épices. Traditionnellement, il contient du *tahini*, une pâte à base de sésame. Vous pouvez trouver du houmous (qui est naturellement sans gluten) en magasin. Vérifiez bien sa composition si vous en achetez.

- **Caviar d'aubergines :** spécialité provençale, le caviar d'aubergines, à servir tiède ou froid, ravira vos amis végétariens. Mixez 2 aubergines cuites à la vapeur avec le jus de 1 demi-citron, 2 gousses d'ail et assaisonnez avec du cumin, du paprika, du sel et du poivre.

Craquez pour les roulés !

Les roulés sont devenus très tendance et offrent, pour ceux qui sont au régime sans gluten, un éventail infini de possibilités, aussi bien en apéritif qu'en plat principal. Utilisez des tortillas de maïs, des crêpes ou galettes de sarrasin, des galettes de riz, de la laitue, voire du jambon ou du saumon fumé pour faire vos roulés et laissez libre court à votre imagination débordante pour concocter de savoureuses garnitures.

Si vous ne savez pas quoi mettre dans vos roulés, je vous donne plus loin dans ce chapitre quelques recettes que vos invités vont adorer, mais voici déjà quelques idées pour commencer :

- **Sandwichs roulés à la salade César :** en réalité, tout type de salade peut être utilisé pour garnir votre roulé. Mais si vous pensez utiliser une feuille de laitue comme base de votre sandwich, c'est un peu comme si vous cherchiez une excuse pour manger votre salade avec vos doigts, non ? Optez alors plutôt pour une tortilla au maïs.

✔ **Fajitas :** typiquement mexicains, les fajitas sont des tortillas fourrées d'un mélange de viandes marinées, d'oignons sautés et de poivrons. N'hésitez pas à faire preuve de créativité dans vos choix de viandes et légumes. Servez les tortillas et les mélanges viandes/légumes séparément et laissez vos convives composer leurs fajitas.

✔ **Roulés de poisson :** utilisez du saumon fumé pour faire vos roulés et garnissez-les, par exemple, avec des épinards et du chèvre frais. Pour une touche « californienne », testez les *fish tacos*, des tortillas de maïs fourrées avec du poisson cuit et une sauce, comme la sauce à la mangue ci-dessus.

✔ **Roulés de restes :** on trouve des restes dans tous les réfrigérateurs de la planète. Et vous pouvez faire des roulés avec ! Allez, un peu d'imagination ! Mixez, mélangez les ingrédients. Et vous allez ainsi vider votre réfrigérateur ! J'ai même essayé avec des restes de foie gras, du fromage frais et des pistaches !

✔ **Roulés de jambon :** utilisez, comme base de vos roulés, du jambon cru, du jambon de Parme, de la viande des Grisons ou de dinde qui peuvent être accommodés avec des fromages crémeux, du pesto, des asperges…

✔ **Quesadillas :** une quesadilla est tout simplement une tortilla de maïs roulée et fourrée au fromage fondu.

✔ **Roulés au sarrasin :** recyclez des galettes de sarrasin et improvisez des roulés au jambon, au fromage et aux légumes.

✔ **Roulés de polenta :** longtemps considérée comme un aliment paysan, la polenta, une semoule de maïs italienne, est devenue très à la mode. Vous pouvez facilement la trouver en épicerie et réaliser des galettes garnies.

Roulés aux courgettes

Voici une recette simple, fraîche, délicieuse et idéale pour l'été ! Elle utilise pour base des lamelles de courgettes. Encore une autre idée, sans gluten, que vous allez adorer !

Pour 4 personnes

Préparation : 15 min

Cuisson : 3 min

2 à 3 courgettes (en fonction de leur taille)

1 fromage de chèvre frais ou 150 g de feta, de cream cheese *light ou de crème de tofu soyeux*

1 cuil. à soupe de ciboulette (ou de thym)

huile d'olive

1 pincée de sel

1 pincée de poivre noir

Facultatif : 1 brin de menthe et quelques olives noires ou noix hachées finement

1. Lavez les courgettes à l'eau froide et tranchez-les en fines mais larges lamelles dans le sens de la longueur (2 à 3 cm de largeur et 1 à 2 mm d'épaisseur).

2. Faites cuire ces lamelles de courgette dans de l'eau bouillante (2 à 3 minutes) puis égouttez-les sans les casser.

3. Mélangez dans un bol le fromage et les épices et condiments choisis avec de l'huile d'olive.

4. Étalez la farce (1 cuil. à café environ) sur chaque lamelle de courgette avant de la rouler sur elle-même, puis plantez un cure-dent en travers pour la maintenir. Servez froid.

Par portion : 132 calories ; lipides = 10,5 g ; glucides = 3 g ; protéines = 6,25 g.

Rouleaux de printemps (riz)

Les galettes de riz sont disponibles dans tous les magasins asiatiques et on en trouve également en magasin bio et au supermarché. Ce sont des feuilles de riz à base de farine de riz et d'eau. Lorsqu'elles sont humidifiées, ces feuilles deviennent flexibles et parfaites pour faire des roulés ou des raviolis. Elles peuvent être difficiles à manier, mais une fois que vous aurez pris le tour de main, vous allez les adorer !

Vous pouvez garnir vos rouleaux de printemps avec à peu près n'importe quoi. Pour une touche asiatique, les farcir avec des crevettes, du porc et des légumes finement émincés. Vos raviolis chinois vous manquent maintenant que vous êtes sans gluten ? Il vous suffit d'utiliser ces feuilles de riz en remplacement de celles à la farine de blé.

Voici quelques trucs et astuces :

1. **Mettez-les à tremper.**

   Pour assouplir vos galettes de riz, mettez-les à tremper, une à la fois, pendant 4 à 5 secondes jusqu'à ce qu'elles ramollissent. Certaines personnes utilisent simplement de l'eau chaude et d'autres pensent que la clé de la réussite d'un bon rouleau de printemps, qui ne se désagrège pas, réside dans l'utilisation de la mixture suivante :

   - 500 ml d'eau chaude
   - 2 cuil. à soupe de sucre
   - 62 ml de vinaigre de cidre

2. **Égouttez les galettes de riz sur une surface plane.**

   Vous pouvez utiliser vos mains pour sortir les galettes de riz de l'eau et les poser sur une planche à découper ou une plaque bien lisse. Ne les empilez pas les unes sur les autres car elles vont coller. Vous pouvez les assécher avec du papier absorbant. Soyez patient. Les galettes de riz peuvent être difficiles à manipuler, mais après quelques tentatives, vous prendrez le pli.

3. **Empilez les ingrédients dans votre galette de riz.**

   Plier et fermer vos rouleaux peut s'avérer compliqué. Pour éviter de les déchirer, ne les remplissez pas trop. Faites des couches de garnitures.

4. **Pliez délicatement. Voir la figure 12-3.**

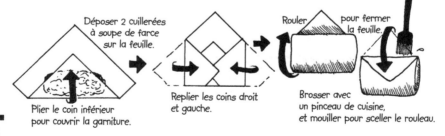

Figure 12-3 :
Rouler et plier des rouleaux de riz

Pour donner un côté plus fun à vos rouleaux, vous pouvez les garnir de quelques brins de ciboulette qui ressortent à chaque extrémité.

Wraps de laitue (ou roulés de laitue)

Les roulés de laitue vous offrent une multitude de possibilités. Vous pouvez les farcir avec tous types de viandes, de poissons, de volailles, de légumes et de fromages.

Voici quelques conseils pour réussir vos roulés de laitue :

- **Choisissez de grandes feuilles bien souples.** Par exemple, de la laitue iceberg, de la romaine, de larges feuilles d'endives ou d'épinards. Laissez tremper la salade dans de l'eau glacée pendant quelques heures. Cela vous aidera à couper les feuilles sans les casser.

- **Séchez bien la laitue avant de la servir.** Laissez égoutter longuement les feuilles de laitue, puis placez-les dans une serviette, au réfrigérateur, pendant quelques heures pour les rendre bien croustillantes.

- **Servez vos salades bien fraîches.** Le contraste entre les feuilles de salade bien fraîches et les garnitures chaudes est délicieux. De plus, les roulés tiendront bien mieux.

- **Variez les couleurs, les textures et les saveurs de vos garnitures.** Testez par exemple des ingrédients comme la moutarde, le yaourt, la sauce aux canneberges ou l'huile de sésame. N'oubliez pas que vous pouvez piocher dans vos restes. Ils peuvent vous inspirer de nouvelles idées.

- **Faites vos garnitures et vos sauces à l'avance.** Les garnitures se servent généralement froides. Si vous les préparez bien en avance, vous pourrez les laisser au frais le temps suffisant avant de les servir.

- **Laissez vos invités composer leurs propres wraps.** Placez les feuilles de laitue dans un plat à côté des garnitures à disposition de vos convives et laissez-les préparer leurs wraps. Les gens adorent ça !

Wraps de laitue au porc

Les possibilités de wraps à la laitue sont infinies. La recette proposée ici, aux saveurs asiatiques, à base de porc haché, est l'une des plus simples à réaliser. Vous pouvez remplacer le porc par du poulet. Servez vos wraps avec une sauce asiatique sans gluten.

Pour 6 personnes

Préparation : 15 min

Cuisson : 2 min

8 à 10 feuilles de laitue

400 g de porc cuit haché

3 cuil. à soupe de vinaigre de riz

2 cuil. à soupe de sauce soja sans gluten

2 cuil. à café d'huile de sésame

25 g de cébettes hachées

25 g de carottes râpées

200 g de vermicelles de riz cuits

sel - poivre

1. Dans un bol en verre, mélangez le porc haché, le vinaigre de riz, la sauce soja, l'huile de sésame, les cébettes, les carottes et les vermicelles de riz. Assaisonnez à votre goût avec du sel et du poivre. Mélangez bien.

2. Couvrez le mélange et faites-le chauffer au four à micro-ondes (puissance maximale) pendant environ 2 minutes jusqu'à ce qu'il soit chaud.

3. Servez la farce de porc sur un plat de service avec une grande cuillère. Sur un plateau séparé, faites une pile de feuilles de laitue. Laissez vos invités réaliser leurs propres wraps.

Par portion : 193 calories ; lipides = 11 g ; glucides = 8 g ; protéines = 13 g.

Boissons et cocktails

Vous prendrez bien un petit apéritif avec tous ces délicieux amuse-bouches, non ? De nombreuses boissons (alcoolisées et non alcoolisées) sont sans gluten. Sodas, jus de fruits, vins, whisky, vodka, gin, rhum… On trouve même de la bière sans gluten (au sarrasin, au quinoa). Excellente nouvelle, non ? Vous allez pouvoir continuer de trinquer avec vos amis et faire la fête !

Mojito cubain

Le mojito, spécialité cubaine, est mon cocktail préféré. Quel soulagement de savoir que je pouvais continuer à en boire, croyez-moi ! Pour faire un mojito, assurez-vous d'avoir de la menthe fraîche sous la main (beaucoup de menthe car vous allez probablement en préparer plusieurs verres !).

Pour 1 verre

Préparation : _5 min_

1 dizaine de feuilles de menthe (en garder quelques-unes pour la décoration)

2 à 3 cuil. à café de sucre de canne en poudre

1/2 citron vert

glace pilée

4 à 6 cl de rhum blanc (cubain de préférence)

1 à 2 gouttes d'angostura

eau gazeuse (de type Perrier®, Badoit®)

1. Dans un verre de taille moyenne, mettez les feuilles de menthe et le sucre puis, avec un pilon (ou une cuillère à café), écrasez délicatement la menthe pour libérer ses arômes.

2. Pressez le citron vert sur la menthe écrasée et le sucre. Coupez le citron en quartiers et déposez les quartiers dans le fond du verre.

3. Ajoutez la quantité de rhum souhaitée et quelques gouttes d'angostura.

4. Ajoutez la glace pilée.

5. Complétez avec de l'eau gazeuse. Mélangez quelques secondes.

6. Décorez avec quelques feuilles de menthe et servez avec une paille.

Par portion : 268 calories ; lipides = 0 g ; glucides = 36 g ; protéines = 2 g.

Chapitre 13

Soupes, salades et accompagnements

Dans ce chapitre :

▶ Des soupes créatives et nutritives

▶ Des idées originales de salades

▶ Des variantes d'accompagnements

*L*es soupes, salades et accompagnements peuvent être tout aussi importants que votre plat principal, voire parfois s'y substituer. Malheureusement, dans le commerce et les restaurants, les soupes sont souvent épaissies avec de la farine, les salades et accompagnements assaisonnés avec des sauces ou des ingrédients contenant du gluten.

Voulez-vous vraiment tirer un trait sur les succulents veloutés, les croûtons croustillants, vos sauces et accompagnements préférés ? Vous sentez-vous coincé entre d'ennuyeuses salades de laitue ou de tomates sans sauce et du riz blanc, des patates et du maïs ? Alors, lisez ce chapitre. Vous y trouverez des idées pour varier vos accompagnements, préparer des sauces maison et créer des salades appétissantes.

Plongez dans le bouillon !

La soupe joue un rôle important dans l'alimentation humaine depuis des milliers d'années. Elle peut être servie chaude, froide, épaisse, légère, crémeuse, en morceaux ou mixée. Vous pouvez en cuisiner à partir de vos restes. Les soupes sont nutritives et réconfortantes.

Les soupes en brique ou en pot que l'on trouve dans le commerce contiennent bien souvent de la farine, des pâtes ou d'autres ingrédients gluténisés. Heureusement qu'il est très facile de faire des soupes maison ! Vous pouvez les agrémenter de nouilles de riz ou de pâtes sans gluten. Les soupes faites maison sont bien plus saines et vous laissent le libre choix de vos ingrédients.

Pour épaissir vos soupes, n'utilisez pas de farine mais optez pour de la pomme de terre. Utilisez 2 à 3 grosses pommes de terre, que vous pouvez cuire avec vos autres légumes, et mixez le tout ensemble. Jouez sur le nombre de pommes de terre pour obtenir la consistance et le velouté souhaités.

Soupe détox céleri-pommes

Nombreux sont ceux qui n'aiment pas le goût amer du céleri, mais dans cette soupe, la pomme l'adoucit. Je vous propose ici ma petite recette détox, que j'aime déguster à l'arrivée de l'hiver. Je l'utilise aussi quand il m'arrive d'ingérer involontairement du gluten car elle m'aide à me sentir mieux.

Pour 6 personnes

Préparation : 10 min

Cuisson : 30 à 40 min

200 g de céleri-branche ou boule (qui est un peu plus amer)

250 g de pommes de terre

1 gros oignon

1 pomme verte (acide)

sel - poivre

1. Faites bouillir une marmite de 1,5 litre d'eau avec du sel et du poivre.

2. Pelez le céleri (s'il n'est pas bio), les pommes de terre et l'oignon.

3. Coupez les légumes en dés et plongez-les dans l'eau bouillante.

4. Laissez cuire environ 30 à 40 minutes (ou 20 minutes dans un autocuiseur).

5. Mixez les légumes avec l'eau de cuisson et la pomme crue coupée en morceaux.

6. Assaisonnez selon votre goût.

Vous pouvez moduler la consistance de votre soupe en jouant sur les volumes d'eau ou la quantité de pommes de terre pour le velouté.

Par portion : 60 calories ; lipides = 0,1 g ; glucides = 13,7 g ; protéines = 1,5 g.

Le bouillon de poule est-il vraiment un bon remède contre le rhume et la grippe ?

Au XIIe siècle, le Dr Moïse Maïmonide fut le premier médecin à recommander une utilisation du bouillon de poulet comme remède contre le rhume et l'asthme. Au cours des dernières décennies, les scientifiques du monde entier ont étudié les propriétés thérapeutiques de ce bouillon. Pour les chercheurs, il semble que la combinaison de différents nutriments de ce bouillon ait un effet protecteur : selon une étude récente publiée dans l'*American Journal of Therapeutics,* la vitamine A, les caroténoïdes, les composés sulfurés de l'oignon et la *carnosine* renforceraient nos défenses immunitaires. Les liquides chauds et la vapeur aident également à décongestionner les muqueuses nasales et le bouillon, contrairement à l'eau chaude simple, empêche le virus de se propager du nez vers les voies respiratoires inférieures, évitant ainsi la surinfection.

Vous pouvez utiliser un bouillon de poulet en cube sans gluten comme base puis y plonger des légumes, mais vous pouvez aussi démarrer de zéro avec des morceaux de poulet ou de poule, des carottes, du céleri, des navets, des pommes de terre, un oignon et des poireaux.

Velouté carottes-coco

Ceux qui disent ne pas aimer la noix de coco pourraient bien changer d'avis avec ce velouté crémeux, gourmand et facile à réaliser !

Pour 6 personnes

Préparation : 10 min

Cuisson : 30 min

600 g de carottes

1 gros oignon

250 g de pommes de terre

20 cl de lait de coco

1,5 litre de bouillon de volaille sans gluten, maison, ou simplement de l'eau bouillante salée

1 cuil. à café de gingembre en poudre (ou frais)

coriandre fraîche (facultatif)

sel - poivre

1. Pelez et coupez les légumes.

2. Faites cuire les légumes dans 1,5 litre d'eau bouillante salée ou de bouillon de volaille sans gluten (ou maison) pendant environ 30 minutes.

3. Mixez les légumes avec du bouillon de cuisson, le lait de coco et le gingembre.

4. Assaisonnez avec la coriandre fraîche ciselée, du sel et du poivre.

Vous pouvez également ajouter du cumin en poudre.

Par portion : 235 calories ; lipides = 2,8 g ; glucides = 30 g ; protéines = 13 g.

Se mettre la rate au court-bouillon

L'origine exacte de cette expression reste floue mais elle semble remonter au début du XXe siècle, quand Hippocrate supposait que la rate était le siège de nos humeurs (notamment la mélancolie). San Antonio l'a également utilisée comme titre de l'un de ses romans.

Cette expression évoque les mauvais traitements que l'on peut infliger à notre corps quand nous nous faisons du souci (tout comme « se faire du mauvais sang » ou « se faire de la bile »).

On la retrouve aussi dans des proverbes d'Afrique du Nord, où elle signifie littéralement : « se détruire les intestins ». Ah tiens, ça nous parle, ça, non ?

Variez vos salades et accompagnements

Tout le monde sait que les salades vertes sans sauce – ou les légumes bouillis ou vapeur – sont sans gluten. Mais on s'en lasse vite, non ? Dans cette partie, je vous livre donc quelques astuces pour accommoder vos salades, les rendre plus gourmandes et en faire un véritable repas-plaisir.

Il existe d'autres types de salades, sans verdure, avec des pâtes, du riz, des pommes de terre et d'autres céréales et légumineuses, qui sont tout aussi délicieuses.

De la verdure, bien sûr !

Les salades de légumes combinent astucieusement les graines, les fruits, les légumes et les viandes dans un seul et même plat. En accompagnement ou en repas complet, les salades sont très nutritives et sont particulièrement appréciées par une belle journée d'été.

La majorité de ces salades ont pour base des légumes verts ou des salades de type laitue. Les mélanges de salades prédécoupées et prélavées en sachet sont très pratiques quand vous avez peu de temps pour cuisiner.

Voici quelques-unes de mes salades favorites :

- **Salade César :** une belle salade romaine avec une sauce César (voir la recette). N'oubliez pas d'ajouter du parmesan râpé.

- **Salade de concombre :** dans un saladier, mélangez ensemble 1 concombre (pelé et finement tranché) avec 1 yaourt nature (ou du fromage blanc), 1 oignon finement haché, le jus de 1 citron et du poivre noir.

- **Salade de chou blanc et carottes (coleslaw) :** râpez 200 g de chou blanc et 200 g de carottes, mélangez à un yaourt nature et à quelques cuillerées à soupe de mayonnaise. Ajoutez un peu de vinaigre blanc, salez et poivrez à votre goût.

- **Salade de lentilles :** mélangez 500 g de lentilles avec 1 cuillerée à soupe de moutarde, de l'huile d'olive et du vinaigre, et accompagnez, par exemple, de lardons, d'échalotes.

- **Tomates-mozzarella sur lit de roquette :** coupez des tomates et une boule de mozzarella (ou de feta) en tranches fines. Assaisonnez d'un peu de vinaigrette de pesto, salez et poivrez. Servez le tout sur un lit de roquette.

- **Endives aux noix :** mélangez 4 endives, 100 g de bleu, 1 pomme verte et 50 g de noix et couvrez de jus de citron ou d'huile de noix avec un peu de moutarde sans gluten.

- **Salade niçoise :** mélangez des crudités (tomates, poivrons, oignons rouges, févettes ou haricots verts, céleri, concombre, cébettes) avec des œufs durs, des anchois, du thon émietté, de l'huile d'olive et des olives noires. Ajoutez un peu de ciboulette, du sel et du poivre.

Un, deux, trois, saucez !

Pour l'instant, il n'existe malheureusement que peu de sauces sans gluten prêtes à l'emploi dans le commerce. Mais je suis sûre que les choses vont changer rapidement ! En attendant, faites des sauces maison en piochant dans les idées suivantes :

Quelques idées de sauces pour vos salades faciles à faire et délicieuses :

- **Vinaigrette :** mélangez 2 cuillerées à soupe de vinaigre de vin pour 1 cuillerée à café de moutarde. Salez et poivrez. Ajoutez 4 cuillerées à soupe d'huile de tournesol (ou olive, colza, noix, noisettes…).

- **Vinaigrette balsamique :** mélangez 1 cuillerée à soupe de vinaigre balsamique pour 2 cuillerées à soupe d'huile d'olive. Salez et poivrez.

- **Sauce au bleu :** émiettez 100 g de bleu et mélangez-le avec 6 cuillerées à soupe de crème fraîche et 2 cuillerées à soupe d'huile. Poivrez. Vous pouvez également ajouter le jus de 1 demi-citron.

- **Sauce au citron :** mélangez le jus de 1 demi-citron avec 5 cuillerées à soupe d'huile d'olive. Salez et poivrez.

- **Vinaigrette au pesto :** mélangez 4 cuillerées à soupe d'huile d'olive, 1 cuillerée à soupe de vinaigre balsamique et 1 cuillerée à soupe de pesto, du sel et du poivre. Pour faire le pesto : mixez 4 gousses d'ail avec 1 bouquet de basilic frais, des pignons de pin, 50 g de parmesan et 12,5 cl d'huile d'olive. Salez et poivrez.

- **Moutarde-miel :** mélangez 4 cuillerées à soupe d'huile d'olive avec 2 cuillerées à soupe de vinaigre balsamique, 2 cuillerées à café de miel et 1 cuillerée à café de moutarde.

- **Mayonnaise :** mélangez 1 jaune d'œuf avec 1 cuillerée à café de moutarde. Ajoutez peu à peu l'huile et battez à la fourchette pour créer une émulsion. Ajoutez un peu de vinaigre pour assaisonner.

- **Tzatziki :** mélangez 250 g de concombre pelé et coupé en petits dés avec 1 gousse d'ail finement hachée, 2 cuillerées à soupe de menthe fraîche hachée, 250 g de yaourt nature bien épais. Salez et poivrez.

Sauce asiatique

La plupart des sauces asiatiques au soja que l'on trouve dans le commerce contiennent du blé. Évitez-les et choisissez une sauce soja garantie sans gluten. Vous pouvez utiliser cette recette de sauce asiatique aussi bien pour assaisonner vos salades que pour faire mariner des viandes ou du tofu.

Pour 8 personnes

Préparation : *5 min*

12 cl de vinaigre de riz

6 cl de sauce soja sans gluten

1 cuil. à café d'huile de sésame

1 cuil. à café de graines de sésame grillées

8 cl d'huile de canola

1. Mélangez, dans un pot à couvercle hermétique, le vinaigre, la sauce soja, l'huile de sésame, les graines de sésame et 2 cuillerées à soupe d'eau. Secouez bien le mélange.

2. Ajoutez l'huile de canola et secouez le pot encore un peu.

Par portion : 94 calories ; lipides = 10 g ; glucides = 0 g ; protéines = 1 g.

Sauce César

Tout le monde aime la salade César, à base de laitue ou de romaine et de poulet croustillant. Il n'est pas simple de trouver une sauce César prête à l'emploi. Je vous propose ici une recette maison facile à réaliser. La sauce Worcestershire de la recette originale américaine, qu'on ne trouve pas sans gluten pour l'instant, est remplacée par de la moutarde et de la sauce piquante.

Pour 8 personnes

Préparation : *5 min*

1 œuf

12 cl de jus de citron

12 cl huile d'olive extra-vierge

2 cuil. à café d'ail haché

1 cuil. à café de moutarde

quelques gouttes de Tabasco®

90 g de parmesan frais râpé

60 g d'anchois

1 cuil. à café de poivre fraîchement moulu

1. Faites cuire l'œuf environ 1 minute 30 dans de l'eau bouillante.

2. Mixez ensemble l'œuf, le jus de citron, l'huile d'olive, l'ail, la moutarde, quelques gouttes de sauce piquante, le parmesan, les anchois et le poivre. La sauce ne doit pas être trop épaisse, sinon ajoutez un peu plus d'huile d'olive ou de jus de citron.

Par portion : 186 calories ; lipides = 17 g ; glucides = 3 g ; protéines = 6 g.

Aïoli

Sauce typiquement méditerranéenne, l'aïoli est une émulsion, tout comme la mayonnaise. Pour la réussir, il faut bien fouetter pour que l'émulsion prenne. Délicieuse avec des viandes, poissons et fruits de mer grillés, elle est aussi parfaite pour des salades de légumes.

Pour 4 personnes

Préparation : *10 min*

Cuisson : *10 min*

2 gousses d'ail

1 cuil. à café de moutarde

1 jaune d'œuf

huile d'olive

sel - poivre

1. Écrasez les gousses d'ail avec un pilon.

2. Ajoutez la moutarde, le jaune d'œuf, du sel et du poivre.

3. Versez petit à petit l'huile d'olive en fouettant jusqu'à obtenir la consistance souhaitée (une belle émulsion).

Par portion : 168 calories ; lipides = 10,6 g ; glucides = 1,3 g ; protéines = 1,75 g.

Avec la salade, n'ayez pas peur des graisses

Tout le monde sait que noyer sa salade avec des sauces pleines de graisses n'est pas bon pour la santé et pour la ligne. On opte alors souvent pour des sauces allégées. Mais une étude publiée par l'*American Journal of Clinical Nutrition* a montré qu'utiliser des sauces allégées peut compromettre la valeur nutritive de vos salades. Les graisses alimentaires sont nécessaires à l'absorption des nutriments contenus dans les fruits et les légumes. Dans cette étude, les personnes qui ont mangé des salades allégées absorbaient beaucoup moins de nutriments et vitamines que les autres.

Rappelez-vous qu'on ne trouve pas uniquement des graisses dans les sauces. Manger juste une poignée de noix ou un morceau d'avocat vous apportera les graisses nécessaires à une meilleure absorption.

Idées de finition

Vous pouvez ajouter de nombreux ingrédients à vos salades pour en rehausser le goût et la valeur nutritionnelle :

- ✔ **Bok choy :** le chou chinois regorge de nutriments.

- ✔ **Brocolis crus :** ils sont chargés de calcium et de nutriments qui aident à lutter contre le cancer.

- ✔ **Champignons :** coupés en lamelles, ils apportent saveur et minéraux.

- ✔ **Chou râpé :** il a des propriétés similaires au brocoli.

- ✔ **Dés de jambon ou de dinde :** moins grasses que les lardons, ces viandes apportent des protéines à votre salade.

- **Fromage râpé :** feta, parmesan, emmental, bleu… Soyez créatif !

- **Fruits et fruits secs :** raisins, ananas, melons, kiwis, oranges, pignons de pin…

- **Graines germées :** pleines de fibres et de nutriments. Vous pouvez même les cultiver facilement à la maison (voir encadré ci-dessous).

- **Haricots et légumineuses :** essayez les haricots verts, rouges, noirs ou les pois chiches. Ils apportent non seulement de la saveur à la salade mais également beaucoup de fibres.

- **Lardons :** oui, c'est vrai, ils apportent un peu de graisse, mais aussi beaucoup de goût.

- **Noix et graines :** tous types d'oléagineux et de graines peuvent être utilisés. Ils rendront vos salades goûteuses et croustillantes. Personnellement, j'adore ajouter des graines de courge et de sésame.

- **Oignons :** les oignons rouges sont particulièrement prisés.

- **Olives :** hachez-les et répartissez-les autour de votre salade. Vous donnerez du goût sans pour autant apporter trop de calories.

- **Radis :** ils sont pleins de potassium et de vitamine C.

- **Tomates cerise :** plusieurs variétés de tomates cerise sont disponibles. On en trouve de différentes couleurs et formes.

- **Verdure :** la laitue peut paraître ennuyeuse. Testez les endives, la romaine, le chou frisé, la roquette, la mâche, les épinards et autres légumes verts pour augmenter la teneur en vitamines, minéraux et fibres de vos salades.

Faites pousser des graines germées

Les graines germées sont d'excellentes sources de protéines, de fibres et de vitamines A, B et C et elles sont chargées d'antioxydants.

Il n'est pas nécessaire d'avoir les pouces verts pour vous lancer dans la culture de graines germées. C'est très simple et vous pouvez même les cultiver en appartement, dans des pots en verre.

Pour cela, il vous faut :

- Un grand bocal en verre
- De la gaze ou un tissu en lin fin
- Un élastique
- 1 cuillerée à soupe de graines à germer (luzerne, radis, haricot mungo, sarrasin sont parfaits pour commencer) que vous trouverez dans les jardineries ou sur Internet.
- De l'eau.

Suivez ces étapes :

1. Mettez 1 cuillerée à soupe de graines dans le bocal en verre, couvrez les graines avec de l'eau, puis recouvrez le bocal avec la gaze entourée de l'élastique.

Laissez les graines tremper toute la nuit.

2. Videz l'eau du bocal à travers la gaze. Posez le bocal sur une étagère, dans un placard ou sous l'évier de la cuisine.

Si vous gardez le bocal dans l'obscurité, les pousses prendront une couleur blanche ; si vous exposez le bocal à la lumière, les pousses auront une couleur verte.

3. Rincez et égouttez les graines, une fois par jour ou plus.

Cette étape est la plus importante. Les graines doivent être humides mais pas trempées. Si vous ne rincez pas assez régulièrement les graines, elles peuvent moisir. Si une mauvaise odeur se dégage de votre bocal, jetez la préparation et recommencez.

En moins d'une semaine, vos graines germées seront prêtes à manger. Pour les récolter, il vous suffit d'utiliser des ciseaux et de couper les pousses comestibles dont vous avez besoin pour faire votre salade, le plus loin possible des racines. Ce qu'il reste continuera de pousser, et vous pourrez l'utiliser plus tard.

Des croûtons ? Mais oui, bien sûr !

Quand vous pensez aux croûtons, vous pensez au pain grillé et donc au gluten ? Eh bien, vous vous trompez ! Réjouissez-vous, car les croûtons, ce n'est pas fini ! Personnellement, les croûtons me servent à donner du croquant à mes salades, de la saveur et un soupçon d'originalité. Et vous ?

Ne vous inquiétez donc pas, avec un peu de créativité, vous pouvez créer toutes sortes de croûtons gourmands. Voici quelques idées :

- ✔ **Chips de pommes de terre :** écrasez-les en petits morceaux et déposez-les sur votre salade.

- ✔ **Croûtons de pommes de terre :** coupez des dés de pommes de terre et arrosez-les d'un peu d'huile avant de les placer au four pour 30 minutes jusqu'à ce qu'ils soient dorés et croustillants.

- ✔ **Croûtons sans gluten maison :** utilisez n'importe quel pain sans gluten, coupez-le en dés et faites-les frire (ou passez-les au gril). Enrobez-les, si vous le souhaitez, de parmesan et de condiments (épices, herbes fraîches).

- ✔ **Légumes et fruits déshydratés :** faites-les mariner dans un mélange de votre choix et déshydratez-les (courgettes, patates douces et même bananes).

- ✔ **Légumes frits :** prenez votre légume favori (par exemple, une patate douce), trempez-le dans de la farine sans gluten. Faites frire et vous aurez ainsi des croûtons végétariens.

- ✔ **Peaux de pommes de terre :** pelez les pommes de terre et gardez les peaux. Faites frire ces peaux puis assaisonnez-les avec du sel et du poivre.

- ✔ **Polenta :** à base de farine de maïs bouillie, les dés de polenta feront de très bons croûtons.

- ✔ **Tortillas (chips) :** émiettez n'importe quel type de chips/tortillas sans gluten en petits morceaux sur votre salade.

Sortez du trio riz-maïs-patates

Certains d'entre vous pensent que trouver des accompagnements, quand on mange sans gluten, c'est facile. C'est vrai, dans une certaine mesure. Le riz, le maïs, les pommes de terre sont de bonnes bases pour ceux qui démarrent un régime sans gluten. Mais il faut veiller à ne pas en abuser car ils ont un indice glycémique élevé. Je vous encourage à varier vos accompagnements avec, par exemple, des céréales plus « exotiques » comme le quinoa ou le millet ou encore les haricots.

Une de mes céréales favorites est le quinoa mais il n'est pas forcément bien toléré par tout le monde. Le quinoa servait de base à l'alimentation des populations d'Amérique du Sud. Certaines variétés contiennent jusqu'à 20 % de protéines. Le quinoa possède un bon équilibre entre tous les acides aminés essentiels à l'alimentation d'un adulte (les besoins d'un enfant sont un peu différents). Il est également riche en fibres, vitamines et minéraux. Je l'utilise, en alternance avec le maïs, pour faire du couscous et des taboulés.

Taboulé de quinoa à la menthe

Croquant, coloré, acidulé et nutritif, ce plat se déguste tiède ou froid. Il peut même servir de plat principal.

Pour 6 personnes

Préparation : *15 min*

100 g de quinoa

80 g de concombre

80 g de tomates

80 g de poivron rouge

25 g de poivron jaune

25 g d'échalotes

25 g de persil haché

25 g de menthe fraîche hachée

sel - poivre

Pour la vinaigrette :

6 cl de jus de citron vert

1/4 de cuil. à café de poivre blanc

1/4 de cuil. à café de poivre noir

1/4 de cuil. à café de piment jalapeño ou d'Espelette

1/4 de cuil. à café de gros sel

6 cl d'huile d'olive

1. Faites une vinaigrette en fouettant ensemble le jus de citron, le poivre blanc, le poivre noir, le piment, le gros sel et l'huile d'olive. Réservez la sauce.

2. Placez le quinoa dans un tamis ou une passoire très fine et lavez-le à l'eau courante, en le frottant avec vos mains, pendant quelques minutes. Videz l'eau.

3. Dans une grande casserole, versez 70 cl d'eau et ajoutez le quinoa. Amenez le mélange à ébullition puis baissez le feu et laissez mijoter à découvert pendant 10 à 15 minutes. Filtrez le quinoa, égouttez-le soigneusement et laissez refroidir. Ne le rincez pas.

4. Pelez et coupez le concombre en petits dés. Épépinez les tomates et détaillez-les également en petits dés, de même que les poivrons. Hachez l'échalote.

5. Mélangez le quinoa avec tous les légumes, les épices et la vinaigrette, salez et poivrez. Servez tiède ou froid.

Par portion : 260 calories ; lipides = 12 g ; glucides = 34 g ; protéines = 7 g.

Légumes farcis

Une idée originale et amusante pour accompagner vos plats ou pour servir de plat principal. Une autre façon d'utiliser le riz et les légumes qui ravira petits et grands.

Pour 4 personnes

Préparation : *15 min*

Cuisson : *40 min*

2 courgettes rondes, petites (ou longues)

2 poivrons corne rouges

4 tomates moyennes

<u>*Pour la farce :*</u>

250 g de chair à saucisse nature (sans gluten)

1/2 bouquet de persil frais

1 verre de riz cuit

1 oignon

1 œuf

sel - poivre - muscade

1. Creusez les courgettes et faites-les cuire à la vapeur 5 à 10 minutes. Gardez les chapeaux pour la présentation. Préchauffez le four à 180 °C (th. 6).

2. Préparez les autres légumes : creusez les tomates et les poivrons. Réservez la chair des tomates dans un plat. Salez les tomates et les courgettes avant de les farcir.

3. Ciselez le persil, hachez l'oignon. Dans un bol, mélangez tous les ingrédients de la farce avec la chair des tomates restante.

4. Farcissez les légumes et enfournez pour 35 à 40 minutes.

Variante : vous pouvez également utiliser des aubergines et varier les couleurs (courgettes jaunes, aubergines blanches, poivrons verts…).

Par portion : 462 calories ; lipides = 24,5 g ; glucides = 45 g ; protéines = 16,5 g.

Variez les toppings

La pomme de terre est une des bases généralement utilisée dans le régime sans gluten. Mais aimez-vous vraiment la manger vapeur, sans rien dessus ? J'en doute ! Il vous faut l'assaisonner. Si vous vous laissez tenter (oui, je considère les pommes de terre comme une gourmandise car elles ont un indice glycémique très élevé, donc il ne faut pas en abuser !), alors autant vous faire plaisir ! Essayez donc ces garnitures :

- Dés de jambon ou bacon
- Sauce soja sans gluten
- Brocolis
- Beurre ou margarine végétale
- Oignons caramélisés
- Piment
- Câpres
- Dés de poulet
- Guacamole ou morceaux d'avocat frais
- Fromage râpé
- Crème fraîche
- Sauce barbecue ou ketchup sans gluten

Salade de patates douces

Contrairement aux pommes de terre dont l'indice glycémique est élevé et qu'il faut consommer avec modération, les patates douces sont à recommander pour leur indice glycémique bas et leurs antioxydants. Essayez cette salade simple et rafraîchissante.

Pour 6 personnes

Préparation : 15 min

Cuisson : 20 min

Réfrigération : 2 h

1 kg de patates douces

3 cuil. à soupe de piment vert haché

50 g de poivron rouge haché

2 cuil. à soupe de coriandre hachée

1 pincée de paprika

8 cl de mayonnaise sans gluten

1. Pelez et découpez les patates douces. Faites-les cuire 20 minutes à la vapeur (jusqu'à ce qu'elles soient tendres).

2. Dans un saladier, mélangez les patates douces, le piment vert, le poivron rouge, la coriandre, le paprika et la mayonnaise.

3. Placez la salade au frais pendant au moins 2 heures et servez bien froid.

Par portion : 216 calories ; lipides = 10 g ; glucides = 30 g ; protéines = 2 g.

Chapitre 14

Plats principaux et sauces

Dans ce chapitre :

▶ Préparer de la volaille

▶ Bien choisir les viandes

▶ Cuisiner de délicieux fruits de mer

▶ Explorer la cuisine végétarienne

Les recettes de ce chapitre

▶ Poulet pané au sésame et gingembre, riz coco

▶ Poulet rôti

▶ Poulet piccata (au citron et câpres)

▶ Steak au bleu et frites de polenta

▶ Effiloché de porc

▶ Crevettes et saint-jacques sauce tequila-citron vert

▶ Noix de Saint-Jacques à l'orange et au whisky

▶ Truite saumonée aux poireaux et carottes croquantes

▶ Lasagnes végétariennes

▶ Penne aux légumes du jardin

▶ Terrine d'épinards au chèvre

▶ Burgers végétariens aux haricots noirs

▶ Sauce Béchamel

▶ Sauce marchand de vin

Faire un dîner à la maison est l'un des grands plaisirs de la vie. Mais, de nos jours, nous sommes tous tellement occupés par notre vie professionnelle qu'avoir du temps pour cuisiner est devenu un luxe. Quand on suit, de plus, un régime sans gluten, il peut sembler encore plus compliqué de trouver des recettes simples et variées pour renouveler ses menus chaque semaine.

Fini, la viande bouillie ou les burgers sans pain, mes amis ! Toutes les recettes peuvent être réalisées sans gluten à partir du moment où vous savez judicieusement substituer les ingrédients (voir le chapitre 10).

Je vous propose ici des recettes simples mais savoureuses, avec peu d'ingrédients, qui vous permettront de varier les plaisirs, sans gluten bien sûr !

De la volaille à fière allure

Les volailles offrent une quantité insoupçonnée de possibilités de recettes et un large éventail de saveurs : en marinade, en sauce ou grillées. Avec ou sans peau ? Viande blanche ou brune ? L'aile ou la cuisse ? Faites votre choix !

Le poulet est une excellente source de protéines ainsi que de niacine, de vitamines B6, B12 et D, de fer et de zinc. Consommé sans peau, le poulet est une des viandes les moins grasses.

Certains oiseaux utilisent, plus que d'autres, leurs pattes et les muscles de leurs ailes. Leurs muscles ont besoin de davantage d'oxygène. La *myoglobine* est une protéine contenant du fer qui transfère l'oxygène du sang vers les muscles et change la couleur de la viande – et vous apporte plus de fer. C'est pour cela que la viande est brune.

Anecdotes de volatiles

Qui est arrivé le premier, l'œuf ou la poule ? Est-ce qu'un poulet continue vraiment de courir quand on lui coupe la tête ? Pourquoi tout a un goût de poulet ? Voici quelques faits et anecdotes autour du poulet :

- Chaque Français consomme en moyenne 24 kg de volaille par an.

- Plus de la moitié de la consommation de poulet en restauration est panée (donc contient du gluten).

- Une poule pond en moyenne 255 œufs par an.

- Manger du poulet avec une fourchette est illégal dans la petite ville de Gainesville (en Géorgie), autoproclamée « capitale mondiale du poulet ».

- Les premiers poulets domestiqués sont apparus en Europe 400 ans av. J.-C. et c'est en 1591 que fut employée pour la première fois en France la mention : « Volailles de Bresse ».

- Le poulet est prêt à manger quand sa température interne atteint les 75 °C. Quand on cuit un poulet, les blancs sont cuits les premiers, à environ 70 °C. Les cuisses mettent plus de temps à cuire. N'oubliez pas que la viande poursuit sa cuisson quelques minutes après sa sortie du four, donc vous pouvez aisément la sortir 3 à 5 degrés avant d'atteindre la température cible.

- Une des méthodes les plus courantes pour savoir si une volaille est cuite est de regarder la couleur du jus qui en sort quand on la pique avec une fourchette. La plupart des gens pensent que : si le jus est clair, c'est prêt ; si le jus est encore rosé, il faut laisser cuire. Toutefois, notez que la viande autour des os peut être rose foncé en raison de la moelle osseuse. Les puristes argumentent que la viande peut rester rosée selon la méthode de cuisson. La température reste donc le seul moyen vraiment fiable pour connaître l'état de cuisson de votre volaille.

Poulet pané au sésame et gingembre, riz coco

Une recette aux saveurs exotiques où la panure est remplacée par des graines de sésame. Pensez à ces petites graines bien pratiques, nutritives et croquantes pour paner vos volailles.

Pour 4 personnes

Préparation : 15 min

Cuisson : 20 min

4 escalopes de poulet

1 blanc d'œuf (facultatif)

gingembre en poudre

graines de sésame

1 oignon

2 verres de riz basmati

20 cl de lait de coco

3 cuil. à soupe de noix de coco râpée

3 cuil. à café d'huile d'olive

sel - poivre

1. Coupez les escalopes en petits morceaux fins pour pouvoir les paner.

2. Dans une assiette, mélangez le blanc d'œuf avec un peu de gingembre en poudre, du sel et du poivre. Dans une autre assiette, disposez des graines de sésame.

3. Panez les tranches d'escalopes, d'abord dans le blanc d'œuf puis dans les graines de sésame.

4. Faites-les dorer dans un peu d'huile d'olive à feu moyen puis égouttez-les sur du papier absorbant. Vous pouvez les accompagner d'une sauce soja sans gluten.

5. Dans une casserole ou un wok, faites revenir l'oignon émincé dans un peu d'huile d'olive puis ajoutez le riz et laissez cuire à feu moyen jusqu'à ce qu'il devienne translucide.

6. Ajoutez le lait de coco. Remuez. Ajoutez de l'eau au fur à et mesure qu'elle est absorbée par le riz, et faites cuire à feu doux, pendant 20 minutes, en remuant régulièrement.

7. Quand le riz est prêt, intégrez la noix de coco râpée.

Variante : vous pouvez supprimer l'œuf de la recette et paner le poulet uniquement aux graines de sésame. Si vous n'aimez pas la noix de coco, accompagnez votre plat de riz au jasmin ou basmati.

Par portion : 632 calories ; lipides = 22 g ; glucides = 55,5 g ; protéines = 39,3 g.

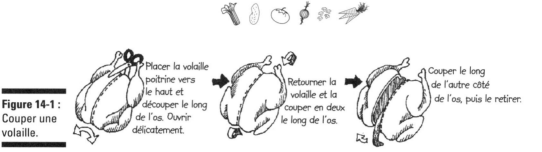

Figure 14-1 : Couper une volaille.

Le gingembre, c'est bon pour la santé

Le gingembre est souvent assimilé à une racine alors que c'est un *rhizome* (voir le dessin ci-contre). Il est utilisé à profusion dans les cuisines indienne et asiatique. Il a une saveur douce et poivrée, quand il est frais. Une fois séché, il prend également une touche épicée et piquante. Le gingembre est un stimulant du système circulatoire et certaines cultures le considèrent comme un aphrodisiaque.

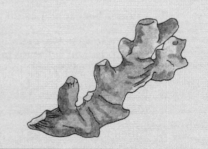

Poulet rôti

Ce plat nous rappelle à tous un repas dominical en famille à la maison ou chez notre grand-mère, n'est-ce pas ? Peu de plats sont aussi faciles, excellents et nutritifs. J'aime accompagner le mien d'herbes fraîches, surtout quand il m'en reste dans le jardin. Les restes de votre poulet (s'il y en a !) peuvent vous servir ensuite à faire une soupe, une salade ou des roulés.

Pour 4 personnes

Préparation : *10 min*

Cuisson : *1 h 15*

1 gros poulet à rôtir

25 g d'oignon

3 gousses d'ail

8 cl de jus de citron

2 cuil. à soupe de romarin frais

4 cuil. à soupe d'huile d'olive

1 cuil. à soupe d'huile de sésame

sel - poivre

1. Préchauffez le four à 200 °C (th. 7).

2. Dans un petit bol, mélangez l'oignon émincé, l'ail haché, le jus de citron, le romarin, du sel, du poivre, l'huile d'olive et l'huile de sésame.

3. Réservez les abats et le cou de poulet pour une autre recette. Rincez l'intérieur du poulet à l'eau fraîche et séchez-le.

4. Mettez la moitié du mélange aux herbes à l'intérieur du poulet. Enduisez l'extérieur du poulet avec le reste. Couvrez bien tout le poulet.

5. Placez le poulet dans un plat à four et faites cuire pendant environ 1 heure 15 jusqu'à ce que le blanc atteigne 75 °C de température interne ou que le jus soit clair quand vous piquez le poulet avec une fourchette.

Réservez le jus de cuisson. Laissez-le refroidir puis grattez la graisse sur le dessus. Versez le jus de cuisson dans un sac de congélation ou un bac à glaçons et congelez-le. Vous pourrez l'utiliser comme bouillon de soupe ou en assaisonnement.

Par portion : 754 calories ; lipides = 52 g ; glucides = 4 g ; protéines = 65 g.

Avec ou sans la peau ?

Les gens pensent que manger du poulet sans la peau est plus sain et moins gras. Ce n'est pas forcément le cas. En termes de nombre de calories, que vous cuisiniez le poulet avec ou sans la peau ne change rien. Conserver la peau aide la viande à retenir l'humidité et intensifie sa saveur. Bien sûr, vous n'avez pas à manger la peau, une fois le poulet cuit. La bonne nouvelle est que la peau de poulet est sans gluten (sauf si elle est badigeonnée d'ingrédients en contenant) et que si vous aimez la manger, vous pouvez en profiter !

Haute ou basse température ?

Bonne question ! Chacun a sa méthode et ses préférences. J'aime les deux. Certains aiment le poulet avec une peau croustillante, d'autres avec une viande plus moelleuse. Tout va donc dépendre de votre mode de cuisson. Pour une peau croustillante, il faut opter pour une haute température – 200 à 250 °C. Après 20 minutes de cuisson, baissez la température du four à environ à 180 °C pour que la viande finisse de cuire. Démarrez la cuisson avec la poitrine vers le bas pour que les cuisses et ailes cuisent bien. Au milieu de la cuisson, retournez votre poulet pour que la peau brunisse. Si vous choisissez une basse température, la peau ne sera pas croustillante mais la viande sera plus moelleuse. Choisissez alors une température inférieure à 100 °C.

Poulet piccata (au citron et câpres)

J'adore le citron, les câpres et le poulet. Cette recette italienne de poulet piccata est vraiment l'une de mes préférées. Facile à faire, elle donne pourtant l'impression d'avoir passé des heures en cuisine. Vous pouvez remplacer la farine de riz par n'importe quel type de farine sans gluten.

Pour 4 personnes

Préparation : 10 min

Cuisson : 10 min

4 escalopes de poulet

35 g de farine de riz (ou fécule de maïs)

2 gousses d'ail

8 cl de bouillon de poulet

6 cl de jus de citron

4 cuil. à soupe de câpres

2 cuil. à soupe de beurre doux

4 cuil. à soupe d'huile d'olive (ou de colza)

sel - poivre

1. Aplatissez les escalopes de poulet le plus finement possible. Si vous ne possédez pas d'attendrisseur à viande, vous pouvez utiliser n'importe quel objet lourd mais maniable, comme une poêle.

2. Faites chauffer de l'huile d'olive dans une poêle (2 cuillerées à soupe environ) sur feu moyen.

3. Trempez les escalopes de poulet dans la farine et assaisonnez-les avec du sel et du poivre.

4. Faites brunir le poulet, environ 3 minutes de chaque côté. Si votre poêle n'est pas assez grande, faites-le en plusieurs fois. Une fois toutes les escalopes prêtes, réservez-les dans un plat à service et couvrez-les de papier d'aluminium.

5. Nettoyez la poêle de toute la farine résiduelle ou utilisez une nouvelle poêle. Faites chauffer le reste de l'huile d'olive, ajoutez l'ail haché, le bouillon de poulet, le jus de citron et les câpres et laissez mijoter à feu moyen jusqu'à ce que le liquide ait réduit de moitié (environ 5 minutes).

6. Inclinez la poêle pour que toute la sauce se retrouve d'un seul côté et ajoutez le beurre. Fouettez jusqu'à ce que la sauce soit lisse, puis versez-la sur les escalopes de poulet. Servez immédiatement.

Par portion : 362 calories ; lipides = 23 g ; glucides = 11 g ; protéines = 28 g.

Mangez de la viande

Oui, vous pouvez manger un bon steak de bœuf. Et du porc, de l'agneau, de l'autruche, du sanglier, voire du kangourou ! La viande peut faire partie d'un régime alimentaire équilibré. La viande rouge contient certes des graisses (dont beaucoup d'acides gras saturés) mais est aussi une excellente source de protéines, de vitamines, de minéraux et ne contient pas de glucides. La viande de bœuf est une excellente source de fer héminique (bien absorbé par l'organisme), de vitamines du groupe B, de zinc et de sélénium. Mangez de la viande avec modération et en portion raisonnable – environ 100-150 g après cuisson.

Achetez du bœuf

Rassurez-vous, vous n'êtes pas les seuls à hésiter régulièrement chez le boucher entre une côte, du rumsteck, un filet, un faux-filet, une entrecôte ou un tournedos. Bien choisir son morceau de viande peut sembler parfois compliqué, même pour les plus avisés d'entre nous. Je vais vous donner ici quelques conseils pour acheter votre viande.

Choisissez votre viande

Quand vous achetez de la viande de bœuf (fraîche ou sous vide), elle doit être d'une belle et brillante couleur rouge. L'étiquetage doit vous indiquer son origine. La viande hachée doit être exclusivement fabriquée avec de la viande (muscle et gras). Le taux de matière grasse indiqué correspond à l'utilisation de morceaux plus ou moins gras naturellement. Vérifiez aussi sur l'étiquette la quantité de protéines proposée. Dans certains morceaux comme l'entrecôte, la graisse forme comme un réseau autour de la viande. Cette graisse va fondre pendant la cuisson et donner du moelleux et du goût à votre viande. Si vous aimez le moelleux, choisissez donc des viandes un peu plus grasses ou bien attendrissez votre viande avec une marinade.

Morceaux de bœuf

La viande de bœuf est vendue sous une multitude de morceaux : steak, rôti, poitrine, viande hachée, entrecôte… (voir la figure 14-2).

L'intérêt nutritionnel d'une viande dépend du morceau choisi.

Le tableau 14-1 vous donne les valeurs nutritionnelles de certains morceaux de bœuf.

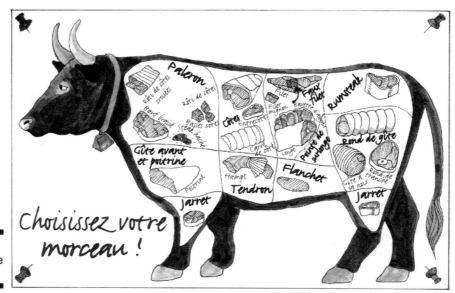

Figure 14-2 :
Morceaux de bœuf.

Tableau 14-1 : Valeur nutritionnelle des morceaux de bœuf (crus)

Morceau (100 g)	Protéines (g)	Lipides (g)	Calories
Bifteck	21,8	3,4	118
Faux-filet	22,3	6,7	150
Paleron	21,2	6,5	144
Bavette	20,4	5,7	133
Entrecôte	20,8	8,7	162
Plat de côte	21,2	7,6	153
Steak haché (5 %)	21,9	4,6	129

Source : Valeurs nutritionnelles des viandes, Centre d'information des viandes.

Steak au bleu et frites de polenta

Une recette simple avec un accompagnement original. Grâce à cette recette, vous apprendrez qu'il n'est pas nécessaire d'utiliser de la farine ou du fond de veau pour préparer une bonne sauce. Attention à bien choisir un fromage bleu sans gluten.

Pour 4 personnes

Préparation : 15 min

Cuisson : 15 min

4 steaks de 100-120 g chacun

50 cl de lait

200 g de polenta

50 g de beurre

150 g de bleu sans gluten

1 verre de vin rouge

2 cuil. à soupe d'huile d'olive

sel - poivre

1. Faites chauffer le lait et 50 cl d'eau dans une casserole. Une fois à ébullition, versez-y la polenta. Retirez du feu et remuez. Puis ajoutez le beurre et la moitié du fromage. Salez et poivrez. Faites cuire l'ensemble encore quelques minutes à feu moyen en mélangeant.

2. Sur une plaque garnie de papier cuisson, constituez des frites de polenta d'environ 2 cm d'épaisseur (à l'aide d'un couteau) et faites-les dorer quelques minutes à l'huile d'olive.

3. Faites cuire les steaks, à feu vif, dans l'huile d'olive quelques minutes, selon votre goût, et réservez-les. Gardez le jus de cuisson dans la poêle et ajoutez-y le vin. Laissez réduire la sauce à feu vif pendant quelques minutes.

4. Nappez les steaks de sauce au vin et garnissez de quelques copeaux de fromage. Servez-les avec les frites de polenta.

Par portion : 688 calories ; lipides = 33,25 g ; glucides = 43,75 g ; protéines = 44,5 g.

Cuisinez la viande de porc

La viande de porc n'est pas aussi grasse qu'elle a pu l'être dans le passé. Les agriculteurs, de nos jours, ont changé leurs méthodes d'élevage et de production pour obtenir une viande plus maigre et plus saine. Si vous retirez toute la graisse sur les bords de la viande, vous aurez une viande qui, en termes de calories, de cholestérol et de graisse, est à peu près similaire au poulet. Pour choisir votre morceau de porc, consultez la figure 14-3. La viande de porc se marie très bien avec des fruits (pommes, poires, pruneaux, figues, etc.) et avec tous les légumes frais ou secs.

Il est important de ne pas trop cuire le porc car il devient facilement dur et sec. Il doit être cuit à environ 70-80 °C.

Laissez reposer la viande 10 à 15 minutes avant de la découper. Cette période de repos permet au jus de bien se redistribuer sur toute la viande. Pendant ce temps, la température de la viande continue d'augmenter de quelques degrés ; vous pouvez alors sortir la viande du four un peu avant la fin de la cuisson.

Voici quelques méthodes pour vérifier la cuisson de votre viande de porc :

✔ **Utilisez un thermomètre.** Placez-le dans la partie la plus épaisse de votre morceau de viande. À environ 100 °C, la viande est prête.

✔ **Piquez la viande.** Piquez avec une fourchette. Le jus doit être clair mais pas rose.

✔ **Coupez la viande.** Quand vous coupez la viande, elle doit être blanche, peu rosée.

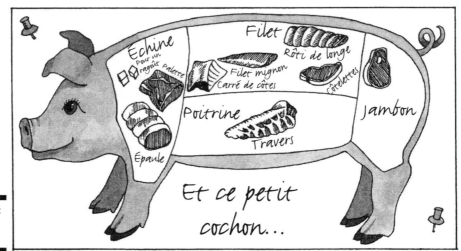

Effiloché de porc

Les recettes d'effiloché de porc contiennent parfois de la farine alors qu'il n'est pas vraiment nécessaire d'en utiliser. Cette recette est particulièrement simple car vous n'avez qu'à mettre tous les ingrédients dans une cocotte et à les laisser mijoter pour obtenir un plat savoureux. Servez votre effiloché de porc avec des pâtes ou des nouilles sans gluten.

Pour 4 personnes

Préparation : 15 min

Cuisson : 4 à 5 h

900 g d'épaule de porc désossée

25 cl de bouillon de poulet

2 gros oignons

quelques gouttes de Tabasco® ou 1 pincée de piment de Cayenne

3 cuil. à café d'ail haché (environ 6 gousses)

2 cuil. à café de coriandre moulue

2 cuil. à café de cumin moulu

2 cuil. à café d'origan séché

sel - poivre

1. Retirez le gras de la viande. Placez ensuite la viande, coupée en morceaux, dans la cocotte, ajoutez le bouillon de poulet, les oignons coupés en quartiers, le piment, l'ail, la coriandre, le cumin, l'origan, salez et poivrez.

2. Couvrez la cocotte et laissez cuire la viande à température assez élevée pendant 4 à 5 heures. Sortez la viande du jus à la fin de la cuisson avec une écumoire.

3. Une fois la viande refroidie, vous pouvez l'effilocher avec une fourchette.

Vous pouvez utiliser l'effiloché de porc dans de nombreuses recettes, assaisonné avec des condiments et des extras (laitue, olives, sauces, dés de tomates, poivrons…) :

- ✔ Burritos
- ✔ Enchiladas
- ✔ Fajitas
- ✔ Nachos
- ✔ Quesadillas
- ✔ Salades
- ✔ Sandwichs
- ✔ Tacos
- ✔ Tostadas (croustilles de maïs)

Par portion : 393 calories ; lipides = 22 g ; glucides = 9 g ; protéines = 39 g.

Si vous surveillez votre consommation de graisses, choisissez le filet mignon. Presque aussi faible en graisses saturées que le blanc de poulet, c'est l'une des viandes les plus maigres.

Marinades

En plus de rehausser la saveur des aliments, les marinades acides les attendrissent. Les enzymes contenus dans les acides cassent les tissus conjonctifs de la viande. Voici quelques conseils pour faire de bonnes marinades :

✔ Réfrigérez la viande pour éviter le développement de bactéries. La température à laquelle vous faites mariner la viande n'a pas d'influence sur le résultat.

✔ Ne faites pas mariner trop longtemps les volailles et les poissons car ils peuvent se transformer en bouillie. 4 heures maximum pour les volailles et 30 minutes pour les poissons et fruits de mer.

✔ L'ananas, les figues, la papaye, le kiwi, la mangue, le vin, les agrumes, le vinaigre, la tomate, le yaourt et le babeurre sont des attendrisseurs de viande naturels.

✔ N'utilisez pas de récipients en aluminium pour faire vos marinades. Uniquement du verre, céramique, acier inoxydable ou plastique. La marinade acide peut produire des réactions chimiques.

✔ Ne réutilisez jamais deux fois une marinade. Après utilisation, jetez-la.

Plongez dans la mer (poissons et crustacés)

Les fruits de mer sont des sources importantes de protéines et de nombreux nutriments. Les poissons et crustacés contiennent, pour la majorité d'entre eux, des quantités importantes de zinc, qui, selon de nombreuses études, est bon pour la concentration et la mémoire.

Même si de nombreuses recettes de poissons et fruits de mer nécessitent de la chapelure ou des pâtes, vous pouvez facilement adapter toutes les recettes et les rendre tout aussi délicieuses.

Les personnes atteintes de dermatite herpétiforme (voir le chapitre 3) ont parfois besoin de supprimer l'iode de leur alimentation, en plus du gluten. L'iode se retrouve souvent dans les crustacés notamment.

Crevettes et saint-jacques sauce tequila-citron vert

Vous pouvez utiliser cette recette pour faire des wraps, mais je vous recommande de servir ce plat accompagné de riz brun ou complet ou de pâtes sans gluten. Un vrai délice !

Pour 4 personnes

Préparation : 10 min

Cuisson : 10 min

500 g de crevettes (moyennes) précuites

250 g de pétoncles (ou noix de Saint-Jacques)

6 cl de jus de citron vert

6 cl de jus de citron jaune

25 g de coriandre fraîche hachée

2 cuil. à soupe d'huile d'olive

6 cl de tequila

4 gousses d'ail

2 cuil. à café de sauce piquante

1/2 cuil. à café de cumin en grains

1/2 cuil. à café d'origan en poudre

1 gros oignon

1 poivron vert

1 poivron rouge

4 quartiers de citron vert (pour la décoration)

1. Rincez les crevettes et les pétoncles (coupez-les en deux si elles sont grosses).

2. Dans un bol, mélangez le jus de citron vert, le jus de citron jaune, la coriandre, 1 cuillerée à soupe d'huile, la tequila, l'ail haché, la sauce piquante, le cumin et l'origan. Ajoutez les crevettes et les pétoncles.

3. Dans une grande poêle, faites cuire, à feu moyen, l'oignon, le poivron vert et le poivron rouge coupés en lamelles avec 1 cuillerée à soupe d'huile d'olive jusqu'à ce qu'ils soient tendres (environ 4 à 5 minutes).

4. Ajoutez le mélange crevettes-pétoncles et portez le tout à ébullition. Faites cuire pendant environ 3 minutes, en remuant, jusqu'à ce que les pétoncles soient cuits.

5. Servez les fruits de mer sur du riz ou des pâtes sans gluten et garnissez le plat de quartiers de citron vert.

Par portion : 397 calories ; lipides = 23 g ; glucides = 12 g ; protéines = 36 g.

Noix de Saint-Jacques à l'orange et au whisky

Cette recette simple ravira vos convives. Vous pouvez remplacer les saint-jacques par du poulet.

Pour 6 personnes

Préparation : 10 min

Réfrigération : 30 min

Cuisson : 5 min

500 g de noix de Saint-Jacques (ou pétoncles)

2 cuil. à soupe de sauce soja sans gluten

2 cuil. à soupe de whisky ou cognac

5 cébettes

1/2 cuil. à café de piment rouge (selon vos goûts)

1 cuil. à café de gingembre haché

2,5 cuil. à café de fécule de maïs

3/4 de cuil. à café de sucre roux

12 cl de jus d'orange

50 g de beurre

persil ciselé (facultatif)

sel - poivre

1. Faites mariner les noix de Saint-Jacques dans un mélange de sauce soja, whisky, cébettes hachées finement, piment et gingembre, pendant 30 minutes au réfrigérateur.

2. Mélangez la fécule de maïs, le sucre et le jus d'orange dans un bol et réservez au réfrigérateur également.

3. Faites blondir le beurre dans une poêle, et faites dorer les noix de Saint-Jacques (environ 2 minutes de chaque côté). Réservez-les.

4. Déglacez la poêle avec le mélange de jus d'orange et faites réduire à feu vif pendant 5 minutes environ.

5. Servez les noix de Saint-Jacques nappées de sauce et ajoutez un peu de piment en poudre, du sel, du poivre et un peu de persil ciselé si vous le souhaitez.

Par portion : 191 calories ; lipides = 10 g ; glucides = 7 g ; protéines = 16 g.

Truite saumonée aux poireaux et carottes croquantes

Une recette de poisson, aux arômes citronnés, simple à réaliser. Une excellente combinaison de saveurs, de poisson tendre et de légumes encore croquants.

Pour 4 personnes

Préparation : 10 min

Cuisson : 20 min

4 filets de truite saumonée

6 à 8 carottes

2 échalotes

1 gousse d'ail

4 poireaux

le jus de 1 citron

persil frais haché

50 g de beurre

sel - poivre

1. Pelez et coupez les carottes en rondelles et faites-les cuire dans de l'eau bouillante jusqu'à ce qu'elles soient légèrement croquantes (environ 10 minutes). Égouttez-les et réservez-les.

2. Faites fondre le beurre dans une grande poêle sur feu moyen. Ajoutez les échalotes finement hachées, l'ail haché et les poireaux coupés en rondelles. Remuez régulièrement pendant 5 minutes.

3. Quand les poireaux commencent à devenir tendres, ajoutez les carottes et un peu de jus de citron, du persil, sel et poivre. Laissez cuire quelques minutes. Les légumes doivent être cuits tout en restant un peu croquants. Réservez-les.

4. Déglacez la poêle avec le jus de citron restant et faites brunir les filets de truite quelques minutes. Réservez les filets de truite.

5. Servez immédiatement les filets de truite accompagnés des légumes croquants et d'un peu de riz complet.

Par portion : 305 calories ; lipides = 14,5 g ; glucides = 22,5 g ; protéines = 21,75 g.

Explorez la cuisine végétarienne

Le régime végétarien s'appuie bien souvent sur les pâtes, le pain, le riz, différentes variétés de céréales et des substituts à la viande qui sont la plupart du temps chargés de gluten. Mais de nombreux plats végétariens ou végétaliens sont naturellement sans gluten et vous pouvez facilement adapter les autres. Ils sont tellement bons que même les gros mangeurs de viande vont les adorer !

Lasagnes végétariennes

Ce plat, facile à faire, ravira vos invités qui ne se douteront même pas qu'ils mangent sans gluten. Les lasagnes sont toujours meilleures le lendemain, réchauffées, alors je vous conseille de vous en garder une petite part de côté. Vous pouvez remplacer tous les produits laitiers par des fromages végans pour avoir une recette végétalienne.

Pour 10 personnes

Préparation : 15 min

Cuisson : 1 h 35

1 paquet de 500 g de feuilles de lasagnes sans gluten

120 g de ricotta

120 g de mozzarella

120 g de parmesan

1 boîte de sauce tomate sans gluten

25 g de basilic frais haché

1 cuil. à café d'oignons en poudre

1/4 de cuil. à café de poivre blanc

50 g d'épinards hachés

50 g de courgettes

25 g d'olives noires

25 g de champignons

25 g d'oignons

1 cube de bouillon de légumes sans gluten

beurre pour le moule

sel

1. Préchauffez le four à 180 °C (th. 6).

2. Dans un grand bol, mélangez tous les fromages. Dans un autre bol, mélangez la sauce tomate, le basilic frais, la poudre d'oignon, du sel et le poivre. Réservez les deux mélanges.

3. Faites chauffer une grande poêle sur feu moyen et faites cuire pendant 4 minutes environ les épinards, les courgettes coupées en dés, les olives et les oignons hachés et les champignons tranchés avec le cube de bouillon de légumes émietté.

4. Beurrez un plat à four et préparez vos couches de lasagnes de la façon suivante : mettez un tiers de la sauce dans le fond du plat, puis une couche de feuilles de lasagnes (non cuites), la moitié du mélange de fromages et la moitié du mélange de légumes. Répétez l'opération et terminez avec le dernier tiers de la sauce sur le dessus.

5. Couvrez le tout d'une fine couche de parmesan et de mozzarella.

6. Couvrez les lasagnes de papier d'aluminium et enfournez pour 1 heure. Retirez le papier d'aluminium et laissez cuire encore 30 minutes environ jusqu'à ce que le dessus soit bien doré. Laissez refroidir le plat pendant au moins 15 minutes avant de couper et servir.

Soyez créatif et utilisez d'autres légumes.

Si votre sauce n'est pas assez savoureuse, vous pouvez ajouter 1 cuillerée à café d'ail haché.

Par portion : 313 calories ; lipides = 6 g ; glucides = 51 g ; protéines = 11 g.

Penne aux légumes du jardin

Ce plat végétarien, facile à préparer, vous permettra d'utiliser des légumes frais de votre jardin ou achetés au marché. Si vous ne trouvez pas de penne sans gluten, vous pouvez bien sûr utiliser tout autre forme de pâtes sans gluten, voire des nouilles de riz.

Pour 4 à 5 personnes

Préparation : 30 min

Cuisson : 50 min

500 g de penne sans gluten

50 g d'oignon rouge

80 g de courgette

150 g d'aubergine

2 tomates moyennes

80 g de courge jaune

1 cuil. à soupe d'ail haché

20 g de basilic frais haché

40 g de parmesan frais râpé

2 cuil. à soupe d'huile d'olive

sel - poivre

1. Faites cuire les pâtes *al dente*. Pelez et hachez l'oignon. Taillez la courgette, l'aubergine et les tomates en dés, la courge jaune en lamelles.

2. Faites chauffer l'huile d'olive dans une grande poêle à feu moyen. Faites revenir l'oignon, les dés de courgette, la courge pendant 5 minutes en remuant.

3. Ajoutez l'ail et l'aubergine et continuez de remuer.

4. Lorsque l'aubergine devient tendre, réduisez à feu doux et intégrez les tomates. Continuez de remuer pendant encore 3 à 4 minutes.

5. Égouttez les pâtes. Dans un grand saladier, mélangez les pâtes, les légumes, le basilic et le parmesan.

Par portion : 352 calories ; lipides = 6 g ; glucides = 46 g ; protéines = 6 g.

Terrine d'épinards au chèvre

Un cake aux légumes sans farine où le riz sert de liant. À partir de ce principe, vous pouvez varier les garnitures et réaliser d'excellentes terrines sans farine.

Pour 6 personnes

Préparation : *10 min*

Cuisson : *40 min*

300 g de riz cuit

3 œufs

2 cuil. à soupe de lait (ou lait végétal)

200 g d'épinards en branches cuits

60 g de chèvre

100 g d'emmental

ail - sel - poivre

1. Préchauffez le four à 180 °C (th. 6).

2. Mixez le riz avec les œufs, le lait et les épices. Placez ce mélange dans un saladier.

3. Ajoutez les épinards bien essorés, le chèvre coupé en petits dés et l'emmental râpé.

4. Faites cuire la préparation dans un moule à cake pendant 40 minutes.

Si vous aimez le croquant, ne mixez pas le riz. Si vous êtes plutôt poisson, vous pouvez ajouter du saumon fumé (50 g).

Par portion : 187 calories ; lipides = 10,5 g ; glucides = 10,6 g ; protéines = 12,4 g.

Burgers végétariens aux haricots noirs

Les hamburgers végétariens sans gluten sont difficiles à trouver, alors pourquoi ne pas les faire vous-même ? Cette recette est à base de haricots noirs, mais vous pouvez utiliser d'autres types de haricots et même ajouter des céréales comme le millet ou le sarrasin. Enveloppez ces burgers dans des wraps de laitue et garnissez-les de guacamole et d'une sauce de votre choix.

Pour 8 personnes

Préparation : 10 min

Cuisson : 10 min

850 g de haricots noirs cuits

25 g d'oignon

50 g de poivron rouge

1 cuil. à café de poivre de Cayenne

1 cuil. à café de cumin moulu

1 œuf (ou substitut d'œuf)

100 g de quinoa cuit

2 cuil. à soupe de coriandre hachée

2 cuil. à soupe d'huile d'olive

8 feuilles de laitue

sauce et guacamole (au choix)

1. Dans un mixeur, mettez les haricots rincés et égouttés, l'oignon et le poivron coupés en dés, le poivre de Cayenne, le cumin, l'œuf, le quinoa et la coriandre. Mixez jusqu'à obtenir une consistance qui vous permette de façonner des galettes.

2. Préparez 8 galettes avec le mélange.

3. Faites chauffer 1 cuillerée à soupe d'huile d'olive dans une grande poêle à feu moyen et faites-y frire une première fournée de galettes, 2 minutes de chaque côté. Ajoutez le reste d'huile d'olive pour cuire toutes les galettes.

4. Enroulez chaque galette dans une feuille de laitue et assaisonnez avec de la sauce et du guacamole.

Par portion : 303 calories ; lipides = 5 g ; glucides = 47 g ; protéines = 19 g.

Eh bien, saucez maintenant !

Béchamel, sauce au vin, sauces tartare, forestière, gribiche, moutarde, roquefort… Il existe des centaines de sauces dans la cuisine française. Mais, bien souvent, dans les restaurants et même dans les recettes originales, on utilise, pour épaissir la sauce ou en liant, de la farine ou du fond de veau (qui contient du gluten). Il est pourtant facile de s'en passer et de remplacer, par exemple, la farine par de la fécule de pomme de terre ou de maïs ou d'ajouter une réduction de bouillon à la place du fond de veau. Je vous propose deux recettes de base qui sont bien utiles.

Sauce Béchamel

Une sauce de base utilisée dans de nombreuses recettes, comme les lasagnes, les gratins et bien d'autres encore. Il est très facile d'en réaliser une version sans gluten.

Pour 4 personnes

Préparation : 5 min

Cuisson : 5 min

40 g de fécule de maïs

50 cl de lait

20 g de beurre

noix muscade

sel - poivre

1. Dans une casserole, délayez la fécule de maïs dans le lait froid puis portez à ébullition en remuant constamment.

2. Ajoutez le beurre coupé en petits morceaux. Mélangez jusqu'à obtenir une consistance homogène.

3. Assaisonnez avec le sel, le poivre et de la noix muscade, selon votre goût.

Par portion : 135,5 calories ; lipides = 6,7 g ; glucides = 13,25 g ; protéines = 5,3 g.

Sauce marchand de vin

Une sauce idéale pour accompagner des viandes rouges.

Pour 4 personnes

Préparation : 10 min

Cuisson : 15 min

2 échalotes

1 cuil. à soupe de sucre

12,5 cl de vin rouge

3 cuil. à soupe de concentré de tomate

20 cl de bouillon de viande sans gluten

huile

1. Dans une casserole, faites revenir les échalotes hachées avec le sucre dans un peu d'huile de votre choix.

2. Versez le vin et laissez réduire de moitié.

3. Ajoutez le concentré de tomate puis le bouillon de viande et laissez encore réduire.

4. Pour épaissir la sauce, selon vos goûts, vous pouvez utiliser un peu de fécule de maïs.

Par portion : 133,5 calories ; lipides = 3,2 g ; glucides = 14,5 g ; protéines = 7,5 g.

Chapitre 15
Saveurs internationales

Dans ce chapitre :

▶ Des saveurs méditerranéennes sans gluten

▶ Un petit voyage en Asie

▶ Une escale en Angleterre

Avez-vous exploré les infinies possibilités de recettes que vous offre la cuisine internationale ? Pas encore ? Alors, faites vos valises, il est grand temps de partir à la rencontre de saveurs nouvelles, uniques, délicieuses et sans gluten, bien sûr ! En France, nous mangeons traditionnellement beaucoup de pain, de plats en sauce, de pâtes, tous aussi chargés les uns que les autres en gluten et dont la valeur nutritionnelle est souvent limitée.

Nous mangeons beaucoup plus de gluten que dans d'autres pays. Dès que l'on s'aventure au-delà de nos frontières, on découvre toutes sortes de recettes incroyables, dont les ingrédients de base sont, par nature, sans gluten.

Utilisez ce chapitre pour faire voyager vos papilles, sortir de votre zone de confort et découvrir des recettes riches en épices et ingrédients naturels. Partez avec moi pour un petit tour du monde sans gluten !

La cuisine italienne sans gluten

Quand vous pensez à la cuisine italienne, vous imaginez un plat de spaghettis et une pizza ? Eh bien, la cuisine italienne ne se limite pas à cela ! Même si la céréale de base est le blé, les Italiens se sont très bien adaptés à l'intolérance au gluten et proposent aujourd'hui des produits et recettes adaptés (peut-être plus qu'en France, d'ailleurs), mais aussi des plats à base de légumes et de viandes naturellement sans gluten, que je vous propose de découvrir ici.

Parmigiana di melanzane

Originaire du Sud de l'Italie, de la région de mon père, la *parmigiana di melanzane* est un gratin à base d'aubergines et de parmesan, que l'on trouve bien souvent au menu des bons restaurants italiens en France. Le mot « *parmigiana* » fait référence à la façon dont est préparé ce plat, avec des couches de légumes, un peu comme les lasagnes mais sans pâte, le parmesan servant ici de liant d'où son nom de « *parmigiana* ».

Pour 4 personnes

Préparation : 30 min

Repos : 1 h

Cuisson : 45 min

2 grosses aubergines

1 oignon

2 boîtes de coulis de tomates (500 g)

basilic frais

1 boule de mozzarella (250 g)

3 œufs

farine de riz

100 g de parmesan râpé

huile d'olive

huile végétale pour friture

gros sel - sel - poivre

1. Lavez puis épluchez les aubergines avec un économe. Coupez-les en tranches dans le sens de la longueur (5 à 6 cm) avec une mandoline et laissez-les reposer, dans un saladier, recouvertes d'une poignée de gros sel (pour retirer leur amertume) pendant 1 heure environ.

2. Préchauffez le four à 200 °C (th. 7).

3. Pendant ce temps, faites rissoler l'oignon émincé dans de l'huile d'olive, ajoutez le coulis de tomates et le basilic frais. Salez et poivrez. Laissez mijoter environ 20 minutes.

4. Coupez la mozzarella en petits dés.

5. Égouttez les aubergines et trempez-les dans de la farine puis dans les œufs battus et faites-les frire dans de l'huile de friture. Égouttez-les sur du papier absorbant. Salez légèrement.

6. Dans un plat à gratin, réalisez des couches de la façon suivante : déposez dans le fond un peu de sauce tomate, puis des tranches d'aubergines, une couche de sauce tomate puis saupoudrez de parmesan, ajoutez des dés de mozzarella et des feuilles de basilic. Reproduisez jusqu'à épuisement des ingrédients.

7. Couvrez le plat de mozzarella, parmesan et basilic, d'un filet d'huile d'olive et enfournez pour 15 à 20 minutes jusqu'à ce que le dessus soit croustillant.

Par portion : 330 calories ; lipides = 19,25 g ; glucides = 15 g ; protéines = 23 g.

Saltimbocca

Spécialité de la région romaine, celle de ma mère, cette recette à base de viande roulée (« sautes en bouche » littéralement) peut également être réalisée avec du marsala ou une sauce tomate et accompagnée de tagliatelles sans gluten.

Pour 4 personnes

Préparation : 15 min

Cuisson : 20 min

4 escalopes de veau très fines

4 tranches de jambon de Parme

1 boule de mozzarella

quelques feuilles de sauge

20 cl de vin blanc

50 g de beurre

huile d'olive

ciboulette

sel - poivre

1. Aplatissez les escalopes et couvrez-les de 1 tranche de jambon de Parme, de 1 tranche fine de mozzarella et de 1 feuille de sauge.

2. Roulez les escalopes et maintenez-les avec un cure-dent.

3. Faites chauffer de l'huile d'olive dans une poêle à feu moyen et faites revenir les saltimbocca pendant une dizaine de minutes en les retournant de temps en temps. Réservez-les dans un plat.

4. Déglacez la poêle avec le vin blanc et portez à ébullition en décollant bien tous les sucs. Faites réduire de moitié puis ajoutez le beurre et un peu de ciboulette. Salez, poivrez.

5. Servez la viande arrosée de sauce au vin blanc et accompagnée de tagliatelles sans gluten.

Par portion : 464 calories ; lipides = 26 g ; glucides = 2,5 g ; protéines = 47,5 g.

Risotto

Tout le monde connaît le risotto. Ce plat nécessite une technique de cuisson bien particulière. Je vous conseille d'utiliser un riz adapté au risotto, arborio ou carnaroli. Je vous révèle ici les secrets de la recette de base à laquelle vous pouvez ajouter toutes sortes de légumes, viandes ou fruits de mer : asperges vertes, champignons, crevettes, poulet… De nombreuses combinaisons sont possibles. Il existe même des recettes sucrées pour le dessert.

Pour 4 personnes

Préparation : 10 min

Cuisson : 20 min

300 g de riz arborio (spécial risotto)

1,5 litre de bouillon de poulet ou de légumes sans gluten

50 g de beurre

1 oignon

10 cl de vin blanc sec

30 g de parmesan

sel - poivre

1. Préparez votre bouillon dans une casserole à part.

2. Faites fondre les 3/4 du beurre et l'oignon émincé (il ne doit pas se colorer).

3. Ajoutez le riz et mélangez avec une cuillère en bois pendant environ 1 minute.

4. Versez le vin blanc et continuez de mélanger.

5. Quand le vin s'est évaporé, versez une louche de bouillon, attendez que le bouillon soit absorbé par le riz, puis versez de nouveau une à deux louches de bouillon. Le secret de la recette réside dans cette technique de cuisson. Remuez en permanence. La cuisson prend environ 18 à 20 minutes.

6. Quand le riz est cuit, incorporez le reste du beurre et le parmesan. Remuez. Salez et poivrez.

Par portion : 413 calories ; lipides = 12,75 g ; glucides = 61,25 g ; protéines = 9,2 g.

Un brin de tradition

L'Italie est un pays d'une grande diversité. Ses traditions culinaires reflètent cette diversité. Les recettes de pâtes, de pizzas, de risottos diffèrent selon les régions. Les ingrédients de base, selon que l'on se trouve au Nord ou au Sud où le climat est plus méridional, sont différents : riz, maïs et jambon dans le Nord ; olives, tomates et blé dans le Sud. Le risotto est ainsi originaire du Nord de l'Italie, où l'on cultive le riz depuis le XVe siècle. Sa cuisson, plus ou moins « mouillée » ou crémeuse, varie selon les régions : au safran à Milan, au jambon cru dans la région de San Daniele, à la courge en Émilie-Romagne, aux asperges dans le Piémont, à l'encre de seiche en Vénétie.

Une petite touche asiatique

Partir à la découverte des recettes sans gluten de la cuisine asiatique est un vrai régal. La cuisine asiatique est un pot-pourri multicolore de saveurs harmonieuses et contrastées, subtiles mais audacieuses. Elle utilise généralement beaucoup de légumes. Les recettes sont ainsi aussi saines que délicieuses.

Vous devez pourtant faire attention car la plupart des sauces asiatiques, notamment la sauce soja, contiennent du blé. Il faut veiller à acheter des sauces asiatiques sans gluten. La bonne nouvelle, c'est qu'on en trouve en France et sur de nombreux sites Internet d'épiceries sans allergènes. Quand on est au régime sans gluten, il est bon d'avoir toujours dans son placard des réserves de ces sauces garanties sans gluten.

L'Asie propose une variété incroyable de recettes selon le pays ou la région, dont une grande partie est naturellement sans gluten. Aucune excuse pour ne pas essayer !

Soupe poulet-coco épicée (chicken itame)

J'ai découvert ce plat dans un restaurant londonien et je vous en propose ma version personnelle. Le *chicken itame* est un plat complet avec un bouillon acidulé et épicé, qui vous réchauffera pendant les froides nuits d'hiver. Assaisonnez-le selon vos goûts en légumes et en épices.

Pour 2 personnes

Préparation : 10 min

Cuisson : 25 min

2 filets de poulet (ou de dinde)

8 à 10 champignons de Paris

1 poivron vert

1 poivron rouge

1 oignon rouge

2 échalotes

2 gousses d'ail

1/2 paquet de nouilles de riz rouge (ou de riz blanc)

1 cuil. à café de gingembre en poudre

coriandre fraîche

le jus de 1 citron vert

piment rouge en poudre (ou poudre de curry)

50 cl de bouillon de poulet sans gluten

1 boîte de lait de coco

sel - poivre

1. Coupez tous les légumes et émincez-les.

2. Dans une casserole, faites cuire les nouilles de riz à part et réservez-les.

3. Dans un wok, faites revenir les oignons, l'ail et les échalotes hachés.

4. Ajoutez les morceaux de poulet, le gingembre, la coriandre, le jus de citron, le piment, salez et poivrez, puis intégrez enfin les légumes.

5. Laissez mijoter une dizaine de minutes.

6. Versez le bouillon de poulet. Remuez puis ajoutez le lait de coco.

7. Laissez mijoter encore une dizaine de minutes et servez chaud avec les nouilles de riz.

Variante : vous pouvez remplacer le poulet par des crevettes ou du tofu. Vous pouvez également ajouter de la citronnelle et des pousses de soja dans cette soupe.

Par portion : 557 calories ; lipides = 7,2 g ; glucides = 81,5 g ; protéines = 35 g.

Raviolis au porc

Bien souvent, les raviolis sont réalisés à base de blé, mais en utilisant des feuilles de riz, vous obtiendrez une savoureuse version sans gluten. Les raviolis frits ne sont pas aussi sains que les rouleaux de printemps mais ils sont vraiment excellents.

Pour 8 raviolis

Préparation : 30 min

Cuisson : 15 min

8 feuilles de riz

150 g de porc cuit haché

120 g de chou (ou chou chinois)

3 carottes

50 g d'oignon

2 gousses d'ail

1 cuil. à café de gingembre frais émincé

huile de maïs pour friture

sel - poivre

1. Faites tremper les feuilles de riz (une à la fois) dans de l'eau chaude ou dans un mélange de trempage (voir le chapitre 12) pendant 4 à 5 secondes. Égouttez-les sur une surface plane et laissez sécher.

2. Dans un saladier, mélangez la viande de porc, le chou et les carottes râpés, l'oignon et l'ail hachés, le gingembre, du sel et du poivre.

3. Déposez environ 2 cuillerées à soupe du mélange sur chaque feuille de riz. Pliez le côté droit de la feuille vers le centre. Repliez les extrémités les plus courtes sur la garniture. Roulez délicatement (mais fermement) la feuille vers la gauche jusqu'à former un paquet oblong (voir la figure 15-1). Placez les raviolis sur du papier de cuisson.

4. Faites chauffer l'huile de friture dans une poêle à feu vif. Pour tester la température, trempez le coin d'un rouleau dedans. Si l'huile fait des bulles, c'est prêt. Faites frire les rouleaux, deux par deux, dans l'huile très chaude jusqu'à ce qu'ils soient dorés, environ 4 minutes.

5. Égouttez les rouleaux cuits sur du papier absorbant.

Vous pouvez congeler ces raviolis. Pour les réchauffer, passez-les au four à 180 °C (th. 6) environ 10 minutes.

Si les feuilles de riz se cassent pendant la préparation du rouleau, ne recommencez pas tout. Utilisez une deuxième feuille et roulez-la par-dessus l'autre. Vous obtiendrez juste un rouleau un peu plus épais, mais tout aussi délicieux.

Par portion : 557 calories ; lipides = 7,2 g ; glucides = 81,5 g ; protéines = 35 g.

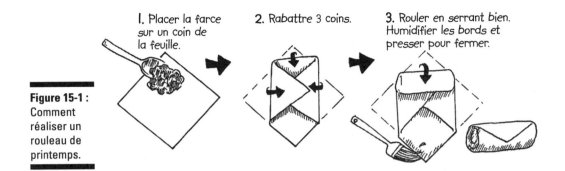

1. Placer la farce sur un coin de la feuille.

2. Rabattre 3 coins.

3. Rouler en serrant bien. Humidifier les bords et presser pour fermer.

Figure 15-1 : Comment réaliser un rouleau de printemps.

Soupe pho (tonkinoise) au poulet et aux crevettes

La soupe pho (prononcez presque comme « feu »), ou soupe tonkinoise, est un plat traditionnel vietnamien. Elle peut se consommer à tout moment de la journée. Cette version, avec du poulet et des crevettes, est ma préférée. C'est une variante un peu plus « thaï », mais les nouilles de riz lui redonnent son côté vietnamien !

Pour 4 personnes

Préparation : 15 min

Cuisson : 20 min

1 litre de bouillon de poulet

2 cuil. à soupe de nuoc-mâm *sans gluten (marque Ayam® par exemple)*

4 gousses d'ail

2 cuil. à café de gingembre frais haché

3/4 de cuil. à soupe de pâte de curry rouge sans gluten (marque Ayam® par exemple)

150 g de champignons

100 g de pois mange-tout

450 g de crevettes crues

250 g de blancs de poulet

12 cl de jus de citron vert

2 cuil. à soupe de sucre

2 cuil. à soupe d'échalotes

coriandre fraîche ou feuilles de menthe

1 paquet de 350 g de vermicelles de riz cuits

1. Dans un faitout, mélangez avec un fouet le bouillon de poulet, la sauce *nuoc-mâm*, l'ail haché, le gingembre et la pâte de curry rouge. Ajoutez les champignons coupés en quartiers et portez à ébullition à feu moyen.

2. Réduisez le feu et laissez mijoter la soupe pendant 5 minutes. Intégrez les pois, les crevettes dénervées, le poulet coupé en dés et portez à ébullition. Couvrez la soupe, réduisez le feu et laissez mijoter pendant 5 minutes.

3. Incorporez le jus de citron, le sucre et les échalotes hachées. Faites mijoter pendant 4 minutes, jusqu'à ce que la soupe soit bien chaude.

4. Ajoutez enfin les vermicelles de riz déjà cuits et des feuilles de menthe ou de coriandre selon vos goûts et vos envies.

La figure 15-2 vous montre comment déveiner et éplucher vos crevettes.

Par portion : 262 calories ; lipides = 16 g ; glucides = 21 g ; protéines = 13 g.

Nettoyer et déveiner une crevette

Figure 15-2 : Préparer des crevettes.

1. Insérer la pointe d'un couteau pointu.

2. *Pousser jusqu'à la queue.* veine — Retirer la veine.

3. Nettoyer sous l'eau froide.

Tour du monde sans gluten

La nourriture est un reflet de notre culture. Lorsque vous partez à la rencontre de la cuisine d'autres régions du monde, vous apprenez des choses sur les gens qui y vivent. Je trouve cela fascinant et exquis !

Quand vous regardez au-delà de nos frontières, vous réalisez que vous n'avez pas à vous soucier, bien souvent, de trouver des ingrédients de substitution pour faire les recettes. Les ingrédients utilisés sont généralement frais et naturels, donc sans gluten.

Den'jel (aubergines à la marocaine)

Au Maroc, le cumin grillé est servi à chaque repas à côté du sel et du poivre. Cette recette marocaine traditionnelle peut être servie en salade, en apéritif ou en plat principal.

Pour 4 personnes

Préparation : 45 min

Cuisson : 40 min

2 aubergines moyennes

1 cuil. à café de graines de cumin (ou de cumin moulu)

1 petit oignon rouge

2 cuil. à café de vinaigre de vin rouge

1 cuil. à café de jus de citron

1 cuil. à café de sucre

2 cuil. à soupe d'huile d'olive (extra-vierge si possible)

2 cuil. à soupe de persil frais ciselé

sel - poivre noir

1. Grillez et broyez les graines de cumin. Pour cela, placez-les dans une poêle à feu moyen et remuez jusqu'à ce qu'elles soient d'une couleur brun foncé et commencent à sentir bon (environ 5 minutes). Cette étape est facultative. Vous pouvez utiliser du cumin moulu si vous préférez.

2. Placez les aubergines dans un plat à four et mettez-les à cuire à 180 °C (th. 6) pendant environ 30 minutes. La peau doit s'assombrir et l'intérieur doit devenir tendre.

3. Lorsque les aubergines ont un peu refroidi, grattez la peau avec un couteau et déposez-les sur une planche à découper. Découpez l'aubergine en cubes.

4. Dans un saladier, mélangez 2 cuillerées à café de cumin, les aubergines, l'oignon haché, le vinaigre, le jus de citron, le sucre, l'huile d'olive et le persil.

5. Disposez le mélange dans un plat de service et garnissez du reste de cumin, de persil, salez et poivrez.

Par portion : 99 calories ; lipides = 17 g ; glucides = 9 g ; protéines = 1 g.

Couscous

Plat d'origine berbère, le couscous est traditionnellement à base de blé dur. Rassurez-vous, il est très facile de remplacer la semoule de blé par de la semoule de maïs ou de riz dont la texture et le goût sont bluffants de ressemblance avec la recette originale. Vous pouvez le servir avec du poulet, des merguez, des boulettes d'agneau. Je vous propose ici la recette de base avec des légumes.

Pour 6 personnes

Préparation : 20 min

Cuisson : 30 min

500 g de quinoa cuit ou de semoule de couscous de maïs ou de riz

1 courgette

1 carotte

1 gros navet

1 poivron rouge

6 oignons grelots

2 gousses d'ail

épices à couscous (ras-el-hanout)

1 boîte de purée de tomates (30 cl)

30 cl de bouillon de légumes sans gluten

1 bouquet garni

1 boîte de pois chiches au naturel cuits

1 poignée de raisins secs sans gluten

1/4 de cuil. à café de cannelle

huile d'olive

persil plat ou menthe fraîche

sel - poivre

1. Préparez les légumes : épluchez, nettoyez et coupez-les en dés.

2. Dans un faitout, faites revenir les oignons avec l'ail haché et les épices dans de l'huile d'olive.

3. Ajoutez les légumes, mélangez bien, salez et poivrez.

4. Intégrez la sauce tomate, le bouillon et le bouquet garni, puis les pois chiches. Faites mijoter 20 à 25 minutes.

5. Pendant ce temps, préparez la semoule ou le quinoa selon les instructions du fabricant. Ajoutez les raisins secs, de la cannelle et un peu d'huile d'olive.

6. Servez la semoule, le bouillon et les légumes séparément. Parsemez de persil plat ou de menthe fraîche ciselée selon vos goûts.

Par portion : 437 calories ; lipides = 11 g ; glucides = 50 g ; protéines = 11,6 g.

Œufs à la grecque

Si vous êtes d'humeur méditerranéenne, essayez ces œufs à base de tomates séchées, d'olives et de feta. La version que je vous propose est faible en lipides car je n'utilise que les blancs d'œufs. Cette recette est parfaite pour le petit déjeuner et le déjeuner. Pour apprendre à bien séparer les blancs des jaunes d'œufs, consultez la figure 15-3.

Pour 2 personnes

Préparation : 10 min

Cuisson : 15 min

4 à 5 blancs d'œufs

3 cuil. à soupe de tomates séchées

1 bonne poignée de feuilles de basilic frais

4 olives Kalamata (ou noires) dénoyautées

1 gousse d'ail

2 cuil. à soupe de feta émiettée

2 tranches de pain sans gluten

huile d'olive

1. Badigeonnez l'intérieur de deux ramequins d'huile d'olive. Placez les ramequins dans une grande casserole d'eau (pour le bain-marie).

2. Mettez à cuire sur feu vif et ajoutez les blancs d'œufs dans les ramequins. Dès que l'eau arrive à ébullition, baissez sur feu doux et couvrez la casserole. Laissez cuire 15 minutes.

3. Pendant ce temps, mettez dans le mixeur les tomates séchées, les olives, l'ail pelé et le basilic et hachez finement. Incorporez la feta émiettée.

4. Vérifiez bien les œufs au bout de 15 minutes (le centre ne doit plus être liquide). Retirez les ramequins de l'eau frémissante.

5. Faites griller les tranches de pain. Étalez 2 cuillerées à soupe du mélange basilic-tomates-feta sur chaque tranche de pain grillé.

6. Démoulez les œufs à l'aide d'un couteau et posez-les sur le pain grillé. Ajoutez le reste du mélange basilic-tomates-feta au-dessus des œufs avant de servir.

Par portion : 241 calories ; lipides = 11 g ; glucides = 25 g ; protéines = 10 g.

3 FAÇONS DE SÉPARER LE BLANC DU JAUNE

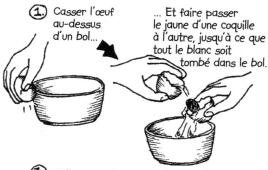

① Casser l'œuf au-dessus d'un bol...

... Et faire passer le jaune d'une coquille à l'autre, jusqu'à ce que tout le blanc soit tombé dans le bol.

② Casser l'œuf dans la paume de la main au-dessus d'un bol. Remuer délicatement les doigts pour faire glisser le blanc dans le bol.

③ Utiliser un séparateur d'œuf, et le placer au-dessus d'un bol. Casser l'œuf en son centre.

Figure 15-3 : Séparer les blancs des jaunes d'œufs.

Le blanc s'écoule à travers les petites fentes et le jaune reste dans le séparateur.

Poulet au curry épicé

La cuisine indienne est connue pour son utilisation sophistiquée d'herbes et d'épices. Le curry sert de base à de nombreux plats indiens et il en existe une multitude de variétés. Le curry est un mélange d'environ 25 épices et d'herbes qui comprend le curcuma, le gingembre, la coriandre, le clou de girofle, la cannelle, la cardamome, le cumin, l'ail, le safran. Vous pouvez également utiliser du *garam masala* dans de nombreuses recettes. Considéré comme une « herbe magique », le *garam masala*, un peu similaire à la poudre de cari, est un mélange d'épices que vous pouvez acheter ou faire vous-même. Il donne aux plats un goût légèrement aigre, de jus de citron vert, tamarin ou yaourt. Voici une des recettes de curry les plus simples à réaliser.

Pour 4 personnes

Préparation : *20 min*

Cuisson : *25 min*

500 g de blancs de poulet

2 oignons

1 pincée de piment vert haché

1 cuil. à soupe d'ail haché

1 cuil. à soupe de gingembre haché

2 cuil. à soupe de poudre de chili

45 cl de lait de coco

1 cuil. à soupe de garam masala

1 cuil. à café de curcuma moulu

1 pincée de sel

4 cuil. à soupe d'huile d'olive

1. Rincez le poulet, séchez-le, détaillez-le en dés et mettez-les de côté. Pelez et coupez les oignons en dés.

2. Dans une grande poêle, faites revenir les oignons et le piment dans un peu d'huile d'olive, à feu moyen, jusqu'à ce que les oignons soient dorés.

3. Ajoutez le gingembre et l'ail, puis les dés de poulet et remuez.

4. Quand tout est bien mélangé, intégrez la poudre de chili et le lait de coco.

5. Couvrez et laissez mijoter pendant environ 15 minutes jusqu'à ce que le poulet soit bien cuit.

6. Juste avant de servir, assaisonnez avec le *garam marsala*, le curcuma et le sel. Mélangez bien.

Servez avec du riz brun ou du quinoa.

Par portion : 521 calories ; lipides = 41 g ; glucides = 15 g ; protéines = 27 g.

Fish'n chips

Voici une spécialité typiquement londonienne qui était déjà consommée au XVIIᵉ siècle. Les Anglais en raffolent, et nous aussi ! Cette recette est à base de pâte à beignets, de poisson blanc et servie avec des frites croustillantes. Les *fish'n chips* se dégustent traditionnellement avec du vinaigre de malt (mais qui est interdit dans le régime sans gluten), je vous propose donc de les assaisonner avec du citron et une sauce tartare.

Pour 4 personnes

Préparation : *20 min*

Cuisson : *25 min*

4 filets de poisson blanc (morue, cabillaud, aiglefin, tilapia)

1 kg de pommes de terre

2 œufs

20 cl de bière sans gluten ou de lait

150 g de farine de riz

2 cuil. à soupe de levure chimique sans gluten

1/4 de cuil. à café d'ail en poudre

1/4 de cuil. à café de paprika

le jus de 1 citron (ou du vinaigre)

huile végétale pour friture

sel - poivre

1. Pelez et coupez les pommes de terre en frites. Plongez-les dans de l'eau tiède pour retirer l'amidon, égouttez et séchez-les. Faites-les frire. Égouttez-les sur du papier absorbant et réservez au four à 100 °C (th. 3) pendant la préparation du poisson.

2. Dans un bol, mélangez les œufs et la bière. Dans un autre bol, mélangez la farine, la levure, l'ail et le paprika. Mélangez les deux préparations jusqu'à obtenir une pâte lisse.

3. Trempez les filets de poisson dans la pâte.

4. Faites frire les filets de poisson jusqu'à ce qu'ils soient dorés (5 à 8 minutes) et égouttez-les sur du papier absorbant. Assaisonnez avec du jus de citron, salez et poivrez

5. Servez avec une sauce tartare.

Par portion : 1 118,5 calories ; lipides = 45,25 g ; glucides = 138 g ; protéines = 34,5 g.

Chapitre 16

Pizzas, pâtes, pains et tartes

Dans ce chapitre :

▶ Préparer des pizzas sans gluten

▶ Apprendre à faire des pâtes fraîches

▶ Confectionner du pain maison

*V*ivre sans gluten ne signifie pas devoir faire une croix sur les pizzas, les pâtes et le pain. On peut tout faire sans gluten ! Certaines versions sans gluten de ces plats peuvent même être meilleures que les recettes originales !

Sur le marché, de nombreux produits vont vous faciliter la vie : pâtes sans gluten, mix de farines à pain ou à pizza, fonds de tartes prêts à l'emploi. Vous n'êtes pas obligé de moudre votre grain et de faire vos pâtes à la main ! Je vous propose dans ce chapitre des recettes faciles à réaliser, même pour un débutant. Je suis sûre que vos amis glutenovores vont adorer ces versions « sans ».

Des pizzas qui ont du style

Quand je parle du régime sans gluten autour de moi, les gens réagissent encore, pour la plupart, avec mépris et dégoût. Alors que je suis en train de leur expliquer les joies de la vie sans gluten, ils me coupent la parole et me demandent : « Tu veux dire que tu ne peux plus manger de pizza ? »

La bonne nouvelle est que vous *pouvez* manger de la pizza. Peut-être pas celle des chaînes de restauration rapide mais la pizza sans gluten est excellente. Il s'ouvre, par ailleurs, de plus en plus de restaurants qui proposent des pizzas sans gluten. Encore un peu de patience ! En attendant, préparez-les à la maison.

La base : la pâte à pizza

Le secret d'une bonne pizza ne réside pas dans la sauce, ni dans les garnitures, mais indéniablement dans la pâte.

Des mélanges de farine sans gluten, voire des pâtes à pizza toutes prêtes sont disponibles dans le commerce. Je vous propose ici plusieurs façons de faire votre pâte à pizza, même sans farine !

La passion pour la pizza remonte à loin

Les origines de la pizza semblent remonter aux cultures anciennes du Moyen-Orient, où l'on fabriquait un pain plat, azyme, dans des fours en torchis. La pizza commença à prendre la forme qu'on lui connaît aujourd'hui au Moyen Âge, à Naples, en Italie, où les paysans assaisonnaient leur pain plat avec du fromage. Désignée comme « aliment des pauvres » au XIXe siècle par des médecins italiens, c'est son caractère populaire qui, malgré tout, fut à la base du succès de la pizza.

En 1889, un boulanger napolitain, Rafaele Esposito, réalisa une pizza spéciale pour la visite du roi Umberto Ier et de la reine Margherita. Il décora la pizza aux couleurs du drapeau italien : des tomates pour le rouge, de la mozzarella pour le blanc et des feuilles de basilic pour le vert. La pizza eut un tel succès qu'elle prit le nom de la reine Margherita et elle reste aujourd'hui une des pizzas classiques servies partout dans le monde. C'est à la fin de la Seconde Guerre mondiale que le mot « pizza » se diffusa à travers le monde.

Pâte à pizza

Quand je fais de la pâte à pizza, j'en prépare plusieurs boules pour en congeler quelques-unes. C'est tellement agréable, selon l'envie, de sortir une pâte du congélateur et de faire une pizza en quelques minutes ! Voici une recette de base, facile, à partir d'un mix que l'on peut trouver en supermarché.

Pour 1 pizza de 24 cm environ (2 à 3 personnes)

Préparation : 30 min

Repos : 1 h

Cuisson : 15 min

200 g de mix à pain (mix B de Schär® ou Allergo® par exemple)

5 g de levure du boulanger (ou du sachet vendu avec votre mix)

1 cuil. à soupe d'huile d'olive

12 cl d'eau tiède

1 pincée de sel

1. Dans un saladier, versez le mix de farine, faites un puits en son centre et ajoutez la levure, l'huile d'olive, l'eau tiède et le sel.

2. Travaillez la pâte du bout des doigts. Farinez un peu vos doigts pour éviter que la pâte colle. Travaillez bien la pâte pour obtenir une belle boule bien homogène. Ajoutez, si nécessaire, de l'eau ou de la farine en fonction de la consistance. La pâte doit être souple mais ferme, pas liquide.

3. Couvrez la pâte avec un linge humide et laissez-la reposer dans un endroit sec, à température ambiante, pendant environ 1 heure. La pâte doit bien gonfler.

4. Étalez la pâte sur une plaque huilée, piquez-la avec une fourchette et enfournez-la pour 15 minutes à 180 °C (th. 6).

5. Sortez la pâte à pizza. Elle est prête à être garnie, d'abord de sauce tomate, puis des ingrédients de votre choix.

Par portion : 258 calories ; lipides = 2,6 g ; glucides = 52,4 g ; protéines = 5 g.

Variez les ingrédients de base pour la pâte

Si vous n'avez pas de mix tout prêt, ou si vous souhaitez faire vous-même votre mélange de farines, voici quelques idées. Selon les farines utilisées, la pâte aura un goût plus ou moins prononcé et sera plus ou moins croustillante.

- ✔ **Farine de riz seule :** utilisez 200 g de farine de riz.

- ✔ **Farine de riz et soja :** utilisez 150 g de farine de riz et 100 g de farine de soja.

- ✔ **Farine de riz et sarrasin :** utilisez 125 g de farine de riz et 125 g de farine de sarrasin.

- ✔ **Farine de châtaignes** : utilisez 300 g de farine de châtaignes.

- ✔ **Pâte sans farine au chou-fleur :** mixez 250 g de mozzarella, 250 g de chou-fleur cru, 1 œuf et 1 gousse d'ail. Faites cuire 10 minutes à 250 °C (th. 8/9).

Sauces pour pizza

Je vais vous donner quelques astuces. Premièrement, il existe des coulis de tomates et des sauces tomate sans gluten faciles à trouver, même en supermarché (vérifiez les ingrédients bien sûr) que vous pouvez utiliser comme base de votre pizza. Deuxièmement, une sauce à pizza peut être aussi simple qu'un filet d'huile d'olive aux herbes ou d'huile pimentée. Mais si vous aimez cuisiner, voici quelques idées de sauces maison.

Vous pouvez utiliser des sauces et condiments disponibles dans votre placard comme de la sauce teriyaki sans gluten, de la moutarde de Dijon ou de la sauce barbecue. Tout est possible !

Sauce tomate maison pour pizza

Pour une puriste d'origine italienne comme moi, rien ne vaut une bonne sauce tomate maison. En voici une !

Pour 1 pizza de 24 cm environ (2 à 3 personnes)

Préparation : *10 min*

Cuisson : *15 min*

300 g de tomates en dés (et leur jus)

1/2 oignon

2 gousses d'ail

1 cuil. à café d'origan frais

2 cuil. à soupe de basilic frais haché

1/2 cuil. à café de sel

1/2 cuil. à café de poivre noir

3 cuil. à soupe de concentré de tomate

2 cuil. à soupe d'huile d'olive

1. Dans une casserole, faites revenir l'oignon et l'ail finement hachés dans l'huile d'olive, sur feu moyen à vif, jusqu'à ce qu'ils soient tendres (environ 3 minutes).

2. Ajoutez les tomates, l'origan, le basilic, le sel et le poivre et laissez mijoter à feu moyen pendant quelques minutes.

3. Incorporez le concentré de tomate et laissez mijoter à feu doux pendant encore 10 minutes.

Par portion : 48 calories ; lipides = 4 g ; glucides = 4 g ; protéines = 1 g.

Organisez une pizza party

Il est rare que, dans un groupe, tout le monde soit d'accord sur les ingrédients d'une pizza. Alors pourquoi ne pas laisser vos invités choisir ce qu'ils veulent manger en organisant une pizza party ? Voici quelques idées pour lancer cet événement convivial :

1. Préparez plusieurs boules de pâte à pizza sans gluten d'avance.

2. Préparez des boules d'une taille qui, une fois aplaties, permettront de réaliser des pizzas individuelles (à peu près la taille d'une balle de tennis).

3. Mettez les garnitures – un large choix d'ingrédients – dans des bols séparés.

Mettez de la sauce dans un bol, plusieurs sortes de fromage, du chorizo, du jambon, des champignons, de l'ananas, des anchois, des légumes…

4. Donnez une boule de pâte à chaque invité et laissez-lui l'aplatir à sa convenance.

Proposez à chaque invité de mettre une marque (avec un cure-dents, par exemple) sur la pâte pour la personnaliser, comme ses initiales.

5. Faites précuire les pâtes à pizza, puis redonnez-les à leurs « propriétaires » pour qu'ils puissent les garnir.

6. Faites cuire les pizzas jusqu'à ce que le fromage soit bien fondu et doré.

Sortir de la pizza tomate-fromage

Pour les puristes, une pizza à la sauce tomate et au fromage se suffit à elle-même. Pour d'autres, faire une pizza est l'occasion de montrer leur talent créatif en utilisant des garnitures originales (des viandes, légumes et même des fruits).

Calzone

La pizza « chausson » est un classique des restaurants italiens. Cette pizza est fourrée de mozzarella et de tomates. À Naples, elle est même frite dans l'huile d'olive et on l'appelle la *pizza fritta* (oui, je sais, ce n'est pas très bon pour la ligne !). Les enfants l'adorent, alors je vous en propose une version gourmande. À consommer avec modération !

Pour 4 personnes

Préparation : 40 min

Repos : 20 min

Cuisson : 40 min

1 boule de pâte à pizza

110 g de mozzarella râpée

110 g de fromage de brebis râpé

120 g de pepperoni en tranches (ou dés de jambon)

huile d'olive

farine de riz

1. Divisez la pâte en 4 parties égales et roulez chaque partie en boule. Couvez les boules de pâte avec une serviette en papier imbibée d'eau chaude et laissez-les reposer dans un endroit chaud, à l'abri de l'humidité, pendant 20 minutes.

2. Préchauffez le four à 200 °C (th. 7).

3. Répartissez un peu de farine sur une planche à découper et un rouleau à pâtisserie et étalez chaque boule de pâte sur 2 cm d'épaisseur. Coupez les bords de sorte à lui donner une forme ovale.

4. Tapissez une plaque de cuisson de papier d'aluminium et huilez-le légèrement. Placez chaque morceau de pâte ovale dessus. Avec un couteau ou un cure-dent, tracez une ligne à travers chaque ovale, le divisant en deux sur la largeur.

5. Répartissez la mozzarella, le fromage de brebis, le pepperoni sur les 4 morceaux de pâte en laissant environ 1,5 cm de pâte le long des bords.

6. Repliez l'autre moitié de la pâte (la moitié nue) de sorte de bien recouvrir toute la garniture. Avec vos doigts, scellez les bords ensemble.

7. Enfournez les calzone pour 35 à 40 minutes jusqu'à ce que le fromage soit fondu et la pâte dorée.

Par portion : 751 calories ; lipides = 27 g ; glucides = 99 g ; protéines = 35 g.

Variez les garnitures

Laissez libre court à votre imagination pour varier vos garnitures, traditionnelles ou plus originales, et faire plaisir à vos invités. Voici quelques idées :

- **La régina :** sauce tomate, mozzarella, jambon, champignons.
- **La quatre saisons :** sauce tomate, mozzarella, champignons, artichauts, jambon, olives.
- **La napolitaine :** sauce tomate, mozzarella, olives noires, origan, anchois.
- **L'hawaïenne :** sauce tomate, mozzarella, jambon, ananas.
- **La végétarienne :** mettez différents légumes de votre choix, comme des artichauts, des brocolis…
- **Roquette-jambon de Parme :** sauce tomate, copeaux de parmesan, roquette, pistou.
- **Pizza blanche :** pâte très fine, sans sauce tomate, avec de la ricotta, du mascarpone, des oignons confits (par exemple).

Les pâtes : fini, le temps des regrets !

Il y a quelques années, se lamenter sur l'absence de pâtes sans gluten ou leur piètre qualité était tout à fait acceptable. Il est vrai qu'elles étaient collantes, lourdes et impossibles à cuire *al dente*.

Mais, depuis, un long chemin a été parcouru par les fabricants. La qualité, la valeur nutritionnelle, la texture, les formes et la tenue à la cuisson se sont considérablement améliorées. Même les amateurs de pâtes les plus exigeants les apprécient.

Même si ces pâtes sont très bonnes avec juste un filet d'huile d'olive, un peu de beurre et de basilic frais, pourquoi ne pas essayer de faire vos propres pâtes maison ?

Pâtes fraîches

Une recette simple qui vous permettra de créer des raviolis, des lasagnes ou encore des spaghettis.

Pour 3 à 4 personnes

Préparation : *20 min*

Repos : *10 min*

Cuisson : *20 min*

220 g de mix à pain et pâtes (mix Pane & Pasta de Schär® par exemple)

3 œufs

1 pincée de sel

2 cl d'huile d'olive

1. Dans un saladier, mettez le mix et faites un puits en son centre.

2. Battez les œufs dans un bol à part, puis versez-les dans le puits de farine.

3. Ajoutez le sel et l'huile d'olive et travaillez la pâte avec les doigts jusqu'à obtenir une pâte homogène et lisse, bien élastique.

4. Laissez reposer la pâte une dizaine de minutes, puis aplatissez-la avec un rouleau et utilisez votre machine à pâtes pour réaliser les formes que vous souhaitez.

Par portion : 310 calories ; lipides = 10,75 g ; glucides = 43,2 g ; protéines = 9,5 g.

Gnocchis

Les gnocchis sont issus d'une famille de pâtes à base de pommes de terre et de farine de blé dur. Bien sûr, il est très simple de remplacer la farine de blé et d'obtenir des gnocchis à la texture légère et savoureuse.

Pour 4 personnes

Préparation : *20 min*

Cuisson : *2 min*

1 kg de pommes de terre (de type bintje)

150 g de fécule de maïs (ou 75 g de fécule de pomme de terre + 75 g de fécule de maïs)

sel - poivre

noix muscade (facultatif)

1. Dans une casserole, faites cuire les pommes de terre à l'eau jusqu'à ce qu'elles soient tendres, puis écrasez-les au presse-purée.

2. Ajoutez la fécule de maïs et assaisonnez avec du sel, du poivre et un peu de noix muscade.

3. Travaillez la pâte avec les doigts jusqu'à obtenir une pâte lisse, puis faites-en des boudins longs et épais de 2 cm maximum.

4. Coupez des morceaux de 2 à 3 cm de pâte et roulez chaque gnocchi sur le dos d'une fourchette pour lui donner sa forme finale.

5. Faites cuire les gnocchis dans de l'eau bouillante salée pendant 1 à 2 minutes. Ils sont prêts une fois qu'ils remontent à la surface. Servez-les immédiatement avec la sauce de votre choix.

Variante : vous pouvez ajouter un œuf si vous aimez les consistances plus épaisses. Vous pouvez également remplacer les pommes de terre par du potimarron pour une recette plus originale.

Par portion : 343 calories ; lipides = 1,5 g ; glucides = 73,75 g ; protéines = 8,4 g.

Astuces pour cuire des pâtes sans gluten

Ces dernières années, les produits sans gluten ont gagné en qualité, en goût et en texture, c'est vrai. Pourtant, nombreux sont ceux et celles, autour de moi, qui m'appellent, désespérés, au sujet de la cuisson de leurs pâtes sans gluten. Ils n'arrivent jamais à les cuire *al dente* ou se retrouvent avec une bouillie épaisse et collante. Que faire ? Voici quelques astuces pour bien cuire vos pâtes sans gluten : les farines fréquemment utilisées pour faire des pâtes sans gluten rejettent beaucoup d'amidon pendant la cuisson (riz et maïs notamment). Il faut alors remplir votre casserole avec au moins trois fois le volume d'eau habituel pour bien diluer l'amidon. Ne pas mettre d'huile pour la cuisson, juste une pincée de sel. Quand vous plongez vos pâtes dans l'eau salée en ébullition, remuez-les pendant les deux premières minutes de cuisson (c'est à ce moment-là qu'elles risquent de coller). Une minute avant la fin du temps de cuisson indiqué, préparez la passoire dans l'évier et faites couler de l'eau chaude. Versez les pâtes et rincez-les abondamment pendant 10-15 secondes pour retirer tout l'amidon, puis remettez-les dans la casserole et ajoutez un peu d'huile d'olive ou de beurre. Personnellement, je les laisse cuire un tout petit peu moins que le temps indiqué pour avoir des pâtes *al dente*.

Devenez apprenti boulanger : faire du pain

Le pain sans gluten a mauvaise réputation. Et pendant de longues années, elle était amplement méritée ! Mais, s'il y a un aliment qui mérite l'Oscar de la « meilleure adaptation » (aussi bien au niveau du goût, de la texture que de la valeur nutritionnelle), c'est bien le pain sans gluten. Grâce à des boulangers talentueux et motivés, le pain sans gluten est passé de brique indigeste ou de pâte molle et friable à du vrai pain moelleux et goûteux.

De nombreuses combinaisons de farines alternatives ont considérablement amélioré la qualité des produits, leur saveur et leur texture. On peut même dire que le pain sans gluten est de bien meilleure qualité que ceux enrichis au gluten et produits chimiques que l'on trouve souvent sur le marché.

Je ne suis ni auteur de livres de cuisine ni chef pâtissier et je n'ai souvent pas la patience ni le talent pour concocter des produits de boulangerie qui nécessitent un vrai savoir-faire, mais j'ai pu tester quelques recettes simples (d'autant plus simples que des mix prêts à l'emploi existent à présent) qui peuvent être réalisées avec ou sans machine à pain. Je suis même allée trouver un chef pour lui demander quelques conseils, juste pour vous !

Retrouvez également des astuces pour la panification au chapitre 10.

« C'est du pain, ça ? »

Céline se souvient de sa première expérience avec du pain sans gluten comme d'un vrai cauchemar. Son fils, alors enfant, avait été diagnostiqué cœliaque et elle était très stressée à l'idée de devoir bien le nourrir sans l'empoisonner. C'était dans les années quatre-vingt-dix et les produits sans gluten étaient rares à cette époque.

Dans un magasin, elle a été soulagée de trouver une miche de pain sans gluten, perdue dans un rayonnage. Cris de joie ! Elle s'est précipitée pour annoncer la bonne nouvelle à son fils. Celui-ci a alors sorti du sac en plastique une boule de matière qui s'est instantanément effritée entre ses doigts. Les mains pleines de miettes, le petit garçon l'a regardée avec une sincère confusion et lui a demandé : « Maman, c'est du pain, ça ? »

Pain blanc pour machine à pain

La farine sans gluten est par définition non panifiable. Pour faire du pain, il vous faut réaliser votre propre mix de farines ou bien vous procurer l'un des nombreux mix à pain disponibles sur le marché (Schär®, Nature&Cie®,

Valpiform®, Maïzena®, Carrefour®, par exemple). Plusieurs ingrédients pratiques existent pour améliorer la qualité de votre mélange : la gomme de guar (pour l'élasticité), la gomme xanthane (pour le volume et le moelleux), le psyllium (pour un pain bien gonflé). En fonction ensuite du moyen de cuisson (machine, four), des proportions, de vos farines, il vous faudra sûrement tester et doser. Il n'est pas simple de réussir son pain du premier coup, mais avec la recette suivante, vous devriez être ravi du résultat. Vous pouvez réaliser un pain ou deux à trois petites baguettes.

Pour 1 pain (4 à 6 personnes)

Préparation : *30 min*

Repos : *1 h*

Cuisson : *2 à 3 h selon votre machine à pain ou 1 h au four*

500 g de mix à pain ou 400 g de mix à pain + 100 g de farine de sarrasin (ou de châtaignes, par exemple)

10 g de levure de boulanger

10 g de sel

45 cl d'eau tiède

2 cuil. à soupe d'huile d'olive

1 pincée de bicarbonate de soude (pour une mie plus aérée – facultatif)

15 g de psyllium blond en poudre (pour plus de gonflant – facultatif)

graines : sésame, courge, tournesol, lin… (facultatif)

1. Si vous possédez une machine à pain, mettez tous les ingrédients dans la cuve, choisissez le programme spécial pain sans gluten et lancez-le. Votre pain sera prêt en 2 à 3 heures selon votre machine.

2. Sans machine à pain, versez dans un saladier la farine et mélangez avec la levure, le sel, une partie des graines (si vous en mettez), puis ajoutez l'eau tiède et l'huile d'olive. Mélangez bien puis travaillez un peu la pâte avec les doigts pour la rendre homogène. Jouez sur les quantités de farine et d'eau si nécessaire.

3. Laissez reposer et gonfler la pâte sous un linge humide dans un endroit chaud pendant 1 heure minimum.

4. Enfournez à 200 °C (th. 7) pour 1 heure.

Ajoutez un petit récipient rempli d'eau dans le four pour l'humidifier et avoir une croûte bien croustillante. N'oubliez pas que le pain sans gluten sèche plus vite que les autres, alors n'hésitez pas à le congeler.

Par portion : 341 calories ; lipides = 5,3 g ; glucides = 65 g ; protéines = 6,8 g.

Pain aux fruits secs et noisettes

Sylvie Do, pionnière de la restauration sans gluten à Paris, vous propose ici une savoureuse recette de pain à déguster aussi bien au petit déjeuner qu'en en-cas. Sylvie n'est pas intolérante au gluten mais a fondé en 2010 le Biosphère Café (rue de Laborde dans le 8e arrondissement). Passionnée de cuisine, elle travaille activement chaque jour pour concocter des recettes adaptées aux multi-allergies.

Pour 1 pain (4 à 6 personnes)

Préparation : 15 min

Repos : 1 h

Cuisson : 30 min

50 g de farine de maïs

80 g de farine de pois chiches

80 g de farine de riz demi-complète

80 g de fécule de maïs

80 g de farine de châtaignes

1 cuil. à café de sel

1/2 cuil. à café de gomme xanthane

40 cl d'eau tiède

20 g de levure fraîche

2 cuil. à café d'huile d'olive

50 g de figues séchées

50 g de raisins secs

50 g de noisettes

50 g de pépites de chocolat (pour les gourmands)

huile de tournesol

1. Dans un saladier, versez les farines et mélangez avec le sel et la gomme xanthane.

2. Ajoutez la levure délayée dans l'eau tiède et l'huile d'olive. Mélangez puis travaillez un peu la pâte avec les doigts pour la rendre bien homogène. Jouez sur les quantités de farine et d'eau si nécessaire. Ajoutez les figues séchées coupées en dés, les raisins secs, les noisettes concassées et éventuellement les pépites de chocolat. Mélangez bien.

3. Laissez reposer et gonfler la pâte sous un linge humide dans un endroit chaud pendant 1 heure minimum.

4. Enfournez à 180 °C (th. 6) pour 30 minutes dans un moule à cake huilé au pinceau à l'huile de tournesol.

Par portion : 377 calories ; lipides = 15,2 g ; glucides = 50,8 g ; protéines = 9,5 g.

Tortillas

Je préfère les tortillas de maïs, mais nombreux sont ceux qui ne jurent que par les tortillas à la farine. Cette recette pourtant est vraiment très bonne !

Pour 6 personnes

Préparation : *30 min*

Cuisson : *20 min*

280 g de farine sans gluten

2 cuil. à café de gomme xanthane

1 cuil. à café de sucre

1 cuil. à café de sel

1 cuil. à café de levure chimique

2 cuil. à soupe de margarine végétale

24 cl d'eau chaude

1. Faites chauffer une poêle en fonte ou une plaque sur feu moyen.

2. Dans un saladier, mélangez la farine, la gomme xanthane, le sucre, le sel, la levure. Incorporez la margarine végétale avec une fourchette ou deux couteaux.

3. Versez lentement l'eau chaude en remuant continuellement jusqu'à ce que la pâte soit bien lisse. Formez des boules de la taille de balles de tennis.

4. Placez les boules de pâte entre deux feuilles de papier cuisson. Utilisez un rouleau à pâtisserie pour les aplatir, une par une, jusqu'à obtenir un rond de 25 à 30 cm de diamètre et de 3 mm d'épaisseur.

5. Retirez le papier cuisson. Faites cuire les tortillas dans la poêle ou sur la plaque bien chaude pendant environ 45 secondes jusqu'à ce que le côté cuit se couvre de taches brunes. Retournez la tortilla. Faites cuire le deuxième côté pendant 20 secondes. Piquez sous la tortilla. S'il y a des taches brunes, c'est prêt !

Par portion : 175 calories ; lipides = 5 g ; glucides = 31 g ; protéines = 4 g.

Blinis

Avec du saumon, du fromage frais, des tartinades, les blinis accompagneront tous vos repas de fête et apéritifs. Voici une recette sans gluten à base de sarrasin, mais vous pouvez également la réaliser avec, pour moitié, de la farine de riz et, pour l'autre moitié, un mélange de fécule de maïs et de farine de sarrasin.

Pour 12 blinis environ

Préparation : 15 min

Repos : 30 min

Cuisson : 25 min

20 cl de lait (ou de lait végétal)

180 g de farine de sarrasin

1 cuil. à café de sucre

1/2 sachet de levure de boulanger

1 gros œuf (ou 2 petits)

1 cuil. à soupe d'huile de tournesol ou de colza

sel

1. Faites tiédir le lait dans une casserole.

2. Dans un saladier, mélangez la farine, le sucre, le lait tiède, du sel et la levure.

3. Laissez reposer la pâte environ 30 minutes à température ambiante.

4. Séparez le blanc du jaune d'œuf. Incorporez le jaune dans la pâte. Montez le blanc en neige avec une pincée de sel et incorporez à la pâte.

5. Faites cuire les blinis dans l'huile 1 minute 30 à 2 minutes de chaque côté.

Par portion : 218 calories ; lipides = 5,3 g ; glucides = 32,5 g ; protéines = 9,5 g.

Pâte pour quiches et tartes salées

Je vous propose une base simple pour faire des quiches et des tartes salées. La pâte peut être un peu fragile ou coller, alors farinez bien vos mains et travaillez-la avec vos doigts.

Pour 6 personnes

Préparation : *10 min*

200 g de farine sans gluten (de type mix à pâtisserie)

50 g de beurre froid

1 jaune d'œuf

1. Dans un saladier, versez la farine et faites un puits. Déposez le beurre coupé en morceaux au centre.

2. Travaillez la pâte avec les doigts jusqu'à l'obtention d'une pâte « sablée ».

3. Incorporez le jaune d'œuf et travaillez encore la pâte, puis ajoutez 2 à 3 cuillerées à soupe d'eau froide, jusqu'à former une boule compacte.

Variante : vous pouvez aussi vous passer de pâte pour faire une quiche. Pour cela, mélangez par exemple 3 œufs avec 50 cl de lait, 100 g de fécule de maïs, 100 g de gruyère râpé et des dés de jambon ou des lardons (ou des légumes). Vous obtiendrez une savoureuse quiche lorraine sans pâte.

Par portion : 210 calories ; lipides = 9,4 g ; glucides = 26 g ; protéines = 4 g.

Chapitre 17

Desserts et gourmandises

Dans ce chapitre :

▶ Faire des desserts gourmands

▶ Satisfaire vos envies de sucre avec des fruits

▶ Réaliser des versions sans gluten de desserts traditionnels

▶ Des gourmandises pour le goûter

▶ Des desserts pour les grandes occasions

*V*ous pensez que les desserts vous sont interdits maintenant que vous êtes au régime sans gluten ? Ce chapitre va vous prouver le contraire.

J'ai regroupé pour vous des recettes gourmandes, adaptées de gâteaux qui sont réalisés traditionnellement à base de farine de blé, ainsi que des recettes plus saines et diététiques à base de fruits. Un seul mot d'ordre : restez gourmand ! (Avec modération, bien sûr !)

Ce chapitre vous donne aussi l'occasion de découvrir les recettes de blogueuses culinaires sans gluten de talent. Elles vous offrent, spécialement pour *Vivre sans gluten pour les Nuls*, quelques-unes de leurs meilleures recettes, gourmandes et faciles à réaliser.

Ne vous désespérez surtout pas en cuisine lorsque vous vous lancez dans de la pâtisserie sans gluten. De nombreux facteurs peuvent influer sur le résultat, alors si un gâteau est raté une fois, persévérez !

Restez gourmand !

Oui, vous pouvez manger des gâteaux, du moment qu'ils sont sans gluten !
Je suis une grande gourmande et je pense que si, de temps en temps, on se
lâche sur les gourmandises, autant qu'elles soient au top ! Je vous propose ici
des adaptations sans gluten de desserts traditionnellement réalisés avec de
la farine de blé.

Dans la plupart des cultures, le dessert est le dernier plat servi lors d'un
repas et est composé d'aliments sucrés. Mais dans certaines cultures, il peut
être à base de saveurs fortes, comme le fromage. Le mot « dessert » vient du
vieux français « desservir » qui veut dire « nettoyer la table ».

Fondant au chocolat sans farine

Un des meilleurs desserts au monde, ce fondant est fort en chocolat et léger,
il ne nécessite que très peu d'ingrédients et il est sans farine. Préparez-vous à
être enchanté !

Pour 6 à 8 personnes

Préparation : 20 min

Cuisson : 15 min

200 g de chocolat noir (à 70 % minimum)

125 g de beurre + pour le moule

4 œufs moyens

120 g de sucre

1. Préchauffez le four à 180 °C (th. 6).

2. Dans une casserole, faites fondre le chocolat dans le beurre, à feu doux,
   en remuant régulièrement. Laissez refroidir.

3. Pendant ce temps, mélangez les œufs et le sucre et battez le mélange
   jusqu'à ce qu'il blanchisse.

4. Incorporez le mélange de beurre et chocolat fondu.

5. Versez la pâte dans un moule à charnière de 26 à 30 cm (ou en silicone)
   préalablement beurré.

6. Enfournez pour 12 à 15 minutes en vérifiant la cuisson avec la pointe
   d'un couteau. Si vous aimez votre fondant un peu coulant, sortez-le du
   four quand il reste un peu de pâte liquide sur votre couteau.

Vous pouvez ajouter 4 cuillerées à soupe de fécule de maïs pour donner à votre gâteau plus de légèreté et, personnellement, j'intègre des graines de tournesol pour lui donner du croquant. Vous pouvez également utiliser des moules à financiers pour réaliser des mini-fondants individuels.

Par portion : 357 calories ; lipides = 25 g ; glucides = 26 g ; protéines = 5 g.

Figure 17-1 : Le cylindre du moule à charnière se détache, permettant au fond d'être retiré facilement.

Cake au citron et au pavot

Une base de cake sucré sans gluten facile à réaliser. Vous pouvez remplacer les graines de pavot par des graines de sésame et le citron par de l'orange, par exemple.

Pour 6 à 8 personnes

Préparation : 10 min

Cuisson : 45 min

3 œufs

150 g de sucre

le jus de 1 citron

120 g de beurre ramolli

180 g de farine sans gluten (ou 140 g de farine de riz et 40 g de fécule de maïs)

1 pincée de sel

1 sachet de levure chimique sans gluten

4 cuil. à soupe de lait (ou lait végétal)

40 g de graines de pavot

1. Préchauffez le four à 180 °C (th. 6).

2. Faites blanchir les œufs et le sucre. Ajoutez le jus de citron et le beurre fondu.

3. Ajoutez la farine, le sel, la levure et le lait.

4. Incorporez les graines de pavot.

5. Enfournez le cake pour environ 45 minutes.

Par portion : 537 calories ; lipides = 25 g ; glucides = 37 g ; protéines = 5 g.

Crème brûlée

Simple, délicieuse et naturellement sans gluten, la crème brûlée est un classique de tous les restaurants.

Pour 4 personnes

Préparation : *15 min*

Cuisson : *1 h*

Réfrigération : *2 h*

5 jaunes d'œufs

100 g de sucre

1 cuil. à café de vanille liquide

50 cl de crème fleurette

cassonade

1. Préchauffez le four à 100 °C (th. 3).

2. Faites blanchir les jaunes d'œufs et le sucre.

3. Ajoutez la vanille, puis incorporez petit à petit la crème fleurette.

4. Versez la préparation dans 4 ramequins et faites cuire environ 1 heure, voire plus selon la taille de vos ramequins.

5. Mettez les crèmes au réfrigérateur pendant 2 heures.

6. Au moment de servir, saupoudrez vos crèmes de cassonade et passez-les au gril quelques minutes pour qu'elles caramélisent.

Pour 100 g : 300 calories ; lipides = 24,3 g ; glucides = 16,3 g ; protéines = 4,3 g.

Utilisez des mix : de plus en plus de fabricants proposent des mélanges prêts à l'emploi pour réaliser des produits de boulangerie. Il est vrai que ces produits restent encore un peu chers, mais ils ont l'avantage d'être faciles à utiliser et vous garantissent de réussir vos gâteaux.

Desserts pour garder la ligne

Des « desserts sains », n'est-ce pas un oxymore ? La plupart des desserts peuvent être de vrais champs de mines pour votre santé et votre ligne. Mais la plupart des recettes qui se disent « saines » (sans édulcorant, sans graisse, sans calories, sans glucides, en bref, sans goût et sans texture) ne sont vraiment pas attractives. Autant manger un fruit, non ?

Alors, justement, je vous propose ici des recettes à base de fruits pour que vous puissiez profiter d'un dessert équilibré, sans culpabilité, et sans gluten.

Essayez de faire revenir des fruits (pommes, poires, bananes) dans un peu de sucre et d'eau à feu moyen jusqu'à ce qu'ils soient légèrement caramélisés. Vous obtiendrez une saveur de caramel sans le gras d'une sauce au caramel.

Carrotcake au chocolat

Mélanger des carottes et du chocolat ? Eh oui, c'est possible et le résultat est incroyablement succulent ! Un gâteau fondant, sucré par les carottes, et sans farine. Ne dites pas à vos invités que votre cake contient des carottes, ils ne le remarqueront sûrement même pas.

Pour 8 personnes

Préparation : 10 min

Cuisson : 40 min

250 g de carottes

200 g de chocolat noir (à 70 %)

4 œufs

50 g de sucre

1 pincée de sel

50 g d'huile de tournesol (ou beurre ou margarine végétale)

200 g de poudre d'amandes

1. Préchauffez le four à 180 °C (th. 6).

2. Épluchez puis râpez les carottes et mettez le chocolat à fondre (au micro-ondes ou dans une casserole sur feu doux avec 1 cuillerée à soupe d'eau).

3. Dans un saladier, faites blanchir les œufs avec le sucre et le sel. Ajoutez l'huile. Mélangez bien.

4. Incorporez la poudre d'amandes et le chocolat. Ajoutez les carottes. Mélangez bien le tout.

5. Versez la pâte dans le moule préalablement beurré ou huilé.

6. Enfournez pour 40 minutes.

Disposez une feuille de papier cuisson dans le fond du moule.

Par portion : 441 calories ; lipides = 35,2 g ; glucides = 20,25 g ; protéines = 11 g.

Cheesecake

Le meilleur d'un cheesecake est bien souvent la garniture, n'est-ce pas ? Je vous propose une recette croustillante avec une garniture à base de fruits. Un dessert parfait pour se faire plaisir sans culpabiliser.

Pour 6 personnes

Préparation : *10 min*

Cuisson : *50 min à 1 h*

Repos : *1 h*

Réfrigération : *1 h minimum*

125 g de spéculoos ou de petits-beurre sans gluten

75 g de beurre doux ramolli

300 g de cream cheese *(ou de fromage blanc) ou fromage frais*

250 g de ricotta

3 œufs

2 cuil. à café de jus de citron

1 cuil. à café de vanille liquide

80 g de sucre

2 cuil. à soupe de fécule de maïs

1 pot de confiture de cerises (noires de préférence)

150 g de cerises pour la décoration

1. Préchauffez le four à 180 °C (th. 6).

2. Mixez les gâteaux secs avec le beurre et versez cette préparation dans le fond d'un moule à charnière d'environ 20 cm de diamètre.

3. Dans un saladier, mélangez les fromages, les œufs, le jus de citron, la vanille, le sucre et la fécule de maïs.

4. Versez la préparation sur le fond dans le moule et faites cuire 50 minutes à 1 heure. Laissez refroidir ensuite le gâteau dans le four pendant 1 heure environ, avant de le mettre au réfrigérateur pour au moins 1 heure.

5. 1 heure avant de servir, ajoutez la confiture de cerises et des cerises entières en garniture.

Vous pouvez, si vous aimez le goût du fromage frais, ne pas cuire votre cheesecake. Dans ce cas, afin que le gâteau se tienne bien, il vous faudra ajouter de la gélatine, ou de l'agar-agar, et le laisser au réfrigérateur au moins une nuit.

Par portion : 398 calories ; lipides = 19,5 g ; glucides = 44,7 g ; protéines = 10 g.

Parfait aux myrtilles

Les myrtilles sont faciles à accommoder : pas besoin de les peler, de les couper ni de les hacher. Elles sont chargées d'antioxydants, faibles en calories et riches en fibres. Un petit bol de myrtilles fournit environ 15 % de vos besoins quotidiens en vitamine C. Fraîches ou congelées, vous pouvez en trouver toute l'année mais elles sont bien sûr meilleures fraîches quand vient l'été.

Pour 4 personnes

Préparation : *5 min*

Congélation : *3 h*

350 g de myrtilles

2 cuil. à soupe de sucre

le jus de 1 citron

4 petits-suisses à 0 % ou 20 %

3 cl de lait demi-écrémé

1. Mixez les 3/4 des myrtilles avec le sucre, le jus de citron, les petits-suisses et le lait.

2. Incorporez le reste des fruits entiers.

3. Répartissez le mélange dans 4 verrines.

4. Mettez les verrines au freezer pendant au moins 3 heures. Sortez-les du congélateur 30 minutes avant de servir.

Vous pouvez servir ces parfaits avec des cookies ou des langues de chat sans gluten.

Par portion : 170 calories ; lipides = 1 g ; glucides = 37 g ; protéines = 3 g.

Des fruits pour satisfaire vos envies de sucre

L'être humain adore le sucre. Si vous donnez une cuillerée de crème glacée et une cuillerée de crème aigre à un bébé, vous n'aurez pas besoin qu'une équipe scientifique fasse une étude poussée pour savoir laquelle va le faire sourire ou grimacer. Nous avons tous besoin de glucose, c'est vrai. Il donne de l'énergie à notre corps. Mais vous pouvez le trouver en quantité suffisante dans les fruits et les légumes. De plus, les fruits et légumes vous apportent bien d'autres vitamines, minéraux, fibres et antioxydants, mais aussi moins de calories que les aliments sucrés. Pour satisfaire vos envies de sucre, essayez des recettes à base de fruits. Voici quelques idées :

✔ **Fondue de chocolat aux fruits :** faites fondre du chocolat noir et trempez-y des fruits.

✔ **Compotes :** préparez des compotes de fruits de saison. Par exemple, pour faire une compote de pommes, faites fondre des pommes coupées en dés dans un peu d'eau, de jus de citron et 2 cuillerées à soupe de sucre. Ajoutez du sucre vanillé ou un peu de cannelle et laissez cuire environ 20 minutes jusqu'à ce que vous puissiez écraser les fruits en compote.

✔ **Sorbets :** mixez tout simplement des fruits (des fraises, par exemple) et placez-les dans un bac au congélateur. Vous pouvez également y ajouter du sucre glace (200 g pour 500 g de fruits), le jus d'un citron, voire de la crème fouettée.

✔ **Smoothies :** nous avons parlé des smoothies au chapitre 11. Vous pouvez également les congeler pour en faire des glaces.

✔ **Fruits au mascarpone/fromage blanc :** coupez et mixez des fruits. Assaisonnez du mascarpone avec du jus de citron et du sucre vanillé. Fouettez. Servez-le avec les fruits. Vous pouvez également utiliser du fromage blanc.

✔ **Mousses de fruits :** elles se composent de fruits mixés, de blanc d'œuf monté en chantilly ou de crème fleurette fouettée et de gélifiant (comme l'agar-agar ou la gélatine). Le mélange doit être mis au réfrigérateur entre 2 et 4 heures.

Rappel : n'oubliez pas que les fruits frais gardent tous leurs bienfaits si vous les conservez correctement. Ne réfrigérez pas les bananes et autres fruits tropicaux. Les melons n'ont pas besoin d'être réfrigérés sauf si vous les avez coupés. Il vous faudra alors les placer dans un bac séparé de vos autres aliments.

Gourmandises pour le goûter

Certains desserts doivent se manger à la maison mais que pouvez-vous emporter avec vous pour le quatre heures, à un pique-nique ou en voyage ?

Je vous propose ici un choix de recettes de gâteaux au « format poche » grâce aux talentueuses blogueuses culinaires sans gluten, Clem, Solène et Natacha.

Des pâtissières amatrices de talent

Solène, du blog *Sunny Délices*, a 19 ans et est ingénieur en développement informatique. Elle a été diagnostiquée cœliaque en 2006, comme son père. Après de nombreux loupés en pâtisserie sans gluten (pain trop dense et plat, pâtes à tartes trop friables), elle a eu envie de partager ses succès avec d'autres personnes cœliaques, intolérantes ou curieuses, à travers son blog culinaire. Elle prépare actuellement un CAP de pâtissier et projette d'ouvrir une pâtisserie sans gluten à Lyon.

Clem, du blog *Clemsansgluten*, a ouvert son blog, à l'origine, pour ses amis et leurs enfants cœliaques, pour dédramatiser ce régime, montrer que l'on peut se régaler et régaler généreusement toute sa famille en mangeant sans gluten. Elle réalise des versions sans gluten et gourmandes de recettes qui traditionnellement en contiennent. Diagnostiquée intolérante au gluten en 2009, elle a décidé de mettre toute sa petite famille, pour des raisons pratiques, au régime sans gluten.

Natacha, du blog *Ma cuisine sans gluten*, a été diagnostiquée cœliaque à l'âge de 9 mois et a donc vécu sans gluten presque toute sa vie. Grande gourmande, elle a appris à cuisiner avec sa grand-mère et partage, depuis 2007, ses meilleures recettes sans gluten sur son blog, encouragée à la maison par son mari et ses petits gourmands.

Cupcakes à la vanille

Le cupcake est une gourmandise à la mode qui se décline sous de multiples goûts, formes et couleurs grâce aux glaçages. Clem du site *Clemsansgluten* nous propose ici une recette de base à accommoder selon vos envies.

Retrouvez le pas à pas et toutes les recettes de Clem sur www.clemsansgluten.com.

Pour 12 cupcakes environ

Préparation : 10 min

Cuisson : 25 min

90 g de farine de millet

65 g de farine de riz complet

80 g de fécule de pomme de terre

1 cuil. à café de poudre à lever sans gluten

1/2 cuil. à café de bicarbonate de soude

1 cuil. à café de gomme xanthane

1/4 de cuil. à café de sel

215 g de sucre de canne en poudre

115 g de beurre doux, à température ambiante

12,5 cl de lait

2 œufs, à température ambiante

2 cuil. à café d'extrait de vanille

1. Préchauffez le four à 180 °C (th. 6). Alignez les petits moules en papier dans les cavités de la plaque à muffins.

2. Dans un grand bol, mélangez les farines, la fécule, la poudre à lever, le bicarbonate, la gomme xanthane et le sel. Fouettez bien pour éviter les grumeaux.

3. Dans le bol du mixeur, à vitesse moyenne, battez le beurre et le sucre jusqu'à obtenir un mélange crémeux (environ 3 minutes). Raclez bien les bords du bol avec une spatule en plastique. Ajoutez les œufs, un à un, et raclez bien les bords pour obtenir un mélange parfaitement homogène.

4. Baissez la vitesse du mixeur sur le mode lent et versez la moitié du mélange de farines, le lait, puis terminez avec l'autre moitié du mélange de farines. Incorporez la vanille et mixez.

5. Versez à l'aide d'une cuillère à soupe la pâte dans chaque petit moule en papier.

6. Enfournez pour 25 minutes en veillant à ne surtout pas ouvrir la porte du four pendant la cuisson sinon le petit dôme des cupcakes va retomber. Sans gluten, ces cupcakes gonflent vite mais se stabilisent seulement en fin de cuisson. Attendez 5 minutes avant de sortir les moules en papier de la plaque. Laissez bien refroidir avant de poser votre glaçage.

Par portion : 237 calories ; lipides = 9,8 g ; glucides = 33,25 g ; protéines = 3 g.

Cookies aux trois chocolats

À grignoter pour le quatre heures ou à tout moment de la journée, nous aimons tous les cookies ! Clem du blog *Clemsansgluten* nous propose ici une version aux trois chocolats. Les gourmands vont être aux anges !

Retrouvez le pas à pas et toutes les recettes de Clem sur `www.clemsansgluten.com`.

Pour 15 cookies environ

Préparation : *30 min*

Cuisson : *15 min*

75 g de poudre d'amandes

90 g de farine de riz demi-complet

90 g de farine de sarrasin

80 g de fécule de maïs

1 cuil. à café de gomme xanthane

1 cuil. à café de bicarbonate de soude

1/2 cuil. à café de sel

2 œufs + 1 jaune à température ambiante

115 g de sucre brun (de type rapadura)

100 g de sucre de canne blond

120 g de beurre

1 cuil. à soupe d'extrait de vanille

100 g de chocolat noir pâtissier

30 g de chocolat au lait pâtissier

30 g de chocolat blanc pâtissier

1. Préchauffez le four à 160 °C (th. 5/6). Préparez une plaque à pâtisserie recouverte de papier cuisson.

2. Dans un bol, mélangez avec un fouet les ingrédients secs : poudre d'amandes, farines, fécule, gomme xanthane, bicarbonate et sel.

3. Dans un autre bol, battez à la fourchette les 2 œufs et le jaune.

4. À l'aide d'un couteau à pain, coupez les différents chocolats pour en faire de petits morceaux (pas aussi petits que des pépites mais pas aussi gros que des carrés de chocolat).

5. Dans le bol du mixeur, versez le mélange des ingrédients secs et les sucres puis mixez. Ajoutez le beurre en dés, puis mixez de nouveau.

6. Incorporez l'extrait de vanille puis les 2/3 du chocolat noir et mixez encore. La pâte va se tenir, devenir plus épaisse. À l'aide d'une cuillère, prélevez un peu de pâte et formez une boule dans la paume de vos mains. Aplatissez-la pour façonner un cookie et déposez-le sur la plaque. Décorez le dessus avec un morceau de chaque sorte de chocolat.

7. Enfournez pour environ 10 à 15 minutes, en fonction de la grosseur des cookies. Retirez le papier cuisson de la plaque, laissez les cookies refroidir dessus pendant 10 minutes puis transférez-les sur une grille de refroidissement.

Par portion : 288 calories ; lipides = 15 g ; glucides = 32,8 g ; protéines = 4,9 g.

Chouquettes

Avant, nous les achetions à la sortie de l'école, maintenant il faut les faire soi-même. Autant s'y mettre tout de suite ! Je vous propose ici la recette de Solène du blog *Sunny Délices* : www.sunny-delices.fr.

Pour 20 chouquettes environ

Préparation : *20 min*

Cuisson : *35 min*

25 cl de lait

80 g de beurre

2 cuil. à soupe de sucre cassonade

1 pincée de sel

140 g de farine sans gluten (mix à pâtisserie)

4 œufs

sucre perlé en grains

1. Préchauffez le four à 200 °C (th. 7).

2. Dans une casserole, mélangez le lait, le sucre, le beurre, la pincée de sel et 20 cl d'eau. Portez à ébullition puis, hors du feu, ajoutez la farine en une fois et mélangez rapidement avec une cuillère en bois.

3. Remettez sur feu doux en remuant énergiquement pendant 2 ou 3 minutes pour dessécher la pâte. Il faut qu'elle forme une boule et ne colle plus aux parois de la casserole.

4. Transvasez la pâte dans un saladier et attendez quelques minutes qu'elle refroidisse un peu. Incorporez alors un par un les œufs en mélangeant bien à chaque fois pour intégrer l'œuf à la pâte.

5. Recouvrez une plaque de papier cuisson, mettez la pâte à choux dans une poche à douille et formez de petits dômes. Saupoudrez les petits choux de sucre perlé en grains.

6. Faites cuire les chouquettes 25 minutes. Entrouvrez la porte du four 10 minutes avant la fin de cuisson et laissez les chouquettes encore 10 minutes dans le four éteint pour éviter qu'elles retombent quand vous les sortirez du four.

Par portion : 288 calories ; lipides = 15 g ; glucides = 32,8 g ; protéines = 4,9 g.

Mug cake tout chocolat

Gourmandise très tendance préparée directement dans une tasse (*mug* en anglais) qui va au micro-ondes, prête en quelques minutes, c'est la recette idéale pour un en-cas gourmand ou une petite fringale. En plus, pas de vaisselle à la clé ! Natacha du blog *Ma cuisine sans gluten* nous propose ici sa version « tout chocolat ».

Retrouvez toutes les recettes de Natacha sur www.macuisinesansgluten.fr.

Pour 1 personne

Préparation : *3 min*

Cuisson : *2 min*

40 g de chocolat noir

40 g de beurre demi-sel

20 g de sucre

20 g de farine de riz

2 cl de lait écrémé

1 œuf

1. Cassez le chocolat et mettez-le dans le mug avec le beurre. Faites fondre au micro-ondes (adaptez la puissance en fonction de votre modèle de four). Il faut compter environ deux fois 30 secondes.

2. Versez le sucre dans le mug. Mélangez.

3. Ajoutez la farine de riz. Mélangez.

4. Versez le lait. Mélangez.

5. Cassez l'œuf dans un bol, battez-le en omelette puis versez-le dans la préparation. Mélangez.

6. Faites cuire au micro-ondes à puissance maximale pendant 45 secondes à 1 minute selon votre four.

Par mug cake : 764 calories ; lipides = 53,2 g ; glucides = 57,1 g ; protéines = 12,2 g.

Mini-financiers

Une recette facile, rapide à réaliser et idéale pour accompagner un café gourmand ou à déguster au goûter. Voici la recette de Natacha du blog *Ma cuisine sans gluten* : www.macuisinesansgluten.fr.

Pour 10 financiers environ

Préparation : *5 min*

Cuisson : *10 min*

75 g de beurre mou

75 g de sucre

1 œuf

75 g de farine sans gluten

Garniture facultative : 40 g de raisins secs trempés dans 2 cuillerées à soupe de rhum ou des pépites de chocolat

1. Préchauffez le four à 200 °C (th. 7). Pensez à enlever la grille.

2. Battez au fouet (électrique ou à la main) le beurre mou et le sucre.

3. Ajoutez l'œuf. Battez bien.

4. Incorporez la farine. Battez bien jusqu'à obtenir un mélange homogène.

5. Posez votre moule à financiers sur une grille froide. À l'aide d'une cuillère ou d'une poche à douille, répartissez la pâte dans les alvéoles.

6. Déposez les raisins ou les pépites de chocolat dans chaque alvéole et faites cuire pendant 10 à 12 minutes. Dégustez froid.

Variante : j'ai aussi testé avec de la noix de coco râpée et de petits morceaux d'abricots. C'est délicieux ! Vous pouvez aussi remplacer le sucre par du sucre roux pour donner un petit côté croquant à vos gâteaux.

Par portion : 145 calories ; lipides = 8,1 g ; glucides = 15,8 g ; protéines = 1,6 g.

Des gourmandises et gâteaux de fête

Chandeleur, Noël, anniversaires… autant d'occasions de déguster des desserts qui, traditionnellement, sont faits à base de farine de blé. Mais nous pouvons célébrer en toute sérénité, nous aussi qui sommes au régime sans gluten, car ces gourmandises sont réalisables en version sans gluten !

Je vous propose ici un choix de recettes de fêtes des blogueuses culinaires sans gluten, Clem, Solène et Natacha.

Fêtez dignement la Chandeleur

La Chandeleur, ou fête des chandelles, est traditionnellement fêtée 40 jours après Noël, et célèbre la lumière. Les crêpes que nous dégustons en cette occasion, avec leur forme ronde et leur couleur dorée, symboliseraient le soleil.

Crêpes de la Chandeleur à la farine de châtaignes

La farine de châtaignes, avec son petit goût sucré, va donner à vos crêpes une saveur encore plus gourmande. Elles sont tellement délicieuses que vous pouvez les manger nature. Je vous propose ici la recette de Natacha du blog *Ma cuisine sans gluten* : www.macuisinesansgluten.fr.

Pour 8 à 10 crêpes

Préparation : 5 min

Cuisson : 20 min

150 g de mix de farines de riz et de châtaignes (ou 105 g de farine de riz et 45 g de farine de châtaignes)

50 g de mix de farine sans gluten

1 pincée de sel

5 g de levure sans gluten

4 œufs

3 cuil. à soupe d'huile

20 cl de lait (ou de lait végétal : amande, soja)

1. Dans un saladier, mélangez les farines, le sel et la levure puis incorporez les œufs un à un. Remuez bien.

2. Versez délicatement l'huile, 20 cl d'eau et le lait en remuant pour éviter les grumeaux.

3. Faites chauffer une poêle à crêpes antiadhésive légèrement huilée.

4. Versez une louche de pâte et laissez cuire chaque crêpe environ 1 minute 30 de chaque côté.

5. Servez les crêpes avec vos garnitures préférées (sirop d'érable, confitures, sucre, jus de citron, chocolat).

Vous pouvez réaliser cette recette avec un robot ou au blender.

Variante : vous pouvez, si vous aimez les crêpes plus « traditionnelles », réaliser une pâte très simple avec 200 g de fécule de maïs, 4 œufs, 25 cl de lait et 1 sachet de sucre vanillé.

Par portion : 128,6 calories ; lipides = 4,3 g ; glucides = 16,7 g ; protéines = 5,3 g.

Tirez les rois

Tradition inspirée des Saturnales romaines où on élisait, grâce à la fève d'un gâteau, un esclave comme roi d'un jour, elle perdure de nos jours à l'Épiphanie où nous « tirons les rois ».

Galette des rois

La fête des Rois est souvent un grand moment de solitude pour ceux qui mangent sans gluten. Il est assez rare de trouver des galettes sans gluten dans le commerce pour le moment. Mais grâce à Clem du blog *Clemsansgluten*, vous allez pouvoir réaliser votre propre galette des rois sans gluten et profiter en famille et entre amis de ce moment de convivialité.

Retrouvez le pas à pas et toutes les recettes de Clem sur `www.clemsansgluten.com`.

Pour 4 à 6 personnes

Préparation : *20 min*

Cuisson : *30 min*

2 pâtes feuilletées (de 250 g chacune) sans gluten (prêtes à l'emploi)

75 g de beurre

150 g de poudre d'amandes

100 g de sucre de canne roux

2 œufs + 1 jaune pour glacer

1 cuil. à soupe de lait

1 cuil. à soupe de rhum

2 cuil. à soupe de farine de riz pour étaler les pâtes feuilletées

1 fève

1. Préchauffez le four à 190 °C (th. 6/7). Préparez une plaque de cuisson recouverte de papier cuisson.

2. Faites fondre le beurre au bain-marie puis versez la poudre d'amandes et le sucre. Mélangez bien. Retirez du feu et incorporez les œufs. Versez le rhum et mélangez.

3. Laissez refroidir pendant 5 minutes et mettez au réfrigérateur le temps de préparer les pâtes feuilletées pour que le beurre durcisse et que votre frangipane soit plus facile à étaler.

4. Farinez une feuille de papier cuisson et posez la première pâte feuilletée sans gluten dessus. Saupoudrez-la d'un peu de farine de riz et recouvrez d'un film alimentaire. Étalez au rouleau à pâtisserie.

5. Recommencez l'opération avec la seconde pâte feuilletée.

6. Utilisez un moule à tarte (ou un saladier) retourné pour découper un grand cercle dans une pâte et un autre cercle avec 1 cm de bord en plus dans la deuxième pâte. Cette pâte-là sera celle du dessus de la galette.

7. Déposez la pâte du dessous sur la plaque de cuisson.

8. Préparez le glaçage en battant le jaune d'œuf et le lait avec une fourchette. Badigeonnez au pinceau les bords de la pâte du dessous sur 1 cm.

8. Utilisez les chutes de pâte : découpez de fines lanières (environ 1 cm) pour faire une bordure sur la pâte du fond, afin d'éviter à la frangipane de couler. Cette bordure se colle sur les bords badigeonnés d'œuf battu. Badigeonnez-en aussi la bordure.

9. Garnissez le fond de tarte avec la frangipane et déposez la fève. Déposez délicatement l'autre pâte par-dessus. Soudez les bords des deux pâtes ensemble en pressant avec les doigts et utilisez une fourchette ou la pointe d'une cuillère pour les « sceller » délicatement.

10. À l'aide d'un couteau, décorez délicatement le dessus de la galette et percez trois petits trous au centre de la galette pour permettre à la vapeur de s'échapper et à la pâte sans gluten de ne pas faire de bulles. Badigeonnez le dessus de la galette de dorure à l'aide d'un pinceau. Enfournez pour environ 30 minutes.

Par portion : 655,6 calories ; lipides = 45,6 g ; glucides = 51,3 g ; protéines = 10,1 g.

Noël

Lors de la veillée de Noël, pendant plusieurs siècles, la tradition voulait que l'on fasse brûler une bûche de bois dans l'âtre de la cheminée pour qu'elle se consume lentement. On dit que cette tradition, avec la disparition des grandes cheminées, fut remplacée dès le XIXe siècle par un dessert en forme de bûche composé d'une génoise roulée à la crème au beurre.

Bûche de Noël façon tiramisu

Voici la version de la bûche de Noël créée par Solène du blog *Sunny Délices*. Pour changer de la traditionnelle bûche aux marrons, Solène nous propose ici une génoise imbibée au café avec une crème au mascarpone. Un petit air de tiramisu italien pour les fêtes !

Retrouvez la recette pas à pas et toutes les recettes de Solène sur www.sunny-délices.fr.

Pour 6 personnes

Préparation : 30 min

Cuisson : 15 min

300 g de mascarpone

6 œufs

255 g de sucre

1 gousse de vanille ou l'équivalent de vanille en poudre

80 g de fécule de maïs

1 pincée de sel

5 cl de café fort

cacao amer en poudre pour la décoration

quelques marrons glacés

1. Préchauffez le four à 180 °C (th. 6) et sortez le mascarpone du réfrigérateur pour qu'il ramollisse.

2. Séparez les jaunes des blancs de 3 œufs.

3. Faites blanchir les jaunes avec 130 g de sucre et la vanille (les graines de la gousse ou la poudre), puis incorporez la fécule de maïs et ajoutez 1 cuillerée à soupe d'eau pour détendre la préparation. Mélangez bien.

4. Battez les 3 blancs en neige avec une pincée de sel et incorporez-les à la préparation précédente avec une maryse.

5. Recouvrez une plaque de papier cuisson et étalez la pâte dessus avec le dos d'une spatule en veillant à ce que l'épaisseur soit homogène. Faites cuire au four pendant 12 minutes puis sortez le biscuit et renversez-le sur un torchon propre, décollez le papier cuisson et roulez le biscuit dans le torchon.

6. Pendant ce temps, préparez la crème. Séparez les jaunes des blancs des œufs restants. Mélangez les jaunes avec 100 g de sucre et fouettez le mélange jusqu'à ce qu'il blanchisse.

7. Ajoutez le mascarpone en mélangeant avec une maryse. Montez les blancs en neige et incorporez-les au mélange.

8. Pour monter la bûche : déroulez le biscuit. Imbibez-le de sirop de café (25 g de sucre mélangé au café fort) avec un pinceau et recouvrez-le des 3/4 de la crème. Étalez la crème avec une spatule. Roulez le biscuit et recouvrez-le du reste de la crème.

9. Saupoudrez la bûche de cacao amer en poudre et décorez de quelques marrons glacés et de personnages de Noël.

Avant de rouler votre biscuit, vous pouvez déposer des éclats de marrons glacés sur la crème pour donner du croquant à votre bûche.

Par portion : 502 calories ; lipides = 26 g ; glucides = 53,5 g ; protéines = 12,2 g.

Fraisier de fête

Pour un anniversaire ou la fête des Mères, voici une version sans gluten du fraisier par Solène du blog *Sunny Délices*. Il faut avoir un petit tour de main pour le réussir, mais avec un peu de patience et de doigté, le résultat devrait surprendre vos invités.

Retrouvez la recette pas à pas et toutes les recettes de Solène sur `www.sunny-délices.fr`.

Pour 6 personnes

Préparation : 30 min

Cuisson : 15 min

500 g de fraises

3 œufs + 5 jaunes

210 g de sucre

90 g de farine sans gluten (ou 70 g de farine de riz et 20 g de fécule de maïs)

50 cl de lait

1 gousse de vanille ou l'équivalent de vanille en poudre

60 g de fécule de maïs

220 g de beurre

Pour la garniture et le décor :

sirop (100 g de sucre et 75 g d'eau) avec éventuellement 1 cuil. à soupe de kirsch

200 g de pâte d'amandes rose (sans gluten)

50 g de chocolat noir

1. Préchauffez le four à 180 °C (th. 6).

2. Faites blanchir les œufs entiers avec 90 g de sucre. Incorporez délicatement 90 g de farine tamisée et mélangez à la maryse sans faire retomber l'ensemble. Versez la pâte dans le moule et faites cuire 15 minutes. Sortez votre génoise, démoulez-la et réservez.

3. Fendez la gousse de vanille et grattez les graines. Dans une casserole, faites chauffer le lait avec la gousse de vanille fendue et les graines et laissez infuser quelques minutes.

4. Dans un saladier, mélangez 120 g de sucre, la fécule de maïs (60 g) et les jaunes d'œufs.

5. Portez le lait vanillé à ébullition et versez-en la moitié sur cette préparation. Mélangez bien et reversez le tout dans la casserole pour faire épaissir sur le feu en mélangeant constamment.

6. Ajoutez à cette crème encore chaude 110 g de beurre coupé en petits morceaux. Mélangez bien. Versez cette crème dans un plat, recouvrez d'un film et placez au frais.

7. Quand la crème a un peu refroidi, incorporez de nouveau 110 g de beurre. Pour cela, fouettez le beurre jusqu'à ce qu'il soit crémeux et intégrez-le progressivement à votre crème, en trois fois.

8. Pour préparer le sirop : mélangez sur feu doux 100 g de sucre et 7,5 cl d'eau jusqu'à ce que le mélange soit clair. Ajoutez éventuellement du kirsch.

9. Pour monter le fraisier : coupez votre génoise en deux dans la hauteur afin d'obtenir 2 disques. Recouvrez d'une feuille plastique à pâtisserie (Rhodoïd®) un cercle à pâtisserie de 20 cm de diamètre. Placez un premier disque dans le cercle et imbibez-le de sirop avec un pinceau. Placez des fraises coupées en deux dans la longueur sur tout le tour du cercle, face coupée plaquée contre la feuille plastique. Recouvrez de crème et disposez le reste des fraises coupées au centre de la crème. Placez le deuxième disque de génoise et imbibez-le de sirop. Recouvrez-le avec le reste de crème et lissez avec une spatule. Mettez au frais pendant 3 heures.

10. Pour la décoration : étalez la pâte d'amandes avec un rouleau à pâtisserie et découpez un cercle de 20 cm pour le poser sur le gâteau. Faites fondre le chocolat au bain-marie, versez-le dans un cornet de papier pour écrire ou dessiner des motifs. Ajoutez quelques fraises entières ou coupées en deux pour décorer.

Par portion : 1 031 calories ; lipides = 56 g ; glucides = 105,75 g ; protéines = 19,3 g.

Quatrième partie

Vivre et aimer vivre sans gluten 24 heures sur 24, 7 jours sur 7

C'est la version sans gluten ?

Dans cette partie...

Nous nous attarderons ici sur l'impact social de votre régime sans gluten. Manger à l'extérieur ou partir en vacances peuvent être des expériences difficiles à vivre. Je vous propose des outils et conseils pour réussir vos sorties au restaurant et pour voyager en toute sérénité. Votre régime alimentaire ne doit pas vous gâcher la vie, au contraire !

Nous évoquerons les obstacles émotionnels auxquels vous pouvez être confronté et apprendrons à les déjouer, à prendre le contrôle sur votre régime, gérer celui de vos enfants, et surtout à aimer cette vie sans gluten.

Chapitre 18

Sortir et voyager

. . . .

Dans ce chapitre :

▶ Réussir ses sorties

▶ Préparer une soirée au restaurant

▶ Organiser et réserver ses vacances

▶ Voyager « sans gluten » (en avion, train, bateau et voiture)

. . . .

Manger au restaurant peut représenter, pour certains, une épreuve bien plus difficile à surmonter que de suivre le régime sans gluten lui-même. L'idée de s'aventurer loin de chez soi peut être angoissante, même pour ceux qui suivent le régime depuis longtemps.

Vous avez appris dans ce livre à lire les étiquettes, à faire vos courses, à faire la cuisine, à adapter des recettes en version sans gluten et à éviter de contaminer vos ustensiles. Mais que faire quand vous devez manger à l'extérieur ? Il n'est pas possible de lire les étiquettes de produits au restaurant. Vous êtes limité par les choix proposés sur le menu et vous n'avez aucune idée de la façon dont la nourriture est préparée en cuisine.

Vous ne pouvez pas vivre en autarcie dans votre monde sans gluten. C'est un fait. Vous serez nécessairement amené à manger à l'extérieur, que ce soit pour un déjeuner d'affaires, un dîner romantique ou pendant vos vacances. Mais êtes-vous prêt à payer 20 euros pour un repas qui vous en aurait coûté 6 à la maison et qui serait, de plus, contaminé par du gluten ? Est-ce que cela vaut le coup de tomber malade à ce prix ? Hors de question !

Si vous ne souhaitez pas rester le ventre vide, vous allez devoir apprendre à gérer ces situations. Sortir au restaurant va vous demander quelques efforts, mais le jeu en vaut la chandelle.

Les règles d'or pour une sortie réussie

Vous venez d'arriver à la soirée de l'année. Vous vous êtes mis sur votre trente et un. Vous débordez d'énergie et êtes impatient de passer un excellent moment entre amis. Vous mourez de faim. Vous vous précipitez sur le buffet. Les canapés ont l'air succulents. Mais, tout d'un coup, vous réalisez que vous ne pouvez rien manger du tout. Votre euphorie se mue instantanément en déprime. La panique s'empare de vous : vous allez passer la soirée le ventre vide.

Je vous propose, dans ce chapitre, quelques règles d'or pour réussir vos sorties et vous éviter de vous retrouver dans de telles situations. Adaptez ces règles, bien sûr, en fonction de votre degré d'intolérance. Les cœliaques doivent être les plus vigilants. Il n'y a aucune raison pour laisser la nourriture gâcher votre soirée. Armé de ces conseils, il ne tient plus qu'à vous de transformer vos sorties en soirées inoubliables.

N'attendez pas des autres qu'ils s'adaptent à votre régime

La soirée annuelle de votre entreprise a lieu dans deux mois. Et il vous faudra gérer l'épreuve du dîner. Prenez le temps de contacter ou rencontrer la personne en charge de l'organisation de cette soirée. Expliquez vos restrictions alimentaires le plus précisément possible (si nécessaire, donnez bien tous les détails). L'organisatrice va sûrement hocher la tête au bon moment, voire se fendre d'un : « Oh, mais alors, vous ne pourrez pas manger les canapés de pain de mie, n'est-ce pas ? » Waouh ! Elle a compris ! Vous êtes sauvé ! Mais, attention, ne prenez rien pour acquis.

Si vous trouvez sur le buffet des canapés sans gluten (je vous imagine déjà jouer des coudes au milieu des convives pour mettre le grappin dessus !), soyez reconnaissant envers le personnel et faites-leur savoir. L'organisatrice n'avait pas à prendre en compte vos demandes mais elle l'a fait.

N'attendez jamais des autres, et même de vos proches, qu'ils s'adaptent à votre régime sans gluten. Ils peuvent, eux aussi, faire des erreurs. Mais ne croyez pas pour autant qu'ils ne se soucient pas de vous. Ils peuvent avoir compris vos besoins, mais parfois passer à côté de certains détails (par exemple, de ne pas assaisonner vos sushis de sauce soja, car elle contient du blé).

Demandez ce qu'il y a pour le dîner

Demander le menu n'est pas impoli, non ? Eh bien, dans certains cas, ça peut l'être. Imaginez que vous invitiez des amis à dîner et qu'ils hésitent entre votre invitation et celle d'un autre ami. Ils vous répondent alors : « Oui, on viendra peut-être. Qu'est-ce que tu vas faire à dîner ? » Ne seriez-vous pas un peu vexé par leur réponse ? (Désolée, le livre *Gérer les remarques désobligeantes de ses amis pour les Nuls* n'existe pas encore !).

Jaugez du type de soirée à laquelle vous êtes invité pour adapter votre discours. Dans certaines soirées un peu officielles, demander le menu peut vous faire blacklister par les organisateurs. Ménagez les susceptibilités de chacun. Expliquez tout simplement à votre hôte : « J'ai un régime alimentaire restrictif et je me demandais si vous pouviez me donner le menu prévu pour que je puisse m'organiser en conséquence. » La plupart du temps, les gens seront à votre écoute et accepteront de réfléchir avec vous pour adapter au mieux le repas à vos besoins.

Faites des réserves avant de sortir

Ne vous attendez pas à trouver systématiquement des aliments sans gluten au buffet. Faites des réserves et grignotez chez vous avant de vous rendre à la soirée. Ainsi, vous pourrez vous amuser au lieu de faire une fixation sur la nourriture. Une soirée, c'est surtout des amis et du fun, non ?

Et si, par miracle, on vous sert des tonnes de gourmandises sans gluten, ne vous goinfrez pas. Attention à la crise de foie !

Apportez votre propre nourriture

Je ne suis pas en train de vous dire d'aller à une soirée en smoking avec un sac de fast-food sous le bras. Non, cela serait d'un goût douteux. Adaptez la nourriture que vous emportez au lieu et au type de soirée.

N'imaginez pas que votre hôte va s'offusquer si vous apportez votre nourriture. Prévenez à l'avance ou, si vous ne le faites pas, expliquez-lui discrètement vos restrictions alimentaires. Personne ne vous en voudra d'avoir géré cela vous-même.

Les repas à la bonne franquette

Les dîners où tout le monde apporte un plat différent peuvent être compliqués à gérer quand on est au régime sans gluten. Vous n'avez pas la moindre idée du menu. Vous ne savez pas d'avance quels ingrédients, sauces ou condiments seront utilisés par les autres invités.

Pour éviter de transformer votre soirée en cauchemar, apportez un plat que vous pourrez manger et qui vous fera tenir toute la soirée. Si le seul plat que vous pouvez manger est le vôtre et si quelqu'un le remarque (j'en doute), expliquez tout simplement pourquoi vous ne touchez pas aux autres plats. Il est plus que probable que les invités seront trop occupés à remplir leur assiette et leur estomac pour se préoccuper de ce que vous mangez.

Tournez 7 fois la langue dans votre bouche avant de vous plaindre

Vous avez passé du temps avec votre hôte, lui avez parlé de votre régime sans gluten et elle a accepté d'adapter son menu pour vous. Vous arrivez à la soirée et vous n'y trouvez que des canapés de pain de mie et du poulet pané. Vous :

A. Boudez et ne mangez rien.

B. Boudez, ne mangez rien et vous plaignez à votre hôte.

C. Boudez, ne mangez rien, insultez votre hôte et dépiautez tous les canapés pour manger leurs garnitures (oh non ! elles sont contaminées de gluten !).

D. Aucune des réponses ci-dessus. Vous profitez de la soirée pour vous détendre. Vous n'aviez pas si faim que ça car vous aviez grignoté avant de venir.

La bonne réponse est, bien sûr, la réponse D.

Profitez d'être en bonne compagnie

Que vous sortiez en discothèque, dans une soirée de 500 personnes, au restaurant pour un dîner romantique ou alliez à un mariage, rappelez-vous que les événements sociaux ne tournent pas uniquement autour de la nourriture. Ce qui compte, c'est l'occasion, l'atmosphère, l'ambiance, les gens qui vous accompagnent (et le fait que vous n'ayez pas à faire la vaisselle ni à ranger à la fin !).

La nourriture, dans la plupart des cultures, est un prétexte pour rassembler les gens proches autour d'un événement. Mais ne perdez pas de vue que c'est l'événement qui est la raison pour laquelle les gens se rassemblent. (Si vous êtes invité à une dégustation de vins et de pains, alors ignorez ce que je viens de dire, dans ce cas, c'est bien la nourriture qui compte !).

Sortez au restaurant

Être au régime sans gluten ne doit pas vous empêcher de sortir. Le repas n'est pas l'ingrédient central d'une bonne soirée. Une charmante compagnie, une bonne ambiance, un service de qualité contribuent également à une sortie réussie.

Bien sûr, manger au restaurant comporte quelques risques. Vous ne savez pas exactement quels ingrédients sont utilisés dans votre plat, même si vous essayez de bien communiquer avec le cuisinier, le chef et les serveurs. Ceux-ci sont souvent très occupés et peuvent faire des erreurs. La contamination croisée n'est pas inévitable. Statistiquement, il vous arrivera au moins une fois de vous faire servir une salade avec des croûtons et de devoir la renvoyer en cuisine.

Avec un petit effort supplémentaire, vous pouvez vous assurer que votre repas sera bien exempt de gluten et profiter ainsi de votre sortie.

Voici quelques conseils qui peuvent vous aider à mieux gérer vos sorties au restaurant :

- **Soyez agréable et reconnaissant.** Si vous êtes exigeant, vous mettez les autres sur la défensive. S'ils répondent à vos demandes, soyez extrêmement reconnaissant.

- **Donnez-leur juste assez d'informations.** Ni trop, ni trop peu. Vous devrez probablement vérifier si le serveur vous a vraiment compris.

- **N'hésitez pas à demander ce que vous voulez.** Vous payez votre repas, donc vous devriez pouvoir en profiter et être sûr de pouvoir manger l'esprit tranquille.

- **Faites bien comprendre au serveur et au chef que votre pathologie est sérieuse.** Si vous devez avoir l'air grave, faites-le. Une des meilleures façons de leur expliquer vos besoins est de leur dire : « C'est un peu comme une allergie aux arachides. » Vous savez que ce n'est pas vraiment le cas, mais au moins cela attirera leur attention.

- **Appelez le restaurant à l'avance, si vous le pouvez.** N'oubliez pas d'éviter les heures de pointe. Vérifiez si le restaurant possède un site Internet pour voir le menu ou envoyez un e-mail pour poser des questions sur les ingrédients utilisés.

✔ **Essayez de savoir comment les aliments sont préparés.** Plus vous en savez, mieux c'est. Ainsi, vous pourrez prendre les bonnes décisions lors de votre commande.

✔ **Apportez votre propre nourriture.** Non seulement vous pouvez apporter votre propre pain ou des craquelins à grignoter, mais vous pouvez même tenter d'apporter de la nourriture que le restaurant vous réchauffera. C'est assez difficile, j'avoue, mais il m'est arrivé d'apporter des pâtes sans gluten dans un restaurant italien que le chef m'a gentiment cuites. N'oubliez pas de donner des indications pour éviter que votre nourriture soit *gluténisée*.

✔ **Renvoyez votre plat s'il y a un problème.** Je ne vous suggère pas d'être impoli, mais si on vous apporte une salade avec des croûtons, ne retirez pas les croûtons pour manger la salade. C'est trop risqué pour un cœliaque ! Il n'y a rien de mal à demander poliment : « Excusez-moi. Je dois avoir oublié de vous mentionner que je ne peux pas manger de croûtons avec ma salade. Pourriez-vous me rapporter une salade sans croûtons ? » Tout le monde sait bien que vous l'aviez précisé, vous les prenez juste à contre-pied.

Bien choisir son restaurant

N'allez pas chez Pizza Hut pour ensuite vous plaindre de ne rien pouvoir manger ! Si vous choisissez des restaurants dont les spécialités contiennent de toute évidence du gluten, vous vous mettez vous-même en situation de frustration et de déception.

Choisissez un restaurant qui propose, à sa carte, un vaste choix de plats, une brasserie où vous pourrez trouver des grillades, un restaurant ethnique qui prépare des plats sans gluten ou, si vous en trouvez près de chez vous, un restaurant 100 % sans gluten.

Trouvez des lieux qui proposent des menus sans gluten

Fermez les yeux et imaginez-vous dans une belle salle de restaurant, en charmante compagnie. La serveuse arrive : « Bonsoir, je suis Sarah. C'est moi qui vais vous servir ce soir. Souhaitez-vous voir le menu sans gluten ? » Ouvrez les yeux (sinon vous ne pourrez pas continuer à me lire) car ce beau rêve devient, depuis peu, réalité. De nombreux restaurants proposent des plats sans gluten, oui, c'est vrai !

En France (et en francophonie en général, sauf au Québec, les veinards !), les grandes chaînes de restauration ne proposent pas encore de menus sans gluten. On oublie donc, pour le moment, les grandes chaînes de fast-food ! De plus en plus de restaurants proposent du pain sans gluten pour accompagner vos repas. J'ai apprécié d'en trouver dans un restaurant de la chaîne Buffalo Grill récemment.

Ce sont des restaurateurs indépendants que viennent, pour le moment, le plus d'initiatives autour du régime sans gluten. Renseignez-vous dans votre ville ou votre quartier. Il s'ouvre chaque mois, un peu partout, de nouveaux établissements (restaurants, boulangeries, fast-foods, salons de thé) qui garantissent une cuisine 100 % sans gluten. Ils sont à recommander, bien sûr !

Les associations d'intolérants au gluten (comme l'AFDIAG en France) organisent régulièrement des campagnes de sensibilisation à l'intolérance au gluten et des formations pour les professionnels des métiers de la restauration. Le changement est en marche !

Restez malgré tout méfiant lorsqu'une grande chaîne de restauration vous propose un menu sans gluten. Ils surfent souvent sur la tendance du moment et ne prennent pas forcément en considération la maladie cœliaque. Les aliments en cuisine peuvent être contaminés. Faites donc attention et demandez bien au serveur des informations sur la préparation de votre plat pour vous assurer qu'il sera effectivement exempt de gluten.

Si votre restaurant de quartier préféré ne propose pas encore de plat sans gluten, suggérez au patron de le faire. Vous pouvez même leur proposer de les y aider. La plupart des restaurateurs commencent à s'intéresser au régime sans gluten. Les médias en parlent régulièrement. Avoir un menu ou des plats sans gluten à leur carte leur permettra d'attirer de nouveaux clients et de satisfaire leurs habitués. N'oubliez pas non plus que la nouvelle réglementation européenne en vigueur depuis décembre 2014 oblige les restaurateurs à afficher les 14 allergènes les plus courants sur leurs menus. Affaire à suivre !

Un menu sans gluten est certes très pratique et rassurant. Mais n'oubliez pas que de nombreux plats sont naturellement sans gluten. Si le restaurant où vous vous rendez n'a pas de menu sans gluten, ne désespérez pas. Vous trouverez sûrement quelque chose qui vous conviendra. Personnellement, je favorise les viandes et poissons grillés servis avec des légumes vapeur. Il faut vous faciliter la vie en limitant vos risques.

Les restaurants à privilégier

Dans chaque restaurant (sauf ceux qui sont 100 % sans gluten bien sûr), vous devez vérifier les ingrédients utilisés et la façon dont les plats sont préparés (utilisent-ils la même spatule pour retourner les burgers et les pains ?). Vous pouvez soit demander en cuisine de prendre en compte vos besoins, soit aller manger ailleurs. D'une façon générale, les types de restaurants suivants sont de bons partis :

- ✔ **Végétariens :** ces restaurants proposent souvent des plats naturellement sans gluten dont les ingrédients sont affichés sur la carte.

- ✔ **Grills :** faites surtout attention aux sauces et privilégiez les grillades accompagnées d'épis de maïs, de haricots verts, de pommes de terre vapeur ou en robe des champs.

- ✔ **Brasseries :** vous pourrez toujours y trouver un steak ou un poisson grillé avec des pommes vapeur, mais aussi des omelettes ou des planches de fromages/charcuteries (n'oubliez pas d'apporter votre pain !).

- ✔ **Tapas :** ces restaurants offrent un vaste de choix d'ingrédients. Demandez juste au serveur comment ils sont cuisinés.

- ✔ **Indiens :** la plupart des ingrédients utilisés dans la cuisine indienne sont naturellement sans gluten.

- ✔ **Mexicains :** la cuisine mexicaine propose de nombreux plats naturellement sans gluten. Demandez des tortillas de maïs et assurez-vous qu'ils n'utilisent pas de farine dans les sauces.

- ✔ **Coréens/mongols :** les barbecues coréens ou mongols vous permettent de choisir et de cuire vous-même les ingrédients que vous souhaitez. Assurez-vous que la grille de cuisson a été bien nettoyée avant votre repas et n'oubliez pas de les prévenir de vos restrictions alimentaires.

- ✔ **Fruits de mer :** huîtres, crevettes, pétoncles, coquillages, homards, crabes à volonté. Il ne reste plus qu'à vous assurer de leur fraîcheur !

- ✔ **Thaï/vietnamien :** quel plaisir d'aller manger des nouilles dans un restaurant thaïlandais ou vietnamien ! Attention : toutes leurs nouilles ne sont pas sans gluten mais la plupart sont à base de riz et sont sans danger. Les sauces utilisées sont également en majorité sans gluten.

- ✔ **Japonais :** optez pour les sushis ou sashimis sans sauce soja.

- ✔ **Gastronomiques :** de plus en plus de grands chefs proposent des recettes sans gluten. Offrez-vous une grande table de temps en temps.

Vous remarquerez que les restaurants les moins à risque sont souvent des restaurants de cuisine internationale. En effet, dans d'autres cultures, les ingrédients sont naturellement sans gluten. Il ne vous reste plus qu'à choisir ceux que vous appréciez le plus. Les cuisines mexicaine, thaïe ou indienne ne sont que quelques-unes des options à votre disposition. Faites des recherches sur la façon dont les plats sont traditionnellement préparés puis tentez l'expérience… ou aventurez-vous dans votre cuisine pour réaliser ces plats vous-même (voir quelques idées de recettes au chapitre 15).

Les restaurants à risque

Il pourrait vous arriver de trouver des menus sans gluten dans ces restaurants mais, en général, ils ne sont pas de premier choix pour les personnes au régime sans gluten :

- **Boulangeries/sandwicheries :** je n'avais pas besoin de vous le dire, n'est-ce pas ?

- **Cajun/antillais :** la plupart des plats sont assaisonnés d'un roux réalisé avec de la farine. Vous pourrez y trouver des fruits de mer grillés avec du riz, mais attention à la contamination croisée !

- **Chinois :** ces restaurants mettent de la sauce soja (qui contient du blé, donc du gluten) dans la majorité de leurs plats. Vous pouvez apporter votre propre sauce soja sans gluten, mais soyez vigilant sur la contamination possible des aliments en cuisine.

- **Italiens :** la plupart des restaurants italiens servent surtout des pâtes et des pizzas. Vous pouvez malgré tout trouver des restaurants qui servent des plats à base de polenta, de viandes, de poissons et de salades.

- **Turcs/grecs/libanais :** la céréale de base de ces cuisines étant le blé, il vous sera difficile de trouver votre bonheur.

- **Salons de thé :** les salons de thé branchés proposent des snacks, cakes et cupcakes « santé ». Malheureusement, ces produits sont souvent fabriqués avec de la farine complète (mais pas sans gluten). Vous pouvez peut-être y trouver des fruits et des yaourts. Favorisez donc les salons de thé 100 % sans gluten qui s'ouvrent un peu partout (oui, je sais, plutôt dans les grandes villes pour le moment).

Appelez avant d'y aller

N'hésitez pas à appeler un restaurant à l'avance pour vous informer sur leur menu et demander si le personnel en cuisine peut gérer vos restrictions alimentaires. Consultez, si possible, le menu sur leur site Internet ou envoyez un e-mail. Vous pouvez aussi leur communiquer la liste des ingrédients qui vous sont interdits. Si vous le faites suffisamment à l'avance, ils pourront peut-être vous trouver une solution alternative. En France, il peut s'avérer compliqué, voire épuisant de discuter du régime sans gluten avec les restaurateurs. J'avoue que, pour l'instant, sortir m'a été plus facile en Angleterre, en Italie ou aux États-Unis, mais ne désespérons pas !

Appelez le restaurant en dehors des heures de service. Si vous appelez en plein déjeuner ou dîner, vous risquez de vous faire envoyer sur les roses.

L'avantage des chaînes de restauration, c'est qu'elles doivent répondre à un cahier des charges précis. Il est plus facile d'obtenir de leur service clients des informations sur les ingrédients et leur préparation. Elles possèdent également des sites Internet qui offrent de l'information sur les allergènes contenus dans les plats. La nouvelle réglementation européenne en vigueur depuis le 13 décembre 2014 oblige les restaurateurs à afficher sur leurs menus les 14 allergènes les plus courants (gluten, soja, arachides…). C'est un grand pas en avant, mais, pour l'instant, son application sur le terrain reste à vérifier et son efficacité doit encore faire ses preuves.

Faites des choix judicieux sur le menu

Donnez-vous toutes les chances de passer une bonne soirée. Privilégiez des plats dont les ingrédients sont susceptibles d'être sans gluten ou qui peuvent être facilement modifiés en cuisine. Évitez évidemment les aliments panés et frits et favorisez les grillades. Évitez également les viandes ou poissons en sauce, car les restaurateurs utilisent bien souvent de la farine ou du fond de veau pour épaissir ces sauces.

Alors, allez-vous commander un bœuf à la bière ? Non, ce n'est pas un bon choix. Un porc sauté teriyaki ? Non plus. Un poulet frit ? Sûrement pas. Un poulet grillé ? Là, peut-être. Un dos de saumon grillé ou une entrecôte grillée ? Oui, là, c'est mieux ! Vous êtes sur la bonne voie.

Quatre étapes pour bien passer sa commande :

1. Cherchez sur le menu les plats dont les ingrédients sont susceptibles d'être sans gluten ou pourraient facilement être modifiés.

2. Choisissez le plat que vous souhaitez.

3. Posez des questions sur les ingrédients et la façon dont ils sont préparés. (Je vous donne plus de détails plus bas dans ce chapitre.)

4. Assurez-vous d'avoir été clair et d'avoir donné assez d'informations pour que votre repas soit bien préparé.

Faites un peu de recherche. Plus vous aurez de connaissances sur la réalisation des plats, plus il vous sera facile de passer votre commande. Par exemple, vous devez savoir que la plupart des plats dans les restaurants chinois sont préparés avec de la sauce soja (qui contient du blé), ou encore que le « crabe » que vous trouvez dans les sushis est en fait un mélange de poisson et de farine de blé.

Dialoguez avec le personnel

Mes neveux détestent être avec moi quand je passe ma commande dans un restaurant. Dès que je lève les yeux du menu pour demander au serveur : « Excusez-moi, puis-je vous poser une question ? », ils se mettent à gigoter et à marmonner : « Ça y est, ça recommence ! » Mais qu'y a-t-il de mal à obtenir ce que vous voulez, quand vous payez pour votre repas ? (De plus mes neveux n'hésitent pas à me faire part de leurs *desiderata* quand c'est moi qui cuisine !).

Ne vous sentez pas gêné de demander ce que vous voulez (même si vos enfants sont un peu turbulents). Nombreux sont ceux qui ont des exigences au restaurant même s'ils n'ont pas de restrictions alimentaires. Si vous sentez que le serveur n'est pas très coopératif, demandez à parler au chef (en faisant preuve de tact, bien sûr). Vous êtes dans votre bon droit et il n'est pas impoli de vous faire entendre car votre santé en dépend.

Utilisez la « carte de restaurant »

La carte de restaurant est un outil très pratique qui explique les bases diététiques du régime sans gluten et que vous pouvez donner au serveur ou au chef cuisinier. Vous pouvez la créer vous-même, la télécharger sur Internet, en application pour votre smartphone, ou l'acheter. Une carte de restaurant contient les informations suivantes :

✔ J'ai une réaction sévère au gluten et je suis un régime strict sans gluten. Merci de votre coopération pour que je puisse profiter de mon repas en toute sécurité.

✔ Je ne peux pas manger de blé, de seigle, d'orge ou leurs dérivés comme l'épeautre, le blé dur, la semoule, le boulgour, le triticale et le malt. Les aliments et ingrédients que je dois éviter sont, entre autres, les croûtons, le pain, la chapelure, la farine, la sauce soja, les brioches et petits pains, le sirop de riz brun et le vinaigre de malt. Je peux manger du riz, du maïs, des pommes de terre, du tapioca, soja, haricots, amarante, arrow-root, sarrasin, quinoa, millet, teff et noix. Le vinaigre (sauf celui de malt) et les alcools distillés sont aussi autorisés.

✔ Si vous avez des questions, n'hésitez pas à me les poser. Je vous remercie de votre aide pour faire de ce repas un moment de détente.

Si vous fabriquez votre propre carte, plastifiez-la pour la protéger. Il m'arrive de fabriquer plusieurs de ces cartes et de les laisser dans les restaurants pour aider d'autres clients intolérants.

Vous devez dialoguer avec les serveurs et le chef… c'est vrai. Vous devez parfois leur donner beaucoup de détails… Encore vrai. Mais essayez de donner des explications aussi simples que possible au départ, et détaillez si c'est vraiment nécessaire.

Vous avez choisi un restaurant susceptible d'avoir des produits sans gluten ou identifié certains plats sur le menu qui pourraient être exempts de gluten. Vous êtes maintenant prêt à commander. Petite entrée en matière :

Vous : « Je suis un régime sans gluten et je dois faire attention à ce que je mange. Pouvez-vous me renseigner ? »

Bien souvent, le personnel sera réceptif, et je vous le souhaite. Vous pouvez démarrer la conversation en utilisant le terme « sans gluten » car les gens sont de plus en plus conscients de ce qu'il implique. Votre serveur pourrait vous répondre : « Oh, vraiment ? Vous êtes intolérant au gluten ou vous avez la maladie cœliaque ? » À ce moment-là, le serveur devient votre meilleur ami et vous vous sentez rassuré. Il est plus que probable que l'équipe en cuisine sache également de quoi vous parlez. Le régime alimentaire sans gluten commence à apparaître dans les écoles de cuisine et de restauration. C'est récent, alors soyez compréhensif.

En revanche, si le serveur hausse les épaules et n'a pas l'air de comprendre de quoi vous parlez, vous allez devoir donner plus de détails (mais pas trop pour ne pas le submerger d'informations – il n'a pas besoin de connaître l'intégralité de votre dossier médical) ! Cependant, retenez son attention :

Vous : « J'ai une réaction allergique très sévère au gluten. Le gluten se trouve dans le blé, le seigle et l'orge principalement. Vous utilisez de la farine ou du fond de veau dans vos plats ? »

Les mots « réaction allergique très sévère » devraient résonner comme une alerte dans l'esprit du restaurateur. Se cache souvent derrière cet euphémisme la menace de poursuites judiciaires en cas de problème (bien plus aux États-Unis qu'en France ceci dit). Mais là, vous devriez avoir retenu toute son attention.

Vous pouvez, à ce stade, lui donner votre carte de restaurant ou lui indiquer comment préparer votre plat pour qu'il soit exempt de gluten. N'ayez pas peur de bien souligner les détails importants.

N'oubliez pas de demander comment les aliments sont cuisinés. Par exemple, si votre plat est une grillade : « Pouvez-vous me confirmer que le gril que vous utilisez est propre et ne contient pas de miettes d'un autre plat ? » ou : « Pourriez-vous utiliser une spatule différente pour retourner ma viande ? » Ces détails concernent principalement les malades cœliaques. En fonction de votre intolérance aux traces de gluten, vous n'avez pas à aller aussi loin.

Si le serveur ne se montre pas coopératif, demandez à parler au responsable. Les chefs sont souvent plus enclins à discuter du régime sans gluten avec les clients.

Le jeu des « bons points »

Lorsque vous parlez au serveur et/ou au chef, vous pouvez vous amuser à attribuer des points à leurs réponses. Votre impression globale du restaurant dépendra du nombre de points qu'ils gagneront tout au long du processus de commande et pendant le repas, lors de vos échanges.

Ils écoutent attentivement pendant que vous leur expliquez vos restrictions alimentaires	1 point
Le serveur vous répond : « Je pense que je vais demander au chef de venir vous parler pour être sûr de vous aider. »	1 point
Il ajoute : « Oh, mais vous êtes au régime sans gluten, vous avez la maladie cœliaque ? »	2 points
Il ajoute : « C'est un régime alimentaire très sain ! »	1 point
Il vous coupe la parole pour vous proposer de voir leur menu sans gluten.	2 points
Il vous coupe la parole et vous dit : « Vous allez sûrement aimer notre pizza sans gluten maison, accompagnée d'une bonne bière sans gluten et de notre fondant au chocolat sans farine. »	0 point (vous rêvez !)
Il vous regarde fixement comme si vous veniez de commander un burger aux hannetons.	− 1 point
Il vous regarde à peine et vous gratifie d'un vague : « Oui, ok » et il se tourne directement vers un autre client.	− 1 point
Il vous écoute expliquer vos restrictions puis il vous demande : « Ok, voulez-vous du pain de mie, alors ? »	− 1 point

Additionnez les points :

− 3 à − 1 : Vous devriez probablement quitter ce restaurant.

0 : J'espère que vous n'avez pas trop faim ! Vous devriez quitter ce restaurant ou bien vous armer de patience et de tact pour arriver à vos fins.

1 à 2 : Vous êtes au bon endroit. Bon appétit !

3 à 7 : Embrassez toute l'équipe et n'oubliez pas de laisser un pourboire.

Apportez votre propre nourriture au restaurant

Dans certains pays, comme aux États-Unis, apporter sa propre nourriture quand on suit un régime restrictif est plutôt bien perçu et géré efficacement par les restaurateurs. Malheureusement, ce n'est pas forcément encore le cas en France ou dans les pays avoisinants. Avez-vous déjà essayé d'apporter un plat à réchauffer dans un restaurant lors d'une sortie entre amis ? Moi oui, et on m'a regardée bien souvent d'un air outré. Il m'est arrivé aussi, dans un restaurant italien, de me voir proposer d'apporter mes pâtes sans gluten pour dîner avec mes amis. Mais le restaurant m'a fait payer le prix fort du plat pour avoir juste ajouté un peu de sauce tomate sur mes pâtes. Bref, nous ne sommes pas encore dans le meilleur des mondes. Il ne faut pas se décourager. Apportez du pain pour accompagner votre dîner, mais pas l'intégralité de votre réfrigérateur !

Si on vous propose de cuire vos pâtes sans gluten, n'oubliez pas de demander en cuisine à ce qu'on utilise une casserole propre pour éviter toute contamination.

N'apportez de la nourriture que si vos amis vont consommer dans le restaurant choisi. Si vous sortez uniquement entre cœliaques et que tout le monde apporte son plat, je n'ose imaginer la réaction du restaurateur ! Si vous sortez entre intolérants au gluten, je me doute bien que vous choisirez judicieusement un restaurant 100 % sans gluten.

Pensez à emporter des sacs de cuisson (pour griller votre pain, par exemple) quand vous êtes en déplacement. Ces sacs sont très pratiques pour vous assurer que vos aliments ne seront pas contaminés.

Le pouvoir du pourboire

Le pourboire n'est pas une question à prendre à la légère. Quand quelqu'un fait l'effort de prendre en considération votre régime sans gluten, où que vous soyez, et que cela vous permet de passer une soirée agréable et sereine, vous devez exprimer votre gratitude. Faites-le et vous serez toujours bien accueilli.

Le nombre de personnes au régime sans gluten est en croissance exponentielle. Chaque serveur ou chef cuisinier que vous informerez, chaque pourboire que vous laisserez aidera toutes les personnes qui, comme vous, doivent suivre ce régime ou le suivront un jour.

C'est l'heure de partir en voyage !

Que ce soit pour affaires ou pour le plaisir, nous partons tous un jour ou l'autre loin de notre maison. Ne renoncez pas à partir en voyage à cause de votre régime. Dans certains pays, vous pourriez même avoir de bonnes surprises. En Suède ou en Finlande, par exemple, on trouve des burgers sans gluten chez McDonald's. Incroyable, non ?

Si vous suivez les « règles d'or pour sortir sans gluten » dont je parle dans ce chapitre, vous serez bien armé pour voyager. Lors de votre déplacement, vous serez amené à manger à l'extérieur. Les conseils de la section précédente sur les repas au restaurant restent valables. Pour vous garantir un voyage plein d'aventures (et sans gluten), voici quelques recommandations avant de prendre la route.

Faites des recherches sur votre destination

Avant de partir, accordez-vous du temps pour étudier la destination que vous avez choisie. Renseignez-vous sur les épiceries, les marchés, les restaurants qui pourraient vous convenir, ou s'il existe des lieux garantis sans gluten. N'hésitez pas à contacter les associations locales d'intolérants au gluten qui pourront vous donner de précieuses informations, à échanger des bons plans et bonnes adresses avec des internautes sur des forums spécialisés (ou sur des groupes Facebook). Quoi qu'il arrive, vous devrez emporter de la nourriture dans votre valise. La question est de savoir quoi et en quelles proportions ? Retrouvez des adresses de sites Internet au chapitre 6.

Au fil de vos recherches, si vous trouvez des magasins bios ou de produits naturels dans la région où vous vous rendez, appelez-les à l'avance pour savoir s'ils stockent des aliments sans gluten. Vous pourriez être surpris de savoir qu'ils en proposent un rayon entier. Sinon, demandez-leur s'ils pourraient éventuellement vous en obtenir pour la durée de votre séjour. Dans tous les cas, au moins un quart de votre valise sera dédié à vos produits sans gluten.

Informez-vous sur les normes alimentaires de chaque pays

Si vous voyagez à l'étranger, soyez conscient que certains pays ne vous permettront pas d'apporter de la nourriture. Vous ne passerez pas la douane. Si c'est le cas, essayez d'envoyer des produits sur votre lieu de villégiature ou renseignez-vous sur les magasins qui pourraient proposer des produits sans gluten sur place.

Il faut aussi savoir que certains pays ont des normes différentes en ce qui concerne l'alimentation sans gluten. En Europe, par exemple, l'amidon de blé parfois utilisé dans la fabrication de produits sans gluten ne doit pas contenir plus de 20 mg de gluten pour 1 kg d'amidon de blé. Ces mêmes produits ne seront pas considérés comme « sans gluten » aux États-Unis et au Canada.

Soyez conscient également que vos aliments peuvent être suspects dans certains pays. Une amie cœliaque m'a raconté qu'en partant au Mexique en famille, elle avait été bloquée par des douaniers. Elle avait apporté un mix pour pancakes sans gluten dans un sac à congélation. À la douane, son sac a été fouillé, et les douaniers mexicains ont suspecté la poudre blanche du mix d'être de la substance illégale. Sa petite famille a été bloquée pendant plusieurs heures, le temps que les douaniers fassent analyser la substance. Je pense que personne n'a envie de vivre cette expérience !

Si vous êtes cœliaque, emportez toujours avec vous une ordonnance de votre médecin pour attester votre problème de santé et justifier du transport de vos produits sans gluten. Si vous voyagez hors de la Communauté européenne, faites rédiger, si possible, un certificat médical en anglais pour passer la douane sans encombre avec vos produits sans gluten.

Parlez-vous gluten ? Comment en parler dans un pays étranger

Apprendre les mots clés pour parler de votre régime sans gluten dans la langue du pays visité est vital. Par exemple, le mot « farine » en espagnol se dit *harina*. Mais en Espagne, ce mot peut se référer à la farine de maïs ou de blé indistinctement. Il vous faudra alors préciser : *harina de maïz* (pour la farine de maïs) ou *harina de trigo* (farine de blé). Apprenez les mots pour dire *gluten, avec, sans, allergie*. Le tableau ci-après vous donnera quelques phrases clés en anglais, espagnol, allemand et italien.

Tableau 18-1 : Expliquez vos restrictions alimentaires

Français	Anglais	Espagnol	Allemand
je peux	I can	puedo	ich kann
je ne peux pas	I can't	no puedo	ich kann nicht
manger	(to) eat	comer	essen
gluten	gluten	gluten	gluten
blé	wheat	trigo	weizen
farine	flour	harina	mehl
maïs	corn	maiz	mais
avec	with	con	mit
sans	without	sin	ohne
allergie	allergy	alergia	allergie

Des cartes de restaurant (*dining cards*) existent en plusieurs langues. Vous pouvez en trouver sur Internet mais aussi en applications pour smartphones. N'hésitez pas à utiliser également un logiciel de traduction (sur votre smartphone ou votre ordinateur).

Bien choisir son lieu de séjour

Le choix de votre lieu d'hébergement est un élément stratégique pour réussir vos vacances. Optez, si possible, pour un hébergement avec cuisine ou kitchenette. Un simple réfrigérateur et/ou micro-ondes dans un hôtel peuvent rendre également votre séjour plus agréable. Il vous suffira d'aller dans une épicerie locale pour vous approvisionner en fruits, lait, maïs, riz, viandes, légumes et poissons. Si vous louez un appartement (ce que, personnellement, je favorise autant que possible), vous serez totalement libre de préparer vos repas.

Si vous n'avez pas de cuisine à disposition, essayez de trouver un logement proche d'une rue commerçante qui vous offrira un large choix de restaurants. Pour bien vous organiser, n'hésitez pas à contacter l'hôtel, le propriétaire de l'appartement et même les restaurants, avant votre départ.

Si votre lieu de séjour se situe près de chaînes de restaurants nationales ou internationales, jetez un œil sur la composition de leurs menus sur leurs sites Internet. Vous serez peut-être agréablement surpris d'y trouver des menus sans gluten, qui sait ?

De plus en plus de chaînes hôtelières proposent des produits sans gluten, notamment au petit déjeuner, par exemple les hôtels Mercure, Abba (Espagne, Andorre, Allemagne) et Silken (Espagne, Belgique). Il s'ouvre aussi des Bed&Breakfast et des hôtels garantis sans gluten un peu partout en Europe qui vous donneront sûrement l'envie de découvrir leur région.

Disneyland Paris propose, dans tous ses restaurants, des menus sans gluten qu'il vous faudra réserver à l'avance (menus Natama qui couvrent près de 60 allergies alimentaires).

Préparez vos provisions

Quand vous partez en vacances, la tentation d'emporter toute votre cuisine dans votre valise est forte, n'est-ce pas ?

En fonction de votre lieu de villégiature et de la durée de votre séjour, voici quelques idées de produits et ustensiles à privilégier :

- Des préparations à pancakes, crêpes, gâteaux, pains
- Un couteau à pain
- Des céréales sans gluten
- Des cookies sans gluten
- Des crackers

- Une casserole ou une poêle pour cuisiner
- Des pâtes
- Des pâtes à pizza sous vide
- Du pain sans gluten en tranches
- Des sacs de cuisson
- Un grille-pain

Avec un peu de chance, ces aliments survivront au voyage et vous pourrez profiter de votre séjour.

Si vous ne souhaitez pas trimballer tout votre garde-manger, essayez de commander des produits à l'avance. De nombreuses enseignes mais aussi des sites spécialisés en produits sans gluten peuvent vous livrer sur votre lieu de vacances. C'est très pratique et bien agréable de trouver ses courses en arrivant !

Sur la route

Que vous preniez le train, l'avion, la voiture ou le bateau, veillez à bien préparer votre voyage.

En avion

Règle numéro 1 du voyage en avion : emportez votre repas. Il est assez rare de trouver des produits sans gluten dans les aéroports. Si vous avez vraiment de la chance, vous dénicherez une chaîne de restauration rapide proposant un menu sans gluten. Mais la plupart du temps, vous devrez vous contenter de yaourts ou de fruits vendus dans des kiosques ou des cafés, entre des barres chocolatées, des croissants et des magazines. Maigre pitance pour un long voyage !

Certaines compagnies aériennes proposent de réserver un repas sans gluten (ils sont disponibles selon la durée des vols). Vous devez le faire 24 à 48 heures à l'avance. Si vous choisissez cette option, n'oubliez pas, malgré tout, d'emporter un en-cas au cas où. On vous servira, parfois, un repas qui ne sera pas réellement exempt de gluten et vous devez être paré à cette éventualité. Rester assis pendant des heures, dans un avion, à subir l'odeur du repas des autres, c'est intolérable, non ? Alors, soyez prévoyant ! Vous aurez aussi parfois la bonne surprise de voir arriver un plateau-repas qui sera véritablement sans gluten.

Pour maximiser vos chances d'obtenir un plateau-repas sans gluten, réservez-le à l'avance auprès de l'agence de voyage ou de la compagnie aérienne (le code utilisé pour les repas sans gluten est GFML pour

« *gluten-free meals* »). Recontactez la compagnie deux ou trois jours avant votre départ pour confirmer votre demande et représentez vos besoins au personnel de bord à l'embarquement.

Voici quelques compagnies (liste non exhaustive) qui proposent des repas « spéciaux » : Air France, Air NewZealand, Alitalia, British Airways, KLM, Iberia, Lufthansa, Swissair, Emirates.

En bateau

Les compagnies de croisière (par exemple Costa Croisières et MSC Croisières dont les navires ont reçu le label « sans gluten » de l'Association italienne de la maladie cœliaque) sont très attentives aux restrictions alimentaires. La plupart des lignes proposent des options sans gluten, à réserver avant votre départ. Si vous envisagez de partir en croisière, contactez la compagnie à l'avance pour vous informer de ces options.

Si, pour une raison ou une autre, vous ne pouvez pas contacter la compagnie à l'avance, vous trouverez sûrement sur le bateau des repas « santé » à base de fruits de mer, de poulet, de grillades et de légumes. Les restaurants proposent une multitude de choix. Une fois sur le bateau, vous n'aurez qu'à trouver le responsable des cuisines pour demander comment les aliments sont préparés.

En train

Si vous prenez le train, je vous recommande d'emporter un en-cas. Les cafés et buffets de restauration à bord ne proposent que très rarement des produits sans gluten (pour le moment). Emportez des fruits, des gâteaux et barres de céréales sans gluten ainsi que votre Thermos de café si vous ne souhaitez pas voyager le ventre vide.

Depuis peu et sur certaines lignes, la SNCF propose à bord des produits sans gluten. Eurostar vous permet de commander, 24 heures à l'avance, des plateaux-repas « spéciaux », mais uniquement en classe business.

En voiture

La voiture est le moyen de transport le plus pratique et flexible quand on vit sans gluten. Vous pouvez préparer vos repas à l'avance et emporter votre glacière. Pour vous déplacer, la voiture est une très bonne option, même si vos enfants sont un peu impatients et turbulents sur la route.

Peu importe votre pays de villégiature, vous croiserez toujours un McDo (oui, dans certains pays, ils y servent des menus sans gluten !) ou un restaurant où vous pourrez faire une halte et trouver de quoi vous sustenter.

Chapitre 19

Élever des enfants en bonne santé au régime sans gluten

Dans ce chapitre :

▶ Faire face à ses émotions

▶ Parler du régime sans gluten avec ses enfants

▶ Faire adopter ou non le régime par toute la famille

▶ Donner de l'autonomie à ses enfants

▶ Sortir en famille

▶ Confier ses enfants à des tiers : école, baby-sitters

▶ Accompagner son adolescent

Adopter un régime sans gluten, pour un adulte, est un choix, ou une nécessité, qui peuvent être assumés. Les choses sont totalement différentes pour un enfant. Tout parent souhaite que son enfant soit heureux et en bonne santé.

Je vous propose dans ce chapitre des informations et des conseils pour vous aider à gérer le régime alimentaire de votre enfant, mais aussi ses contraintes pratiques et émotionnelles, l'impact psychologique de ce mode de vie sur votre famille ainsi que l'impact social pour votre enfant (avec les autres et à l'école).

Une dernière chose, avant d'entrer dans le vif du sujet : il est essentiel de faire diagnostiquer correctement votre enfant. Un diagnostic précis est non seulement vital pour lui mais également pour vous.

Gérez vos sentiments contradictoires

Quand c'est votre enfant qui doit suivre un régime sans gluten, tout est différent : les sentiments que vous ressentez, votre façon de communiquer sur le régime, le ressentiment que vous pouvez développer envers d'autres parents qui n'ont pas à gérer l'alimentation de leur enfant, l'organisation et les préparatifs que vous avez à assumer avant de sortir ou de voyager, l'organisation et la mise en place de mesures spécifiques pour faire accueillir votre enfant à l'école, les aliments que vous achetez, les repas à la cantine et à la maison (oups, ça fait beaucoup, je sais !).

Si vous êtes parent – ou très proche – d'un enfant qui doit adopter, pour des raisons de santé, un régime sans gluten strict, vos émotions vont probablement jouer au yo-yo. Il y a des hauts et des bas, comme le montre la figure 19-1. Parfois vous vous sentez totalement en phase et heureux de ce mode de vie et vous appréciez tous les avantages qu'il apporte à votre enfant. Et puis, celui-ci participe à un goûter d'anniversaire à l'école et il est le seul à ne pas pouvoir manger une part du gâteau. Et, là, votre moral tombe au plus bas.

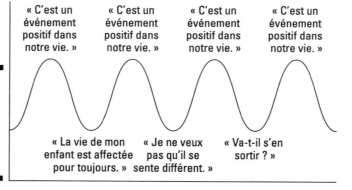

Figure 19-1 : L'effet « yo-yo » de vos émotions face au régime de votre enfant.

J'évoque au chapitre 20 les obstacles émotionnels que vous pouvez rencontrer lorsque vous adoptez un régime sans gluten. Quand il s'agit de votre enfant, multipliez leur amplitude par l'infini pour vous donner une idée de ce que l'on peut ressentir.

Quand il s'agit de votre enfant, en plus des émotions dont je parle au chapitre 20, vous devez faire face à d'autres préoccupations. Voyez si certaines des préoccupations listées ci-dessous font écho à ce que vous ressentez.

« La vie de mon enfant va changer, pour toujours »

Et « pour toujours », cela vous semble long, n'est-ce pas ? Qu'est-il arrivé à tous ces rêves que vous faisiez pour votre enfant – une vie parfaite, où tout est facile et magique ? Eh bien, ce n'est pas la réalité.

On oublie souvent (ou l'on ne veut pas voir) les épreuves que la vie pourrait mettre sur le chemin de notre enfant. On n'imagine pas les difficultés auxquelles il pourrait être confronté ni comment il pourrait les affronter. Savoir faire face à l'adversité est pourtant l'une des leçons les plus précieuses à apprendre à votre enfant. La mise en place de ce nouveau mode de vie est une occasion pour lui de le découvrir très tôt et d'apprendre à transformer une épreuve de la vie en une force pour l'avenir.

De plus, ce que vous pensiez être une difficulté peut devenir une bénédiction pour la vie de votre enfant. (Jetez un œil à la section : « Concentrez-vous sur les points positifs »).

« Je ne veux pas qu'il se sente différent »

Vous aimeriez que la vie de votre enfant soit un long fleuve tranquille. Vous souhaiteriez qu'il s'intègre facilement aux autres. Mais tous les enfants sont différents à bien des égards et, bien que je ne souhaite pas minimiser l'importance et le rôle de l'alimentation dans la vie, cette différence pour votre enfant est tout à fait vivable.

Les enfants sont tous différents – certains enfants ont les cheveux blonds, d'autres roux ; certains préfèrent le football à la danse ; certains vivent en fauteuil roulant, et d'autres portent des lunettes. Il ne faut surtout pas lui envoyer le message qu'être différent (sans gluten), c'est mal. C'est bien la dernière chose à faire.

Les parents craignent que leurs enfants ne s'adaptent pas ou ne soient pas acceptés à cause de leur régime alimentaire « différent », mais les enfants peuvent s'intégrer indépendamment de ce qu'ils mangent. L'intégration est bien plus liée à leur attitude qu'à leur alimentation.

« Est-ce qu'il va aller bien ? »

Non, il va aller mieux que bien, parce qu'il sera en bonne santé ! Mais c'est une question totalement légitime quand votre enfant vient d'être diagnostiqué cœliaque.

Oh, bien sûr, les amis et la famille vous diront : « Ne t'inquiète pas, il ira bien », c'est la façon dont les amis et la famille réagissent dans des situations difficiles. Mais, souvent, c'est pour nous calmer – après tout, qu'en savent-ils ? Ils n'avaient probablement jamais entendu parler de la maladie cœliaque avant le diagnostic de votre enfant. Parler à un autre enfant cœliaque, afin qu'il vous confirme qu'il va bien serait la seule chose qui pourrait vous rassurer, non ?

Le régime sans gluten ne devrait pas poser de difficulté à votre enfant si vous lui donnez le contrôle sur son alimentation dès le premier jour. C'est crucial. Gardez une approche optimiste mais réaliste de la situation et propagez cet état d'esprit dans toute votre petite famille. Dormez tranquille, votre enfant ira très bien et vous aussi.

« C'est plus difficile pour moi que pour lui »

Si vous aimez un enfant (même si vous n'êtes pas son parent mais êtes émotionnellement très lié à lui), vous savez sûrement ce qu'est le phénomène d'amplification de la douleur (PAD). Voir un genou écorché provoque réellement en vous de la douleur – une douleur palpable, en empathie avec cet enfant que vous aimez.

Si vous passez votre temps à vous lamenter sur la maladie cœliaque de votre enfant et si vous avez du mal à accepter cette idée, croyez-moi, ce diagnostic est plus difficile à encaisser pour vous que pour lui.

Tous les rêves que vous aviez projetés sur votre enfant vous empêchent d'accepter cette situation et vous pensez que vivre sans gluten sera une épreuve insurmontable pour lui. Vous l'imaginiez gambader tranquillement sur le chemin de la vie et non le voir trébucher et tomber à cause de son alimentation, c'est trop dur ! Mais les enfants n'ont pas ce type de vision de l'avenir. Pour lui, l'avenir, c'est le prochain match de football qu'il va partager avec vous ou le prochain concert de son artiste préféré. Il vit dans un avenir beaucoup plus proche que celui que vous projetez sur lui.

Dans la plupart des cas, les enfants sont résilients. Ils acceptent facilement ce que la vie leur donne et en tire le meilleur. Les adultes devraient suivre leur exemple !

Vous ne croyez pas que le diagnostic puisse être plus difficile à accepter par vous que par votre enfant ? Alors, allez demander à un enfant de vous parler de sa vie et prenez des notes. Il va probablement vous parler de football, de sa meilleure amie, de monter à cheval, et bien d'autres choses encore.

Questionnez une bonne dizaine d'enfants et je vous parie qu'il vous sera difficile d'en trouver un qui vous parlera de son régime. Pour eux, ce n'est pas une priorité, et cela ne devrait pas l'être pour vous non plus.

Concentrez-vous sur les points positifs

Vivre sans gluten peut être très positif pour votre vie et celle de votre enfant, et ce pour de nombreuses raisons. Je vous encourage à faire votre propre petite liste afin de la ressortir dans les moments de doute ou de déprime. Pour démarrer votre liste, voici quelques idées :

- ✔ **Votre enfant possède la clé de sa santé.** La plupart des personnes sensibles au gluten ou cœliaques ne sont pas diagnostiquées. Elles ne savent pas encore qu'une simple modification de leur alimentation peut améliorer leur santé et elles continuent à manger les aliments qui les rendent malades.

- ✔ **Votre enfant aura moins de risques de développer des pathologies associées.** Le diagnostic précoce de votre enfant réduit ses risques de développer d'autres pathologies (voir le chapitre 2). Il sera sûrement plus tolérant face aux différences des autres. Votre enfant sera même plus tolérant en général.

- ✔ **Il aura peut-être l'occasion d'aider une autre personne souffrant d'intolérance au gluten.** N'oubliez pas que, sur 1 000 enfants qui vont à l'école avec le vôtre, 10 d'entre eux sont susceptibles d'avoir la maladie cœliaque – et de nombreux autres peuvent aussi souffrir d'une forme de sensibilité au gluten. Cette prise de conscience et la possibilité de faire profiter aux autres de ses connaissances sont une chance pour votre enfant d'aider à améliorer la vie de ses petits camarades.

- ✔ **Si votre enfant a d'autres contraintes alimentaires, elles seront plus simples à gérer grâce au régime sans gluten.** Votre enfant est conscient de l'importance de son alimentation et il en a pris le contrôle. De plus, un régime sans gluten sain (comme décrit au chapitre 7) peut l'aider à gérer plus facilement son taux de glycémie, par exemple (dans le cas d'un diabète).

- ✔ **Si votre enfant a des problèmes de comportement, en plus de sa sensibilité au gluten ou de la maladie cœliaque, il est plus que probable que ces problèmes s'améliorent.** Les troubles du comportement de type TDAH peuvent parfois s'améliorer ou complètement disparaître avec un régime sans gluten (voir le chapitre 4).

Parlez avec vos enfants de leur vie sans gluten

Qu'il ait 18 mois ou 18 ans, il ne faut pas attendre pour parler à votre enfant de son régime et il faut inclure toute la famille dans la discussion. La façon dont vous allez aborder les choses, vos relations familiales et la capacité de votre enfant à comprendre les tenants et aboutissants de la situation seront déterminantes. Parler à votre enfant est une étape importante pour l'aider à adopter une attitude et des habitudes saines face à son régime.

Faites participer toute la famille

Même si toute votre famille n'adopte pas le régime sans gluten, avoir un enfant cœliaque affecte tout le monde. Tous les membres de votre famille doivent connaître et comprendre les besoins de votre enfant, son régime alimentaire, et doivent savoir comment gérer les choses en toutes circonstances.

Je ne suggère pas que vous organisiez une réunion de famille qui inclurait oncles, tantes et cousins du cinquième degré, mais au moins la famille la plus proche. Vous n'avez pas à aborder tous les sujets à la fois et avec tout le monde. Vous pouvez le faire au fur et à mesure, avec une ou plusieurs personnes selon les circonstances, durant les semaines et les mois qui suivent son diagnostic. C'est un travail de longue haleine.

Les enfants sont ce qu'ils sont. Même chose pour les frères et sœurs. Ce n'est pas parce qu'ils vont comprendre le régime alimentaire de votre enfant qu'ils vont toujours l'accepter et être bienveillants avec lui. Ils pourront parfois se moquer de lui, le faire enrager (je peux manger ça et pas toi !), le défier et lui faire de la peine. Traitez ce genre de comportement de la même façon que tout acte répressible entre frères et sœurs. Ne laissez pas vos sentiments de tristesse au sujet de la maladie de votre enfant prendre le dessus et vous faire réagir plus violemment que nécessaire.

Des frères et sœurs un peu désemparés

Vous êtes assis sur le canapé, en famille, et discutez du régime sans gluten de votre aîné et sa petite sœur, tout d'un coup, se transforme en statue de pierre. Que se passe-t-il ? Pourtant, vous avez fait de votre mieux pour aborder le sujet de façon positive. Pourquoi a-t-elle paniqué ?

Ne soyez pas surpris face à ce type de réaction de la part de la fratrie. La peur, la confusion, voire la panique sont des réactions tout à fait normales.

Toutes sortes de questions peuvent lui traverser l'esprit : est-ce que mon frère est malade ? Est-ce qu'il va mourir ? Est-ce que je vais attraper sa maladie ? S'il doit manger des choses dégoûtantes, est-ce que je vais devoir les manger aussi ? (Personne ne devrait manger de choses dégoûtantes, c'est ça, la bonne

réponse !) Pourquoi les parents lui accordent-ils plus d'attention qu'à moi ? Et si jamais on s'occupe plus de lui que de moi, que vais-je faire ? Vont-ils être plus gentils avec lui qu'avec moi ? Pourquoi ça arrive à notre famille ? Et, encore plus important : est-ce que mes amis vont penser que je suis bizarre parce que j'ai un frère qui ne mange pas comme nous ?

Si vous êtes conscient que ces réactions sont normales chez un enfant, cela vous aidera à être compréhensif, empathique, et à leur répondre avec gentillesse et humour. Ne négligez pas les sentiments des frères et sœurs même s'ils n'arrivent pas à exprimer clairement et à verbaliser leurs angoisses et encouragez-les à vous dire pourquoi la situation leur fait peur. Ainsi, vous allez détendre l'atmosphère et pourrez avoir des discussions plus productives avec eux.

Gardez une attitude positive et optimiste

La façon qu'auront les autres d'appréhender le mode de vie sans gluten et ses contraintes dépend uniquement de vous. Est-ce que le régime sans gluten est pesant ? Angoissant ? Votre façon de le présenter aux autres aura un impact très important, plus que vous ne le pensez.

Si vous convoquez les membres de votre famille d'un air grave, vous allez affoler votre enfant et lui transmettre immédiatement votre pessimisme et vos angoisses. La conversation doit au contraire être optimiste, positive, joyeuse et interactive – après tout, vous n'allez pas vraiment annoncer une mauvaise nouvelle, mais une nouvelle vie qui sera positive pour tout le monde. Si vous ne vous rappelez plus les points positifs, faites une petite révision des chapitres précédents.

Vous devez toujours rester positif devant votre enfant cœliaque. Garder le moral est primordial. Son attitude face au régime dépend de vous et de votre propre attitude. Lui ne sait pas comment il doit prendre les choses – c'est une situation nouvelle pour lui (oui, c'est vrai et aussi pour vous). Donnez-lui la chance de bien démarrer sa nouvelle vie sans gluten en étant positif et optimiste. S'il est comme la plupart des enfants, il va prendre ce que vous lui donnez et vous serez certainement surpris de sa force et de son courage.

N'en faites pas tout un monde. Vivre sans gluten ne sera pas un défi insurmontable pour votre enfant… sauf si cela le devient pour vous.

Les murs ont des oreilles

Lorsque vous parlez entre adultes du régime alimentaire et de l'état de santé de votre enfant, n'oubliez pas qu'il peut écouter derrière la porte. Bien sûr, il peut sembler distrait, trop occupé à jouer avec ses frères et sœurs ou ses amis. Mais les enfants ont une ouïe incroyable et ils savent comment l'utiliser (sauf si vous leur demandez de faire la vaisselle !).

Vous vous excusez de la difficulté de son régime auprès de votre conjoint ? Il pensera être une victime. Vous vous plaignez des restrictions du régime ? Il pensera être un fardeau pour vous et votre famille. Vous vous apitoyez sur votre sort ? Il va se sentir coupable.

Je ne dis pas que vous ne pouvez pas de temps en temps vous épancher – si vous êtes frustré, épuisé ou accablé, il est parfois bon d'avoir quelqu'un à qui en parler, mais assurez-vous simplement que votre enfant ne puisse pas vous entendre.

Expliquez ce nouveau mode de vie

Le niveau de détail à donner à votre enfant dépend de son âge, de sa maturité et de sa capacité à comprendre la situation. En un mot, vous devez lui livrer le « pourquoi » il doit vivre sans gluten (il va se sentir mieux), le « quoi » (que veut dire : « sans gluten ») et le « comment » (ce qu'il peut manger maintenant qu'il vit sans gluten). Ce sont les choses les plus importantes à connaître et qui comptent le plus pour lui.

Soyez patient, et ne vous précipitez pas pour tout expliquer. On ne peut pas comprendre et accepter à la fois. C'est un processus continu.

Concentrez-vous sur les avantages

Il est probable que votre enfant ait souffert de problèmes de santé ou de comportement, ce qui a conduit à la nécessité d'adopter un régime sans gluten, alors démarrez la conversation par des points positifs : « Tu vas te sentir beaucoup mieux maintenant que tu vas manger des aliments sans gluten ! »

Les enfants ont besoin de se sentir personnellement concernés. Apportez à votre enfant des arguments auxquels il peut s'identifier, comme : « Tu sais à quel point tu as eu mal au ventre ces derniers temps ? » ou : « Tu sais que c'est difficile pour toi de te concentrer à l'école ? Tu ne vas plus avoir ces problèmes, maintenant que tu manges sans gluten ! » Cela l'aidera à véritablement comprendre ce qui va s'améliorer dans sa vie grâce à une alimentation sans gluten.

Puis, après quelques semaines de régime, n'oubliez pas de lui signaler à quel point il se sent mieux grâce à ce qu'il mange.

Aux grands mots les bonnes définitions

Ne sous-estimez pas la capacité de votre enfant à comprendre les choses. En lui parlant du régime alimentaire, utilisez les « grands » mots comme le *gluten* (mais épargnez-leur « carboxymethylcellulose », d'accord ?). Même si votre enfant a quelques petits troubles d'apprentissage, utilisez la terminologie adaptée afin qu'il puisse bien communiquer sur ses restrictions alimentaires avec les autres.

Bien sûr, il ne va pas comprendre forcément du premier coup (« hein ? »). Donnez-lui des exemples qu'il puisse appréhender – expliquez que le gluten se trouve dans de nombreux aliments que vous avez tous l'habitude de manger, comme le pain, les pâtes, les pizzas, les biscuits, et dites-lui rapidement qu'il va pouvoir continuer à en manger mais dans une version sans gluten.

Offrez des alternatives « sans gluten »

Concentrez-vous sur ce que votre enfant peut manger. C'est important. Devant un aliment contenant du gluten, essayez de proposer un aliment de substitution tout aussi délicieux.

Bien sûr, vous n'allez pas dire : « Tu ne peux plus manger ces cookies, mon chéri, mais regarde, tu peux avoir tous les brocolis que tu veux ! » Cela ne vous fera pas marquer des points et ne donnera clairement pas envie à votre enfant d'adopter ce mode de vie si ennuyeux. Au contraire, vous pouvez réussir ici trois choses à la fois :

- Récompenser votre enfant.
- Offrir une alternative sans gluten.
- Mettre l'accent sur toutes les choses qu'il peut manger grâce à son régime sans gluten.

Quelques phrases simples feront l'affaire : « Tu as raison, mon chéri, tu ne peux pas manger ces cookies, mais tu peux avoir cette barre de chocolat car elle est sans gluten ! »

Soyez toujours prêt à faire un échange de friandises. Quand votre enfant souhaite manger une gourmandise qui contient du gluten, ayez toujours à portée de main une délicieuse friandise sans gluten équivalente. Les enfants sont relativement faciles à convaincre. Il acceptera bien certainement votre petit troc sans bouder.

Insistez sur le fait que le gluten le rend malade

Aidez votre enfant à faire le lien entre le gluten et ses symptômes. Chaque fois que vous parlez du gluten, soulignez bien : « Tu as raison, tu ne peux pas manger cela. Il y a du gluten dedans, et tu te sens mal en en mangeant. » De cette façon, il apprendra à associer le gluten avec ses malaises et c'est une bonne chose. Son désir de faire un écart est inversement proportionnel à la conscience qu'il prend des effets négatifs du gluten sur sa santé (voir la figure 19-2). Quand on peut modéliser quelque chose dans un tableau, c'est que ça doit être vrai, non ?

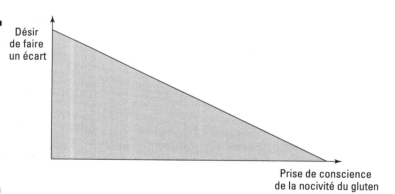

Figure 19-2 : Le désir de faire un écart diminue au fur et à mesure que l'enfant comprend que le gluten le rend malade.

Quand votre enfant ne se sent pas très bien, vous pouvez en profiter pour souligner les effets du gluten. Cette stratégie fonctionne mieux avec les jeunes enfants, habituellement avant 6 ans. Vous savez peut-être très bien pourquoi il a mal au ventre (et cela n'a rien à voir avec le gluten), mais profitez de cette occasion pour lui dire : « Je suis désolé que tu aies mal. On a dû faire une petite erreur avec ton régime et tu as dû manger du gluten sans faire exprès. On fera plus attention la prochaine fois. »

Plus il aura conscience du lien entre le gluten et ses symptômes, moins il sera tenté de faire des écarts à son régime.

Il y a de fortes chances pour que votre enfant essaie réellement de s'en tenir à son régime. Assurez-vous qu'il n'interprète pas vos grimaces comme une réprimande en cas d'écart. Faites-lui remarquer que nous faisons tous des erreurs et que le gluten peut se cacher dans toutes sortes d'aliments. Vous devez lui rappeler qu'il doit être plus prudent.

Quand votre petit cœliaque a des maux de ventre, vous pourriez vous sentir coupable ou angoissé d'avoir peut-être fait un écart à son régime par inadvertance. Mais rappelez-vous que les enfants ont des maux de ventre, cela arrive ! Ces douleurs peuvent être causées par toutes sortes de pathologies et, souvent, elles font partie d'une croissance normale. Il est important d'être vigilant au sujet de son régime alimentaire et, si vous remarquez une réaction au gluten, de comprendre ce qui l'a causée. Mais parfois ses maux de ventre et autres troubles gastro-intestinaux ne sont pas du tout liés au gluten. La gastro-entérite que tout le monde traîne à la maison ? Une crise de foie pour ingestion excessive de sucreries ? Ou bien moins grave, très souvent.

Gérez les réactions de votre enfant

Vous ne pouvez pas prédire comment votre enfant réagira quand vous lui parlerez de son nouveau mode de vie sans gluten. Sa réaction va dépendre de la façon dont vous lui présenterez son régime alimentaire, de son âge, de sa maturité, de son niveau de compréhension, de sa capacité à exprimer ses sentiments et, bien sûr, de sa personnalité.

S'il fait preuve d'hostilité, de colère ou d'autres émotions « négatives », vous devez vous montrer apaisant et apporter du soutien et de la compréhension.

Ne pensez pas qu'il va se retrancher indéfiniment dans ces émotions négatives. Il va s'habituer à son nouveau mode de vie et adoptera une attitude plus positive avec le temps. Continuez de lui rappeler les avantages de son régime et la perspective d'une véritable amélioration de sa santé maintenant qu'il mange sans gluten.

Soyez prêt également à ne voir que peu ou pas de réaction de sa part. Votre enfant pourrait vous paraître indifférent, voire apathique, mais ce n'est pas inhabituel chez les enfants. Ne tirez pas de conclusion hâtive car cette réaction n'est qu'une façade pour masquer des émotions plus profondes, des angoisses – il y a des chances pour que sa confusion soit une réponse à une situation qui est assez trouble pour lui et dont il ne voit pas toute l'importance immédiatement.

Aidez votre enfant à parler aux autres de son régime alimentaire

Votre enfant a besoin d'apprendre à parler aux autres – adultes et enfants – de son mode de vie sans gluten. Il va devoir vivre avec pour toujours, alors il doit commencer tout de suite à en parler. Bien sûr, ce qu'il dira et comment il communiquera dépend de son âge, de sa personnalité, de son style, mais aussi de ses interlocuteurs.

Apprenez-lui à expliquer ce qu'il peut ou ne peut pas manger

Enseignez à votre enfant une phrase simple et générale, même s'il est encore trop jeune pour la comprendre réellement, qu'il pourra répéter facilement à des adultes.

Apprenez-lui, par exemple, à dire : « Je ne peux pas manger de gluten. Cela signifie que je ne mange pas de blé, de seigle, d'orge, de malt et d'avoine. » Je sais que cette définition n'est pas techniquement correcte (le malt provenant de l'orge et de l'avoine peut parfois être sans gluten), mais c'est globalement ce que les adultes ont besoin de savoir.

Cette phrase est peut-être un peu longue et lourde, mais si votre enfant peut l'apprendre, n'hésitez pas. Sinon, trouvez-en une plus adaptée à son âge ou à sa personnalité. L'important est de lui faire apprendre les principes de base du régime avec des phrases relativement faciles.

Plus les enfants peuvent en apprendre, mieux c'est, bien sûr. Si votre enfant sait expliquer exactement aux autres ce qu'il peut ou ne peut pas manger, c'est parfait – et s'il peut expliquer que le gluten le rend malade, c'est encore mieux. Il trouvera très vite la façon adéquate de dire les choses.

Apprenez à votre enfant à parler ouvertement de son régime sans gluten. Je ne suggère pas qu'il entre dans une pièce avec un mégaphone et qu'il fasse du prosélytisme en parlant de son mode de vie sans gluten. Mais il ne faut pas non plus que votre enfant pense que tout lui est dû et que les autres doivent s'adapter à ses besoins. Informer les personnes – et spécifiquement celles qui vont gérer ses repas – est important et vous pouvez le faire d'une façon conviviale et informative. Vous aurez peut-être la surprise de voir votre enfant défendre de lui-même son régime et d'y sensibiliser les autres.

Certains enfants se sentent plus à l'aise avec des phrases plus synthétiques comme : « Je suis allergique au gluten » ou encore : « Je suis allergique au blé. » Même si cette phrase n'est pas techniquement correcte, elle est parfois plus facile à apprendre. Assurez-vous, en revanche, que vos enfants comprennent bien que ce n'est pas vraiment la réalité et qu'ils connaissent bien les tenants et aboutissants de leur régime.

Apprenez à votre enfant à dire : « Non, merci »

Peu importe la façon dont votre enfant communique sur son régime, certaines personnes leur offriront malgré tout, et avec les meilleures intentions du monde, des friandises contenant du gluten.

Ce genre de situation peut être vraiment déroutant pour votre enfant, surtout si la personne en question est un être cher. Une tante qui dépose un cookie dans la main de votre enfant et lui dit, en lui lançant un petit clin d'œil : « Ne le dis pas à papa et à maman. » Ça alors ! Comment est-il censé réagir ?

Expliquez à votre enfant pourquoi il peut se trouver face à ce genre de situations et comment les gérer. Parfois, il pourra le faire simplement en disant : « Non, merci » ou : « C'est gentil mais je ne peux pas manger cela. » Parfois, il sera plus facile pour lui d'accepter la friandise et de ne pas la manger.

Même si vos amis et votre famille ne le tentent pas avec des friandises gluténisées, quelqu'un d'autre, hors du foyer, le fera inévitablement. Vous pouvez éviter à votre enfant de la frustration et de la confusion si vous lui expliquez comment faire face à ces situations avant qu'elles se présentent (et n'oubliez pas d'apporter des friandises sans gluten avec vous pour pouvoir pratiquer un « échange » dans le cas où une personne lui propose un gâteau chargé de gluten).

Toute la famille doit-elle vivre sans gluten ?

Si l'un de vos enfants doit manger sans gluten, est-ce que le reste de la famille doit suivre ? Après tout, ça serait cruel de se délecter de beignets aux pommes en famille quand votre enfant ne peut se contenter que de galettes de riz, non ? Oui, ça serait bien cruel !

Faire adopter le régime sans gluten par toute la famille n'est pourtant pas forcément un bon choix. Pesez le pour et le contre et évaluez les questions pratiques et psychologiques avant de vous décider.

Les « pour »

Quelques bonnes raisons de faire adopter le régime sans gluten par toute la famille :

✔ **Vous ne préparez qu'un seul repas pour toute la famille.** Plutôt que de cuisiner une version « sans gluten » et une version « normale » de chaque plat, vous n'avez qu'à préparer une seule recette et gagnez du temps.

✔ **Vous ne faites les courses que pour les aliments sans gluten.** Vous évitez ainsi directement les rayons pain et biscuits.

✔ **Aucun risque de contamination en cuisine.** Et vous n'avez pas à apprendre la technique du « lancer-déposé » expliquée au chapitre 8.

✔ **Votre enfant ne se sent pas différent.** C'est normal d'être différent mais c'est aussi bon de se sentir comme les autres, surtout avec sa famille.

✔ **Le placard est rempli d'aliments « sûrs ».** Vous n'avez pas à vous soucier de savoir si votre enfant risque de manger un aliment « gluténisé » par inadvertance parce qu'il n'y en a pas à la maison.

✔ **Votre enfant n'est pas tenté de faire un écart.** Au moins, pas à la maison.

Les « contre »

Si vous sentez que la liste des « contre » est un peu plus importante que celle des « pour », vous avez raison. En fin de compte, à mon avis, les inconvénients l'emportent sur les avantages :

✔ **Un monde sans gluten n'est pas la réalité.** Votre enfant doit comprendre que le reste du monde mange du gluten. Les gens ne le font pas pour qu'il se sente différent, ni pour l'ostraciser, ils n'ont aucune intention malveillante. Quel meilleur environnement pour apprendre cette leçon importante de la vie que dans un foyer aimant et compréhensif ?

✔ **Votre enfant n'apprend pas à faire des choix alimentaires.** Savoir choisir ses aliments est important pour l'avenir de votre enfant. Si tout est permis à la maison, il n'a pas besoin de se poser de questions. Il ne développera pas de capacité à douter de la composition des aliments mis à sa disposition et ne se demandera jamais s'ils sont sans gluten.

✔ **Cela peut créer du ressentiment parmi les autres membres de la famille.** Les frères et sœurs – et même les parents – peuvent être frustrés de devoir renoncer à leur baguette traditionnelle ou à un croissant, s'ils n'ont pas de problème de santé qui les oblige à le faire. Ils peuvent en vouloir à l'enfant cœliaque, ce qui installera un malaise au sein de la famille.

✔ **Votre enfant n'est pas tenté de faire des écarts.** Bien que ce point ressemble plus à un avantage (en fait, il peut figurer sur les deux listes), je pense qu'il faut apprendre à votre enfant à résister à la tentation (parce que le gluten est partout) plutôt que de lui éviter d'avoir à l'affronter.

✔ **Manger sans gluten peut vous revenir assez cher.** Je ne vous pousse pas à acheter des tonnes de produits sans gluten, mais si vous avez le choix, gardez le pain à 5 euros pour votre enfant qui en a vraiment besoin.

Le juste milieu

Le compromis est parfois une bonne option. Voyez si ces propositions peuvent fonctionner dans votre famille :

- **Cuisinez la plupart des repas sans gluten.** Si vous pouvez réaliser la plupart de vos repas sans gluten et faire plaisir à tout le monde sans grever votre budget en produits sans gluten, c'est un bon compromis. Tout le monde sera content.

- **Achetez des condiments sans gluten.** Utiliser de la vinaigrette, de la sauce soja ou autres condiments sans gluten vous facilitera la vie. Cela ne changera rien pour les autres membres de la famille et vous économisera du temps et de l'argent.

- **Profitez des délicieuses pâtisseries sans gluten.** La plupart des mix prêts à l'emploi (cookies, gâteaux, crêpes…) donnent d'aussi bons résultats que les pâtisseries traditionnelles. Ils sont un peu plus chers, certes, mais vous n'aurez pas à faire deux gâteaux différents. Un bon fondant au chocolat sans gluten pour tout le monde !

Qu'en est-il pour les bébés ?

Avant l'arrivée de bébé, il est important de prévenir votre gynécologue de votre intolérance et de suivre strictement votre régime sans gluten ainsi que tous les bons conseils pour femmes enceintes, notamment de vérifier vos apports en vitamines B (essentielles au bon développement du fœtus).

Quand bébé est arrivé, y a-t-il un bon moment pour introduire le gluten dans son alimentation ? Il semble qu'il y ait, en effet, une période courte durant laquelle il est préférable de l'introduire.

Une étude menée par l'université du Colorado a conclu que, si un enfant a une prédisposition à développer la maladie cœliaque, ce qui signifie qu'il en porte probablement (ou cela a été vérifié) les gènes, il n'est pas adapté d'introduire du gluten dans son alimentation trop tôt – avant que son système immunitaire ne soit pleinement développé. Cette étude montre également qu'il ne faut pas non plus attendre trop longtemps car cela augmente le facteur risque à nouveau. On ne sait pas encore réellement pourquoi, mais il semblerait que les parents qui attendent longtemps avant de donner des aliments contenant du gluten en donnent en plus grande quantité et plus fréquemment. Le bon timing, recommandé par l'étude, se situe entre 4 et 6 mois. Gardez en mémoire que cette étude est la première en son genre et, comme pour toutes les études, elle a ses détracteurs.

Cette étude se rapporte spécifiquement à la maladie cœliaque, pas à la sensibilité au gluten non cœliaque. Pour plus d'informations sur ces pathologies, voir les chapitres 2 et 3.

Il est important d'être en contact étroit avec votre pédiatre avant d'apporter tout changement important dans l'alimentation de votre bébé.

Aidez votre enfant à prendre le contrôle sur son régime

Si votre enfant ne prend pas le contrôle de son régime alimentaire, son régime prendra le contrôle sur lui. Peu importe son âge, il a besoin d'apprendre dès le premier jour comment gérer son alimentation, ce qu'il peut manger et ce qu'il doit éviter – et à quel point il est important qu'il ne fasse pas d'écart même si la tentation est grande.

D'un point de vue psychologique, il est essentiel que le régime sans gluten ne devienne pas le centre de sa vie – il doit pouvoir penser la plupart du temps à bien d'autres choses. Mais quand vient l'heure du repas, il doit comprendre combien il est important pour lui de faire de bons choix et de porter une attention particulière à son alimentation.

Un proverbe chinois dit : « Donne un poisson à un homme, il mangera un jour, si tu lui apprends à pêcher, il mangera toujours. » Vous devez enseigner à votre enfant à bien choisir ses aliments pour qu'il puisse se nourrir en toute sécurité tout au long de sa vie. Lui donner le contrôle est une bonne chose pour tout le monde :

- **Votre enfant a confiance en lui.** Il sait que, même si vous n'êtes pas là, il est capable de manger en toute sécurité car il peut faire ses propres choix alimentaires.

- **Vous pouvez vous détendre.** Vous savez que, même si vous n'êtes pas là, votre enfant saura se débrouiller pour manger en toute sécurité. Et si vous êtes là, vous n'avez pas à tout faire tout le temps.

- **Votre enfant apprend ce qu'est une alimentation saine.** Combien d'enfants savent lire les étiquettes de produits ou pensent à ce qu'ils ingèrent ? Votre enfant apprend à avoir conscience de l'importance de l'alimentation et c'est une leçon de vie très précieuse.

Faites les bons choix, ensemble

Quand je dis qu'il faut donner le contrôle à son enfant, je n'entends pas par là qu'il faille le laisser prendre toutes les décisions – comme pour le reste, les enfants ont besoin d'être guidés, surtout au début. Vous pouvez faire beaucoup de choses ensemble pour les aider à faire les bons choix alimentaires :

- ✔ **Lisez les étiquettes ensemble.** Même si votre enfant est trop jeune pour lire, faites semblant. Montrez-lui les étiquettes et passez en revue les ingrédients, à haute voix, un par un (et, tout comme pour les histoires avant d'aller au dodo, si vous êtes fatigué, zappez les ingrédients superflus). Attardez-vous sur les mots importants comme le *blé* et rappelez-lui : « Celui-là contient du gluten. » Ensuite, passez rapidement à une solution de substitution : « Essayons celui-ci pour voir » et présentez-lui un produit sans gluten.

- ✔ **Rendez les choses ludiques.** Lorsque vous lisez les étiquettes ou parlez d'alimentation, transformez la discussion en jeu (qui va trouver l'aliment sans gluten en premier ?) et laissez-le gagner.

- ✔ **Faites appeler le fabricant par votre enfant.** (Bien sûr, si votre enfant est en âge de le faire.) Quand il vous aura vu le faire plusieurs fois, proposez-lui d'appeler lui-même le service client et aidez-le.

- ✔ **Faites lui choisir le menu.** Non seulement vous lui donnez une chance de mettre en pratique ses connaissances des aliments sans gluten, mais vous êtes également sûr qu'il mangera ce qu'il aura choisi. Mais que faire si son menu ne se compose que de frites, de riz, de friandises et de coquillettes sans gluten avec du fromage râpé ? Laissez-le faire. N'oubliez pas qu'au moins pour ce repas, c'est lui qui a choisi et qui a pris le contrôle.

- ✔ **Faites lui préparer sa lunchbox.** Si son repas n'est pas tout à fait équilibré au niveau nutritionnel, faites quelques suggestions pour voir s'il peut ajouter de lui-même des aliments plus nutritifs. Sinon, laissez-le faire. Ce n'est pas la fin du monde d'avoir un repas peu équilibré de temps en temps – ce qui compte, dans l'apprentissage, c'est de le laisser choisir des aliments sans gluten (et qui lui donnent envie de manger !).

- ✔ **Laissez-le cuisiner.** Les enfants adorent cuisiner même si cela peut vous demander plus de temps et de travail. Apprendre à cuisiner, dès le plus jeune âge, est important pour tous les enfants et surtout pour ceux qui doivent gérer des restrictions alimentaires.

Faites confiance à vos enfants

Lâcher prise est très difficile pour un parent. Mais en tant que parent, vous devez apprendre à le faire. Chaque jour, vous préparez votre enfant à la vie, pour qu'un jour, il quitte le nid familial. Si vous faites le nécessaire, il sera prêt à affronter la vie seul, avec tous les outils dont il aura besoin pour faire les bons choix et rester en bonne santé.

Apprendre à votre enfant à se nourrir est vital car vous ne serez pas toujours là pour lui. Vous lui avez appris, comme les autres parents, à aller aux toilettes seul, à se laver les dents, les mains, à utiliser la télévision. Mais en matière d'alimentation – sachant que certains aliments peuvent le rendre malade –, lui faire confiance peut être difficile !

Rassurez-vous, le moment où il saura faire les bons choix alimentaires et où vous pourrez vous détendre arrivera plus vite que vous ne le pensez !

 Votre enfant va faire des erreurs. Ces erreurs ne vont pas le tuer ni causer des dommages permanents, mais, avec un peu de « chance », il va ressentir quelques douleurs et ainsi se rendre compte de l'importance d'être plus vigilant.

Sortez avec votre enfant

On ne peut pas vivre dans une bulle. La vie de votre enfant ne doit pas être limitée par son régime alimentaire !

Pour un enfant qui vit sans gluten, les règles à suivre pour sortir et manger à l'extérieur ne sont pas bien différentes de celles qui s'appliquent à un adulte : suivez toujours les règles d'or que j'ai abordées dans les chapitres précédents, les conseils pour voyager ainsi que pour passer des commandes dans un restaurant. Je traite de tous ces points en détail au chapitre 18. Si vous maîtrisez ces recommandations, il ne sera pas compliqué de sortir avec votre enfant.

Voici quelques conseils complémentaires :

✔ **Laissez-le passer sa commande.** Les premières fois, cela pourra être long et compliqué car il sera susceptible de vouloir des nuggets ou des spaghettis, en supposant que c'est ce qu'il est habitué à manger à la maison, mais en version sans gluten. Ne vous préoccupez pas du temps qu'il prend pour commander ni d'ennuyer le serveur. Il est vital pour votre enfant de faire son apprentissage.

✔ **Ne soyez pas timide.** Certains enfants sont gênés quand leur parent pose trop de questions dans un restaurant. Ignorez-le et n'hésitez pas à poser toutes les questions nécessaires. S'ils ne le font pas, vous devez le faire.

✔ **Pensez à apporter un dessert pour votre enfant.** À moins de vous rendre dans un restaurant garanti sans gluten, il est judicieux d'emporter avec vous un dessert, au cas où le restaurant où vous déjeunez ou dînez n'ait rien à la carte qui puisse lui convenir. Ou bien prenez le dessert dans un autre endroit.

Comment confier votre enfant aux autres ?

Confier votre enfant à d'autres personnes peut vous sembler assez angoissant, même s'il n'a pas de restrictions alimentaires qui peuvent le rendre malade. Comment faire confiance à une tierce personne pour nourrir votre enfant intolérant au gluten en toute sécurité, alors ? Lâchez prise, sachez accepter de perdre un peu votre contrôle parental. C'est stressant, je sais, mais votre enfant va passer du temps à l'extérieur de la maison et vous devez vous y faire.

Faites confiance aux autres (amis, famille, baby-sitters)

Pour vous assurer que votre enfant sera entre de bonnes mains, au niveau de son alimentation, la première chose à faire est d'éduquer les personnes qui vont s'occuper de lui. Si vous pensez qu'ils ne comprennent pas ou ne font pas l'effort de comprendre ses besoins, n'hésitez pas à changer de nounou.

Lorsque vous laissez votre enfant sous la responsabilité d'un tiers, essayez d'apporter et de laisser de la nourriture aussi souvent que vous le pouvez et marquez clairement sur les emballages et boîtes que les aliments sont sans gluten. Ainsi, cela évitera toute confusion entre la nourriture de votre enfant et celle d'un autre.

Vous devez faire confiance aux personnes qui accueillent votre enfant et renoncer à vouloir tout maîtriser. Favorisez le dialogue et évitez l'affrontement en cas de problème, pour le bien de votre enfant.

À l'école

Vos enfants sont à l'école une grande partie de la journée. C'est pourquoi vous devez faire face à ce challenge en vous y étant préparé au mieux. Il est important qu'il ait appris avant son entrée en maternelle ou en primaire à gérer lui-même son intolérance et compris les contraintes de son régime alimentaire. Voici quelques conseils pour bien préparer la rentrée de votre petit intolérant :

- **Mettez en place, le plus tôt possible, le projet d'accueil individualisé (PAI).** Au plus tard au mois de mai, bien avant la rentrée scolaire de votre enfant, démarrez les démarches pour mettre en place ce protocole spécifique d'accueil de votre petit intolérant en restaurant scolaire, garderies et centres de loisirs. (Je vous donne plus d'informations un peu plus bas sur ce protocole spécifique à la France.) Pour le midi, trois cas de figure sont possibles :

  - La cantine peut proposer des plats spéciaux ou des plateaux-repas sans gluten.

  - Votre enfant peut apporter son déjeuner à la cantine.

  - Votre enfant rentre chez vous le midi pour déjeuner.

- **Donnez à l'instituteur ou à l'institutrice une réserve de friandises pour votre enfant.** Le goûter et les en-cas sont importants pour les enfants. Apportez des bonbons et quelques gâteaux pour votre enfant qui pourront être utilisés à l'occasion de goûters ou de fêtes d'anniversaire. Il ne faut pas que votre enfant se sente mis de côté.

- **« Évangélisez » les différents intervenants scolaires.** Amorcez le plus tôt possible le dialogue avec l'école. Rencontrez toutes les personnes qui vont interagir avec votre enfant (directeur, instituteurs, responsables de la cantine, médecins scolaires) pour les sensibiliser au maximum à ses besoins. Il y a de fortes chances pour que d'autres enfants de l'école aient les mêmes contraintes que le vôtre. N'hésitez pas à retourner voir ces intervenants la veille et/ou le jour de la rentrée.

- **Attention aux activités manuelles.** Soyez vigilant notamment pour les activités de pâte à modeler ou de pâte à sel. Comme je l'ai déjà mentionné, elles peuvent contenir du gluten (la pâte Play-Doh® par exemple). Tous les enfants ont tendance à en manger. Veillez à ce que l'instituteur soit attentif à ce que votre enfant n'en ingère pas et qu'il se lave bien les mains après avoir joué avec.

- **Attention aux échanges de friandises.** Dans la cour d'école ou à la cantine, les enfants échangent souvent leurs desserts et friandises. Une banane contre un cookie, une salade contre une glace (oui, ce n'est pas du commerce équitable). Expliquez à votre enfant qu'il ne peut pas pratiquer ce type de troc avec sa nourriture. Même si les autres le font, lui ne peut pas le faire (et pas seulement parce que ses biscuits vous coûtent une fortune !). Demandez aux surveillants de veiller à ce que votre enfant n'échange pas sa nourriture avec les autres.

✔ **Préparez les voyages scolaires.** Que ce soit pour une classe verte, une classe de neige, un séjour à l'étranger ou un séjour linguistique, vous devez le préparer à l'avance. Contactez le lieu de séjour et le directeur du centre pour expliquer les besoins spécifiques de votre enfant et connaître la composition des menus. Proposez des idées de substitutions pour votre enfant avec les aliments que vous leur fournirez et prévoyez des produits sans gluten à mettre dans la valise de votre enfant, notamment pour les petits déjeuners et goûters, ainsi que des bonbons et friandises. Dans le cadre d'un séjour à l'étranger, n'oubliez pas de glisser dans son sac son certificat médical et, si vous le pouvez, de contacter l'association locale des intolérants au gluten.

Vous pouvez préparer vous-même de la pâte à modeler sans gluten maison pour votre enfant. Il peut même vous aider à la fabriquer avec des ingrédients très simples et peu onéreux. Pour cela, mélangez dans une casserole, sur feu moyen, 250 g de farine de riz (ou de maïs) avec 250 g de sel, 1 cuillerée à café de bicarbonate de soude ou de crème de tartre et 1 cuillerée à café d'huile d'olive. Délayez petit à petit avec 50 cl d'eau. Ajoutez quelques gouttes de colorant alimentaire et mélangez jusqu'à obtenir une pâte épaisse avec laquelle vous pouvez former une boule. Vous pouvez également parfumer votre pâte à modeler avec des huiles essentielles comestibles. Laissez refroidir puis malaxez à volonté ! Conservez la pâte dans une boîte bien hermétique.

Le projet d'accueil individualisé (PAI)

Protocole spécifique à la France mis en place en 2003, le projet d'accueil individualisé permet la prise en charge encadrée d'un enfant ou d'un adolescent atteint d'une maladie chronique, d'une allergie ou d'une intolérance alimentaire. Il lui offre la possibilité de suivre une scolarité normale en tenant compte de ses problèmes de santé et de ses besoins spécifiques. L'établissement scolaire lui assure la sécurité nécessaire à l'application de son régime spécifique. Le PAI est un document écrit, rédigé à la demande des parents par le directeur de l'école et le médecin scolaire à partir des données transmises par le médecin traitant de l'enfant et après une réunion entre les parents et toutes les personnes qui seront amenées à gérer l'enfant. Cette réunion permet de déterminer les actions et mesures à prendre pour tenir compte du régime alimentaire de l'enfant. L'AFDIAG propose sur son site un guide pratique pour la mise en place de ce PAI pour la maladie cœliaque. Le PAI est un droit. N'hésitez pas à insister pour le faire appliquer par des intervenants qui pourraient vous sembler réticents.

Il n'existe pas de protocole de ce type en Suisse, au Luxembourg, en Belgique ou au Québec pour le moment. Il est important alors d'aller rencontrer les responsables scolaires afin de discuter des besoins de votre enfant et de fournir ses repas. Les associations d'intolérants au gluten ainsi que les associations de prévention des allergies travaillent activement pour que des projets d'accueil individualisés soient mis en place dans ces pays.

C'est l'heure de faire la fête !

Les fêtes sont censées être synonymes de plaisir et d'amusement ! Mais, pour les parents, les fêtes ne sont parfois que centrées sur la nourriture. Que faire quand votre enfant est invité à un goûter d'anniversaire chez un petit copain ou dans un fast-food qui ne sert que des burgers et des frites ? Voici quelques conseils pour que la fête ne se transforme pas en cauchemar :

✔ **Faites manger votre enfant avant la fête.** S'il n'a pas faim, il ne pensera pas à manger et il s'amusera.

✔ **Si vous savez qu'on va lui servir uniquement des aliments gluténisés, fournissez son repas.** Si possible, préparez-lui des aliments similaires à ce qu'il va trouver sur place. S'il va dans un fast-food, préparez des burgers ou des pizzas et couvrez les aliments d'aluminium pour qu'il puisse les faire réchauffer sans risque.

✔ **Si la petite fête a lieu dans un restaurant qui propose de la nourriture sans gluten, demandez si vous pouvez passer sa commande à part.** C'est assez rare de trouver des restaurants qui proposent aussi de la nourriture sans gluten pour le moment dans nos contrées mais cela ne saurait tarder !

✔ **Si c'est le goûter de votre enfant, servez des aliments sans gluten.** Cela vous semble une évidence, bien sûr ! Mais pensez à servir des aliments que tous les enfants vont aimer pour ne pas créer de frustrations.

Aidez vos adolescents à vivre sans gluten

Vous ne pouvez pas forcer un adolescent à faire ce que vous lui demandez. À l'adolescence, vous pouvez seulement espérer que vous avez semé les bonnes graines et ainsi pouvoir guider encore un peu votre enfant dans la bonne direction.

Si votre adolescent a été récemment diagnostiqué, cette période peut être vraiment difficile. Les adolescents vivent déjà de nombreux changements. Adopter, en plus, un nouveau mode de vie, notamment alimentaire, peut les pousser à se sentir exclus par les autres.

Même si votre adolescent a été diagnostiqué dans sa tendre enfance, il est possible que son comportement change. D'un enfant qui avait accepté son régime, il peut devenir un ado qui le rejette et qui fait des écarts de temps en temps.

Ces comportements sont normaux pour des adolescents. Vous devez faire face avec patience et compréhension et ne pas couper la communication.

Repérez les signes de changement

Parfois il y en aura, parfois pas. Les symptômes peuvent disparaître à cette période de la vie de votre enfant, temporairement du moins. Il pourrait être alors tenté de se jeter sur une pizza. Comme il n'a plus de symptômes, il pense qu'il peut le faire sans risque. Ce n'est pas vrai, ça, vous le savez ! Même sans symptômes, le gluten fait toujours des dégâts.

Pour d'autres enfants, les symptômes ne disparaissent pas vraiment mais évoluent – maux de tête, migraines, fatigue chronique, dépression, par exemple. Ces ados pensent que leurs symptômes ont disparu (les problèmes gastro-intestinaux, notamment), ceux qu'ils avaient appris à associer au gluten. Ils ne comprennent pas forcément que leur migraine peut être due à leur intolérance au gluten.

Apprenez à comprendre pourquoi votre ado fait des écarts

J'évoque la question des écarts au chapitre 20, mais les ados sont des « animaux » différents de nous et ils font des écarts pour d'autres raisons. Vous ne pouvez plus vraiment les empêcher de manger ce qu'ils veulent, mais connaître les raisons de leurs écarts peut vous aider à en parler avec eux.

Votre ado n'est pas uniquement poussé par le désir (« Je le mange parce que j'en ai envie »). Il peut faire des écarts pour les raisons suivantes :

✔ **La pression des pairs :** à aucun autre moment de la vie la pression des pairs n'est aussi importante qu'à l'adolescence. Même si ses amis ne le poussent pas à manger du gluten (ils ne le font pas), votre adolescent pourrait juste vouloir se sentir comme les autres et être tenté de faire des écarts.

Les enfants adorent se sentir uniques mais ils ne veulent surtout pas être différents et suivre ce régime peut les faire se sentir différents. Ne soyez pas surpris de voir votre ado commander une pizza dans un restaurant juste pour faire comme ses copains.

✔ **La rébellion :** votre ado pourrait faire des écarts au régime pour se montrer rebelle. Même s'il ne vous le dit pas, c'est sa façon à lui de vous prouver qu'il a le contrôle et qu'il décide de sa vie, s'opposant ainsi à vous.

✔ **La curiosité :** un enfant curieux de connaître le goût des aliments « gluténisés » peut en fait avoir plus de retenue qu'un ado curieux. Les ados veulent vivre de nouvelles expériences et, même s'il a suivi consciencieusement son régime, il essaiera au moins une fois, pour voir.

✔ **La gestion de leur poids :** de nombreux adolescents pensent qu'en ne mangeant pas de gluten, ils n'absorberont pas toutes les calories de leurs repas. Ainsi, certains font des écarts de régime, pensant perdre du poids.

Surveillez les signes de troubles alimentaires chez votre enfant. Il peut devenir obsédé par ses restrictions et les appliquer à l'extrême – ou il peut utiliser le gluten comme un moyen de perdre du poids. Il vous faut résoudre ces problèmes immédiatement, car les troubles alimentaires sont des questions extrêmement graves.

Alors, que faites-vous au sujet de votre ado qui fait des écarts ? Le mieux est d'en parler avec lui, de comprendre pourquoi il les fait et s'il en a ressenti les conséquences. Il s'agit de lui rappeler ce qu'il se passe dans son corps même s'il n'a pas de symptômes.

Aidez vos enfants quand ils quittent le nid

Une des situations les plus difficiles à gérer pour un adolescent, surtout s'il vient d'être diagnostiqué cœliaque, est de quitter le cocon familial, que ce soit pour l'internat ou l'université où l'organisation de ses repas va être mise à mal. Assurez-vous qu'il comprend bien le régime et qu'il peut choisir ses aliments pour rester en bonne santé.

Si votre enfant part pour l'internat, tout comme pour l'école primaire ou maternelle, appelez l'établissement avant la rentrée pour savoir ce qu'il propose en matière de repas spéciaux.

Il faudra certainement prévoir des stocks d'aliments sans gluten pour lui et qu'il puisse les emporter. N'oubliez pas les sauces et condiments. Donnez-lui les contacts des personnes nécessaires pour qu'il puisse discuter de ses besoins alimentaires.

Avoir un accès à un réfrigérateur, ou encore mieux à la cuisine, est utile. Discutez avec le service de logement étudiant pour vous assurer de ce qui est disponible (micro-ondes, réfrigérateur…) et voir ce qu'il va pouvoir stocker, réchauffer et devoir acheter en magasin.

Pensez à lui envoyer des stocks de pain et friandises sans gluten, juste pour lui rappeler que vous l'aimez.

Pour terminer sur une note plus légère mais indispensable, si votre adolescent vous demande s'il peut embrasser son/sa petite amie, s'il/elle vient de manger du pain ou un croissant (donc du gluten), rassurez-le. Il suffit de ne pas embrasser la bouche pleine ou de s'embrasser à distance des repas ! Et, encore plus important, la maladie cœliaque ou la sensibilité au gluten ne sont pas transmissibles en s'embrassant !

Chapitre 20

Vaincre les coups de blues : surmonter les obstacles émotionnels

*V*ivre sans gluten représente un véritable défi pour ceux qui viennent de se faire diagnostiquer cœliaques ou sensibles au gluten. Ils doivent faire face soudainement à de multiples difficultés.

On pourrait m'accuser d'être trop enthousiaste quand il s'agit de parler des vertus du sans gluten. Mais n'oubliez pas que je suis passée par là moi aussi – j'ai adopté ce mode de vie il y a quelques années et, croyez-moi, j'ai rencontré ma part d'obstacles et de souffrances, comme la plupart des personnes qui doivent suivre ce régime strict. L'important est de savoir identifier ces obstacles et d'apprendre à les surmonter.

Faites face à ce défi mais n'en faites pas une fixation. Vous allez probablement être en colère, triste, contrarié, prêt à hurler de frustration, c'est tout à fait normal. Toutes ces émotions, et toutes celles dont je vais vous parler dans ce chapitre, sont tout à fait légitimes quand quelqu'un vous annonce que vous allez devoir modifier totalement votre façon de vivre. Il faut pourtant se garder de s'enliser dans des émotions négatives. Elles peuvent facilement consommer toute votre énergie. Autorisez-vous à appréhender ces sentiments difficiles et ensuite, passez à autre chose !

Dans ce chapitre, je vous propose différentes pistes qui peuvent vous aider à sortir de la négativité et à voir les choses sous un angle plus positif. Oui, c'est vrai, pour certaines personnes, passer au sans gluten est une transition de vie difficile… mais au final, vous verrez, vous vous sentirez bien mieux.

Sachez reconnaître les signes de stress émotionnels

Les personnes qui se lancent dans un régime sans gluten le font pour différentes raisons :

- **Ça a l'air fun !** Déchiffrer les étiquettes au supermarché (ambiance chasse au trésor) pour trouver les sources cachées de gluten… c'est cool ! Pas de bière et pas de pizza, encore mieux ! Si, en plus, on peut perdre quelques kilos, génial !

- **Ils pensent qu'ils doivent le faire.** Ils n'ont pas été diagnostiqués intolérants au gluten, ou leurs tests sont négatifs. Mais ils pensent qu'ils se sentiraient mieux en adoptant un régime sans gluten ou que ce mode de vie est plus sain. Ou encore souhaitent-ils peut-être simplement soutenir l'un de leurs proches qui mange sans gluten.

- **Ils n'ont pas le choix.** Pour raisons médicales, ils doivent adopter un régime sans gluten.

Devinez pour qui la vie est plus facile ? Bingo ! Lorsque nous choisissons sciemment de faire quelque chose, nous avons un avantage émotionnel énorme. Non seulement nous sommes prêts mentalement à relever le défi, mais aussi nous nous félicitons d'avance des changements à venir.

D'autre part, quand quelqu'un vous dit que vous devez faire quelque chose (pour ceux du groupe 3), vous êtes susceptible d'avoir plus de mal à le gérer. (Souvenez-vous quand, enfant, vous étiez prêt à nettoyer volontairement votre chambre et que, juste à cet instant, votre maman criait : « N'oublie pas de nettoyer ta chambre ! » Un vrai « tue-motivation », n'est-ce pas ?) Lancés dans ce défi unique, pratique et social de vivre sans gluten, nombreux sont ceux qui se retrouvent face à toutes sortes d'obstacles émotionnels complexes :

- **Une bonne partie des activités sociales tournent autour de la nourriture.** Parce que vous mangez sans gluten, vous pouvez vous sentir isolé, avoir peur de sortir en société parce que vous pensez que vous ne pourrez pas partager un repas, voire pire, que vous ne pourrez rien manger du tout. (Pour tout savoir sur la gestion des repas à l'extérieur, rendez-vous au chapitre 18.)

✔ **Les gens que vous aimez ne comprennent pas.** Au chapitre 18, je vous donne des conseils pour aborder ce sujet avec les autres. Mais, parfois, peu importe ce que vous direz ou ne direz pas, certaines personnes, dont vos plus proches amis, ne comprendront tout simplement pas.

✔ **Les gens pensent que vous êtes un peu cinglé.** Lorsque vous tentez d'expliquer votre pathologie à certaines personnes, ou lorsqu'elles vous voient pour la première fois commander, par exemple, dans un restaurant, elles peuvent penser que vous êtes quelqu'un de vraiment bizarre, de capricieux, pointilleux, que vous avez un trouble de l'alimentation ou que vous êtes un peu cinglé.

✔ **Fini, les « aliments-confort ».** Nombreux sont ceux qui trouvent dans la nourriture un bon remède contre le stress. Lorsque vos options alimentaires sont limitées, manger peut devenir une véritable source de stress et d'anxiété.

✔ **Certaines personnes gèrent tout simplement mal le changement.** Pour ces personnes, toute modification de leur mode de vie peut s'avérer vraiment perturbant.

✔ **Vous perdez le contrôle de votre vie.** Vous vous sentez « condamné » à une vie de restrictions alimentaires. Ouh là là, rien de pire pour perdre le contrôle ! Vous avez été libre de choisir votre nourriture depuis votre tendre enfance et maintenant quelqu'un vous impose vos menus ?

✔ **Cela a l'air irréversible.** Mais c'est parce que ça l'est ! Vous pouvez vous sentir submergé, voire « dominé » par ces restrictions.

✔ **Vous avez l'impression d'être seul au monde.** Détrompez-vous, ce n'est pas le cas ! Des millions de personnes dans le monde adoptent le mode de vie sans gluten. Certaines personnes se sentent isolées en adoptant ce régime ; elles se sentent même « bannies ». Si c'est ce que vous ressentez, alors, lisez la suite, parce que cette partie du livre devrait vous aider à reprendre le contrôle sur ces sentiments : vous n'avez pas à vous sentir seul dans ce bateau.

Dans cette partie, j'évoque les émotions que l'on peut ressentir quand on doit adopter un régime sans gluten. Vous noterez que ces émotions ressemblent fortement à celles que l'on ressent face à un traumatisme. Ce n'est pas surprenant car, pour certaines personnes, le fait de changer totalement leur mode d'alimentation peut être une expérience très stressante, voire traumatisante.

Panique à bord !

Avez-vous déjà vu une adolescente chercher désespérément son téléphone portable égaré ? Oui ? Alors vous savez ce qu'est la panique ! Pour certaines personnes, devoir manger sans gluten peut sembler pire que cela.

Cela vous tombe dessus soudainement. Vous êtes dans le bureau de votre médecin, à lui parler de vos soucis gastro-intestinaux, et en quelques minutes, on vous colle une pathologie que vous ne connaissez probablement pas et qui va changer votre façon de manger pour le restant de vos jours. Pourtant, à certains égards, ce n'est pas si soudain que vous le pensez. Vous avez probablement des problèmes de santé depuis des années. Et maintenant ils ont un nom. Et un traitement. Et le savoir peut vous laisser sans voix.

« Hein ? » C'est tout ce que vous trouvez à dire. Vous êtes en état de choc. La bonne nouvelle (voyons, il doit y avoir une bonne nouvelle, non ? Oui, bien sûr !), c'est que, par définition, vous n'aurez ce choc qu'une seule fois.

Avez-vous déjà eu la sensation que vos doigts étaient gelés ? Ils sont comme engourdis, n'est-ce pas ? Mais quand ils commencent à se réchauffer, vous avez l'impression qu'ils viennent de passer dans une déchiqueteuse à bois. C'est un peu ce que l'on ressent quand un choc intense se transforme en pure panique. C'est exactement ce qui arrive quand les mots « régime à vie » vous tombent dessus. C'est la panique à bord ! Qu'allez-vous pouvoir manger ? Où allez-vous trouver à manger ? Comment allez-vous gérer cela ? En êtes-vous capable ?

Soyez assuré que ces sentiments sont tout à fait normaux, et ils s'estomperont avec le temps. Vous allez apprendre à modifier votre alimentation et votre panique s'évaporera au fur et à mesure. La courbe d'apprentissage est plus raide pour certains, mais tout le monde apprend à son rythme et la panique disparaîtra, soyez rassuré.

Colère et frustration

Le choc et la panique se sont apaisés, et vous commencez à vous sentir plus à l'aise avec votre régime. Mais quelque chose vous ronge. Vous réalisez que vous êtes en colère. Énervé. Atrocement frustré !

Peu importe contre quoi ou qui vous êtes en colère – certains le sont contre leurs parents qui leur ont transmis ce gène « défectueux » ; d'autres le sont contre eux-mêmes pour avoir transmis ce gène à leurs enfants ; d'autres encore contre leur conjoint pour ne pas être plus compréhensif ; et nombreux sont ceux qui sont en colère contre l'industrie agroalimentaire pour mettre du gluten partout ; quelques-uns s'en prennent même au destin pour avoir inventé cette maladie qui rend fou.

Le résultat est le même : vous fulminez et cela vous stresse. La colère est une émotion saine, et apprendre à la gérer est l'une des leçons les plus précieuses que vous pourrez assimiler dans la vie. Déverser votre colère sur vos proches est tentant et facile, surtout s'ils accroissent votre frustration en ne se montrant pas assez compréhensifs face à votre nouveau mode de vie. Si vous avez besoin d'aide pour gérer votre colère, demandez-la. Mais ne vous en prenez pas aux gens qui vous entourent parce qu'ils ne sont pas coupables, ils ne sont pas à blâmer et ils peuvent même vous être d'un immense soutien.

Chagrin et désespoir

Avez-vous du chagrin ? Vous sentez-vous comme si vous aviez perdu votre meilleur ami ? Dans un sens, cela pourrait bien être le cas. La nourriture, votre liberté de choisir ce que vous mangez et même le simple fait de manger, peut vous réconforter. Lorsque vous êtes obligé de renoncer à vos aliments préférés (s'ils ne l'étaient pas avant, croyez-moi, ils le deviendront quand vous devrez y renoncer !), ce changement peut vous rendre triste et mélancolique. En outre, certaines personnes pensent qu'elles sont les seules à avoir ce problème, ce qui intensifie leur sentiment de solitude.

Si votre enfant doit manger sans gluten, ce sentiment de chagrin peut s'amplifier. En tant que parent, vous rêvez d'une vie idéale et insouciante pour vos enfants. Qu'ils aient à gérer des restrictions alimentaires, qui les empêchent d'avoir une enfance « comme les autres », ne faisait sûrement pas partie de vos espoirs pour eux.

Certaines personnes en arrivent parfois jusqu'au désespoir. Elles trouvent ce régime tellement pesant et difficile qu'elles font erreur sur erreur. Elles finissent par penser : « Si je n'arrive pas à suivre mon régime correctement, autant ne pas le faire du tout. » Et elles abandonnent.

Le chagrin et le désespoir sont des émotions normales, mais ne sombrez pas avec elles. Vous surmonterez vos sentiments de tristesse et de solitude car ce mode de vie ne doit pas le moins du monde vous isoler ou vous priver. Faites de votre mieux – vraiment à 100 % – et vous y arriverez. Il vaut mieux gérer des erreurs de temps en temps que d'abandonner sans avoir essayé.

Perte et privation

Il peut vous arriver de ressentir un sentiment de perte lorsqu'on vous annonce que vous devez manger sans gluten. En effet, vous perdez vos aliments préférés – et les moments conviviaux qui semblent aller avec. Que dire des soirées pizzas-bières devant un bon match de foot et des crêpes de votre grand-mère à la Chandeleur ? Et des crackers à l'apéro avec les copains ? Ok, j'arrête de vous torturer.

Vos « aliments-doudous », du moins dans la forme sous laquelle vous les consommez actuellement, c'est du passé ! Dans un premier temps, tous ces moments conviviaux avec vos proches vous sembleront différents, voire impossibles à vivre, mais rappelez-vous que ces moments ne sont pas liés à la nourriture mais à vos relations avec les autres. Apportez votre nourriture, celle que vous aimez, et suivez les règles d'or pour sortir sans gluten (disponibles au chapitre 18).

Vous pouvez également faire face à une perte de confort dans votre vie quotidienne. De nos jours, la nourriture est prélavée, prédécoupée, précuite, voire pratiquement prémangée et prémétabolisée en graisse ventrale avant que vous n'arriviez à la maison depuis le supermarché. Elle vous servait de goûter, d'en-cas, ou même de repas complet. Oui, ces aliments industriels sont pratiques, et parfois, ils peuvent même être sains et sans gluten. Mais, pour la plupart d'entre eux, pour vous, ils sont maintenant à proscrire.

C'est une perte de confort, c'est vrai. Le temps où vous pouviez appeler le livreur de pizza du coin est révolu (du moins, jusqu'à ce que les grandes enseignes de livraison à domicile se mettent au sans gluten – on peut rêver !). Vous ne pouvez plus jeter dans votre Caddie, sans réfléchir, n'importe quel produit, sous prétexte que l'emballage est sympa ou qu'il est en promotion.

Ok, donc, supprimer le gluten n'est pas si pratique que cela et, en plus, vous allez perdre vos gourmandises préférées. Je peux vous comprendre – vous ressentez un sentiment de privation. Mais regardez ce que vous y gagnez. Votre santé ! Votre régime sans gluten est la clé vers l'amélioration de votre santé et cela n'a pas de prix.

Tristesse et dépression

Parfois, les gens se sentent tellement dépassés par leur état de santé et le régime alimentaire sans gluten qu'ils souffrent, à un certain degré, de déprime, voire de dépression.

Sachez que la dépression peut être un symptôme lié à l'ingestion de gluten, si vous en mangez en dépit de votre intolérance. La dépression pourrait-elle être due à l'ingestion accidentelle (ou intentionnelle) de gluten ? Ou est-ce un malaise persistant d'avant-diagnostic ? Certaines personnes, avant d'être diagnostiquées (et certaines même après), sont accusées d'inventer leurs problèmes. On leur dit souvent que leurs symptômes sont surtout psychosomatiques. Ces accusations peuvent être si blessantes et frustrantes qu'elles peuvent faire plonger la personne dans un état dépressif.

Les personnes atteintes de la maladie cœliaque ont un risque plus élevé de souffrir de dépression, de bipolarité, d'épilepsie ou d'autres problèmes neurologiques. (Au chapitre 4, je détaille les effets du gluten sur l'humeur.)

Bien sûr, les restrictions, la douleur, le sentiment de perte, de colère et toutes les émotions évoquées dans cette partie sont des facteurs qui peuvent conduire à la dépression.

Malheureusement, cette dépression causée par la maladie peut vous entraîner dans un cercle vicieux. Les symptômes physiques conduisent à la souffrance et à la dépression, et la dépression renforce les symptômes physiques. En outre, la dépression peut affaiblir le système immunitaire et affecter votre cœur. Les personnes atteintes de dépression sont quatre fois plus susceptibles de faire une crise cardiaque.

Si vous vous sentez déprimé, assurez-vous que votre alimentation est bien 100 % sans gluten pour être sûr que ce que vous ressentez n'est pas un effet secondaire de l'ingestion de gluten. Envisagez aussi une thérapie, que ce soit en vous confiant à des amis ou en prenant rendez-vous avec un professionnel de santé.

Si vous pensez que votre coup de blues n'est pas grave et que vous souhaitez essayer de vous en sortir seul, voici quelques conseils pratiques :

- **Faites de l'exercice :** quand vous faites de l'exercice, votre cerveau produit des endorphines, les « hormones du bonheur » qui renforcent le mental. L'exercice vous aide également à vous débarrasser des hormones du stress qui s'accumulent dans votre corps et peuvent vous causer toutes sortes de désagréments physiques et émotionnels.

- **Mangez sainement :** cela signifie que, outre une alimentation saine, vous devez respecter strictement votre régime sans gluten. Manger du gluten exacerbe les symptômes physiques et neurologiques que vous pouvez rencontrer si vous êtes intolérant au gluten. Le gluten vous prive des nutriments essentiels qui sont censés vous dynamiser. Évitez les aliments à indice glycémique élevé (dont je parle au chapitre 7) car ils affectent votre glycémie et votre humeur.

- **Évitez l'alcool :** l'alcool est nocif pour les personnes souffrant de dépression. L'alcool est un dépresseur, donc, par définition, il vous tire vers le bas – il casse aussi vos cycles de sommeil alors que ceux-ci sont importants pour que vous vous sentiez mieux.

- **Détendez-vous :** c'est parfois difficile, je sais ! Mais la détente (même si vous devez vous y forcer) est indispensable pour votre santé mentale. Il peut parfois vous arriver d'oublier de prendre soin de vous, mais il est essentiel de le faire sinon vous ne serez plus en mesure d'aider qui que ce soit.

- **Faites le bien autour de vous :** la part de bonheur que vous ressentez est directement proportionnelle au bonheur que vous apportez aux autres. Sérieusement, vous êtes-vous déjà senti triste quand vous avez fait quelque chose de gentil pour quelqu'un ? Faites le bien autour de vous, vous vous sentirez, je vous l'assure, beaucoup mieux.

Quand ce n'est pas que le gluten qu'il faut supprimer…

Les intolérances alimentaires ont tendance à s'additionner — en d'autres termes, si vous avez une intolérance ou une sensibilité à un aliment, vous êtes susceptible d'en avoir d'autres. Youpi ! Cela signifie que, non seulement vous devez éviter le gluten, mais vous pouvez aussi avoir à éviter, par exemple, le maïs, le soja, les produits laitiers, les arachides, et les œufs.

Oui, j'ai bien dit « et ». Nombreux sont ceux qui ont ce que j'appelle des « intolérances croisées ». Même si vous devez juste supprimer le gluten et la caséine, par exemple, les implications (logistique mise à part) peuvent être lourdes. Si c'est un enfant qui doit vivre avec ces restrictions, les parents peuvent ressentir une myriade d'émotions difficiles à appréhender (voir le chapitre 19). Si vous avez plus d'une restriction, vous êtes autorisé à vous apitoyer sur vous-même — brièvement —, puis à avancer ! Ce chapitre regorge d'idées et de conseils pour gérer positivement les aléas de votre régime sans gluten.

Gérez le déni

Si ça ressemble à un canard, si ça nage comme un canard et si ça cancane comme un canard, c'est qu'il s'agit sans doute d'un canard. Mais vous aimeriez croire que c'est un labrador. En ce qui concerne votre santé, tous les voyants sont au rouge et clignotent : « Il faut passer au sans gluten ! » mais vous préférez lire : « Sans gluten ? Moi ? Je n'en ai pas besoin ! » Le déni existe sous des formes multiples et peut vous affecter, vous ou ceux qui vous entourent.

Quand c'est vous qui êtes dans le déni

Lorsque vous apprenez que vous devez supprimer le gluten de votre alimentation pour des raisons de santé, courir chercher un trou dans le sable pour y plonger votre tête (on appelle ça faire l'autruche, oui !) est une réaction fréquente. Cela s'appelle *le déni*. Vous traverserez sûrement une ou plusieurs phases de déni dans votre processus d'acceptation de votre pathologie.

Une réaction immédiate

Le docteur : Vous avez (insérez une pathologie) et vous devez supprimer le gluten de votre alimentation immédiatement.

Vous : Gluten ? Vous voulez dire le miel, le sucre, c'est ça ?

Le docteur : Non, je veux dire les pizzas, le pain, la bière.

Vous : Mais, enfin, vous ne pouvez pas être sérieux ?

Le docteur : Je suis sérieux et ne m'appelez pas Mézenfin.

Ok, ce n'est pas le moment de plaisanter, même avec une scène culte du film *Y a-t-il un pilote dans l'avion* ? ! La réaction la plus immédiate que l'on peut avoir face à l'annonce d'une intolérance au gluten est bien souvent : « Je ne peux pas avoir ce problème. Je n'en ai jamais entendu parler. Je suis trop jeune pour avoir ça. Je suis trop vieux pour avoir ça. Je suis… (Choisissez votre adjectif) pour avoir ça. »

Vous pouvez rester dans le déni jusqu'à ce que les poules aient des dents mais cela n'aidera en rien votre santé. Ce qui vous aidera, c'est de vous mettre au plus vite sur le droit chemin, car au bout de celui-ci se trouve l'amélioration de votre santé.

Le déni, au fil du temps

Une autre forme de déni s'installe, lorsque vous vous sentez mieux, après une période de régime sans gluten. En fait, vous vous sentez si bien que vous commencez à douter d'avoir un jour été malade, vous pensez qu'en fait, tout allait bien et vous ne vous souvenez plus d'avoir souffert.

C'est le moment où vous réalisez que vous allez devoir manger sans gluten toute votre vie et êtes tenté de faire un écart – mais ce n'est pas faire un écart si en réalité vous n'aviez pas besoin de suivre ce régime, n'est-ce pas ? Ainsi commence la lutte, dans votre esprit, entre le bien et le mal.

Votre bonne conscience vous susurre : « Mmmm, c'est le meilleur cracker sans gluten que j'aie jamais mangé ! » mais votre mauvaise conscience s'insurge : « Pas question que je regarde un seul match de foot en mangeant des galettes de riz et en buvant du vin blanc pendant que les copains se font une pizza-bière… de plus, je n'ai pas d'intolérance… allez… juste une petite part de pizza… ».

Éloignez-vous de la boîte à pizza ! Vous traversez une période d'ambivalence dans laquelle vous essayez de vous convaincre que vous n'avez pas vraiment besoin de manger sans gluten et vous tentez de vous le prouver en ignorant les signaux d'alerte que vous envoie votre bonne conscience.

L'acceptation

L'inconvénient majeur du déni est qu'il justifie votre consommation de gluten. Lorsque vous avez la « révélation » de ne pas avoir besoin de manger sans gluten, il est très tentant de se ruer dans la première boulangerie du quartier.

Résistez à la tentation. Si vous vivez sans gluten depuis un certain temps, alors oui, vous vous sentez bien, mais c'est grâce à votre régime ! Le danger de mettre en pratique votre « théorie » est que vous pouvez très bien ne pas avoir de réaction tout de suite et tirer cette conclusion trop hâtive : vous n'aviez pas à manger sans gluten de toute façon !

Si vous n'êtes toujours pas convaincu de vraiment devoir manger sans gluten, testez les suggestions suivantes pour clarifier les choses dans votre esprit :

- **Faites-vous tester.** Le déni est l'une des raisons qui justifient de faire tous les tests nécessaires. Rendez-vous au chapitre 2 pour plus d'informations sur les tests.

- **Sachez que des tests « négatifs » ne signifient pas toujours que vous êtes libre de redevenir un glutenovore.** Les tests d'allergies ne diagnostiquent pas la maladie cœliaque ; les tests de la maladie cœliaque ne captent pas toujours la sensibilité au gluten. Les tests ont évolué avec le temps et vos tests datent peut-être un peu. Vous pouvez également obtenir des faux négatifs – et une intolérance au gluten peut se développer à n'importe quel moment de votre vie. Ce n'est pas parce que vos tests sont négatifs une fois qu'ils le seront toujours. Enfin, certaines personnes ont des tests négatifs, mais leur santé s'améliore de façon spectaculaire avec un régime sans gluten. Allez comprendre…

- **Prenez un deuxième avis.** Si vous êtes particulièrement têtu, vous pouvez même demander un troisième avis. (Si son père dit non, on demande à sa mère mais si sa mère dit non, alors il faut accepter la décision !)

- **Parlez-en avec ceux qui sont déjà passés par là.** Nous sommes tous passés par le déni, à un moment ou à un autre. Parlez aux personnes autour de vous qui ont été diagnostiquées et ont une pathologie les obligeant à vivre sans gluten. Elles vont sûrement vous regarder avec un sourire béat sur leur visage, du style – eh oui, tu es un cas classique de déni – parce qu'elles sont passées par là avant vous.

- **Prenez des notes.** Notez vos symptômes dans une colonne, comment vous vous sentez quand vous mangez certains aliments et, en face, dans une autre colonne, les symptômes de la sensibilité au gluten, de la maladie cœliaque ou de toute autre pathologie dont vous souffrez. Voyez-vous une corrélation ? Quand vous mangez certains aliments, remarquez-vous que certains symptômes sont semblables à ceux de la pathologie en question ? Tiens, tiens…

Quand les autres sont dans le déni

Ils ont tous les symptômes d'une intolérance au gluten mais refusent de l'admettre. Revoilà le déni ! Pourquoi est-il si difficile pour nos proches d'accepter qu'eux aussi pourraient avoir cette pathologie ? L'intolérance au gluten peut, après tout, se retrouver chez d'autres membres d'une même famille. Pourquoi est-ce si difficile pour nos amis ? L'intolérance au gluten, sous ses différentes formes, est une pathologie assez fréquente mais ils préfèrent penser : « Moi, je n'ai pas ça. » La réalité est qu'ils ne veulent pas l'avoir.

Toutes les pathologies qui nécessitent de manger sans gluten, comme la maladie cœliaque, ont un dénominateur commun : les gens ne croient pas à ce que vous leur racontez de votre pathologie ni au fait qu'un régime sans gluten peut améliorer votre état de santé. Ils ne comprennent pas toujours à quel point vous devez vous tenir à un régime strict pour aller mieux.

J'ai été accusée maintes fois de suivre mon régime sans gluten de façon névrotique. Les médecins me disent même parfois que j'en fais trop car je vérifie la composition de chaque médicament (oui, il y a du gluten dans certains médicaments !). Mes proches pensent que je suis obsédée par le gluten, en me voyant m'assurer que tous les plats en sont bien exempts. Je me rappelle même avoir entendu plusieurs fois des serveurs de restaurant marmonner des horreurs à mon égard en prenant ma commande.

J'aimerais pouvoir vous donner des conseils infaillibles pour gérer au mieux « vos proches », ceux qui ne croient pas à votre pathologie, qui ne l'acceptent pas ou qui pourraient eux-mêmes avoir une intolérance au gluten. Mais ce que vous pouvez faire de plus efficace est de les éduquer. Vous ne pouvez pas les forcer à vous comprendre, à accepter ou à tester le régime sans gluten. C'est triste, car cela pourrait améliorer considérablement leur propre santé.

Maintenez le cap même quand vous pensez avoir fait fausse route

Même moi, j'admets que l'on affronte des obstacles émotionnels difficiles quand on adopte le régime sans gluten. C'est un changement monumental dans votre vie ! Mais surmonter ces défis et maintenir le cap pour profiter pleinement de la vie et de tout ce qu'elle a à vous offrir – au-delà de l'alimentation – est la chose la plus importante que vous puissiez réaliser.

Reprenez le contrôle

Si vous ne prenez pas le contrôle sur votre régime dès le début, le régime prendra le contrôle sur vous. Avoir peur peut vous donner l'impression de perdre le contrôle. Peur de mal faire. Peur d'être mal informé. Peur de lâcher prise sur vos habitudes et aliments préférés. Peur de vous sentir privé. Peur d'être différent. Peur de goûter de nouveaux aliments. Peur d'adopter un nouveau mode de vie.

La seule façon de dépasser votre peur est d'essayer de nouvelles choses. Soyez créatif – testez de nouveaux aliments –, émoustillez vos papilles avec de nouvelles saveurs et testez tous les produits sans gluten que vous pouvez trouver. Informez-vous auprès de sources sûres. Préparez-vous avant de sortir. Prendre le contrôle sur votre alimentation – et éduquer vos enfants à le faire – est la clé pour vivre et aimer le mode de vie sans gluten.

Si vous pensez que tous vos aliments préférés sont maintenant hors de votre portée, il faut vous rendre à l'évidence : ce sont eux qui vous ont rendu malade. Trouvez de nouveaux aliments favoris en évitant de vous tourner vers la nourriture uniquement pour vous consoler et saper tous vos efforts. N'oubliez pas la gestion de votre poids !

Regardez au-delà des mots

Les nouveaux adeptes du régime sans gluten sont confrontés régulièrement à une vision très négative à son sujet dans leur entourage et même dans les médias. Des mots tels que : *maladie chronique*, *restriction à vie*, *malabsorption*, *lésions intestinales*, *carences…* peuvent vous faire hésiter à vous lancer dans un régime sans gluten.

Même s'il est compréhensible d'être un peu abasourdi par le poids de ces mots, il est important de regarder au-delà. Pensez à l'amélioration de votre santé. Pensez que vous allez vous sentir mieux, que vous aurez plus d'énergie. Cela vous aidera à adopter une attitude plus optimiste.

Recentrez-vous sur ce que vous pouvez manger

Lorsque vous apprenez que vous devez exclusivement manger sans gluten, c'est là, bien souvent, que vous prend l'envie d'un croissant à tous les repas. Vouloir ce que l'on ne peut pas avoir est dans la nature humaine. Dites à un enfant de ne pas mettre les doigts dans la prise de courant, et c'est la première chose qu'il va faire.

Croyez-moi, je sais par quelles privations il faut passer. Ma famille est italienne ! Quand on mange traditionnellement en famille des pâtes et des pizzas et que l'on passe au quinoa, aux haricots verts et au riz au safran, parlez-moi de privations !

Si vous vous sentez privé, voire puni, ne laissez pas mon sarcasme vous atteindre. Il est parfaitement normal de penser que l'étendue de vos choix alimentaires est à présent limitée (elle est limitée mais pas limitative) et de rêver à un pain au levain fraîchement sorti du four. Vous parcourez un menu et pensez que seule la salade de fruits est pour vous. Vous fixez votre placard dans la cuisine et vous n'y voyez que des galettes de riz. Tout est normal, rassurez-vous !

J'aime prendre pour modèle les végétariens : eux ne se plaignent pas de manquer de côtelettes de porc ou d'entrecôte. Bien au contraire, ils aiment leur mode de vie et le revendiquent.

Concentrez-vous sur ce que vous pouvez manger et non le contraire. La liste des choses que vous pouvez manger est beaucoup plus longue que vous le pensez, et si vous ne me croyez pas, alors, prenez une feuille, commencez à faire une liste et faites-moi signe quand vous aurez terminé !

Vous interdire un aliment est le moyen le plus radical de le faire devenir le centre de toutes vos attentions. Il est dans la nature humaine de vouloir ce qu'on ne peut pas avoir. Pour certains, devoir bannir le gluten de leur vie est le meilleur moyen pour qu'ils en veuillent plus. Donc, si vous vous sentez privé, faites-vous plaisir ! Pas avec du gluten mais avec votre aliment sans gluten préféré. Vous adorez la tarte au citron ? Dégustez une tarte au citron sans gluten, de temps en temps, ritualisez ce moment de plaisir, allez dans une pâtisserie sans gluten, et autorisez-vous à prendre un quatre heures gargantuesque ! Ce moment délicieux vous aidera à oublier vos privations.

Êtes-vous un peu grincheux ?
Vous souffrez peut-être d'une « déprime de régime »

Les gens qui suivent un régime alimentaire quel qu'il soit ressentent souvent au début une « euphorie », tant qu'ils sont encore ultra-motivés et passionnés par leur engagement. Mais souvent, au bout de deux ou trois semaines, apparaît ce qu'on appelle communément une « déprime de régime » qui rend les choses plus difficiles. Les adeptes du régime ne sont pas très fun pendant cette phase. Ils se sentent habituellement rongés par le ressentiment et l'état de privation, surtout si la nourriture était une source de réconfort pour eux.

En outre, le cerveau a besoin de glucides pour produire de la sérotonine et de faibles niveaux de cette hormone dans le corps peuvent conduire à la déprime. Parfois, les personnes qui suivent un régime sans gluten réduisent fortement leur consommation de glucides et peuvent sombrer dans une « déprime de régime ». Si vous pensez que tel est votre cas, vérifiez d'abord vos apports en bons glucides (fruits et légumes). Si vous trouvez trop compliqué de cuire à la vapeur vos légumes du jardin (brocolis, courgettes par exemple), optez pour les fruits et légumes facilement consommables comme les carottes, les pommes ou les haricots mange-tout. Ce sont d'excellentes sources de bons glucides et ils ont d'autres bienfaits pour votre santé. Vous trouverez dans ce chapitre bien d'autres conseils pour vous redonner de l'énergie.

Combattez votre agacement et votre susceptibilité

Quand il s'agit de parler de vos restrictions alimentaires, vous allez sûrement vous heurter à des personnes qui vous sembleront indifférentes à votre problème, voire désagréables. Vous pourrez vous sentir blessé, mis à l'écart. Vous rencontrerez aussi des personnes qui feront vraiment attention à vous, n'oublieront pas que certains aliments vous sont interdits et feront l'effort d'adapter leur repas pour vous.

Gardez à l'esprit qu'en vous embarquant dans ce mode de vie, vous gagnez un respect nouveau pour la nourriture, vous prenez conscience de ce que c'est d'avoir des restrictions alimentaires et vous serez certainement plus enclin à comprendre ceux qui, autour de vous, en ont également.

Entre-temps, le reste du monde peut vous sembler imperméable aux subtilités du régime sans gluten, « grossier », « peu respectueux » de votre personne et certains même pourraient vous inviter à dîner dans votre ancienne pizzeria favorite, quelle offense !

Ne vous sentez pas vexé. Les gens sont parfois tellement centrés sur leur propre vie qu'ils peuvent en oublier les particularités de la vôtre. Ils ne sont pas grossiers et ne manquent pas de savoir-vivre (bon, c'est vrai, certains le sont), ils ne sont tout simplement pas au courant. Soyez heureux qu'ils vous aient invité à dîner et alors, soit apportez quelque chose que vous pourrez manger, soit suggérez de changer de restaurant pour aller là où vous trouverez votre bonheur. Économisez vos énergies négatives pour des choses qui en valent la peine – comme par exemple hurler après le fils des voisins qui joue de la trompette à une heure du matin !

Évitez la « surenchère morbide »

Vous connaissez sûrement des personnes qui aiment s'adonner au petit jeu suivant : vous leur dites que vous avez mal à la tête et presque instantanément ils surenchérissent d'un : « Tu crois que tu as un mal de tête ? Moi, j'ai eu une migraine, l'autre jour… » Oui, vous connaissez ce genre de personnes ! Toujours à en rajouter. Eh bien, ils font ce que j'appelle de la « surenchère morbide » et, à ce petit jeu-là, vous avez à présent toutes les cartes en main. Si vous êtes diagnostiqué cœliaque, vous pourrez être tenté de répondre : « Ah oui ? Eh bien, moi, j'ai une maladie chronique qui m'oblige à suivre un régime à vie. Je ne peux plus manger de pain, à vie ! » Bien sûr, vous allez gagner à ce petit jeu, mais n'y jouez pas ! Il vous oblige à vous concentrer sur les aspects négatifs de votre pathologie et ce n'est pas bon pour vous. De plus, les gens qui jouent à ce jeu ne se soucient souvent guère de ce que vous dites, bien trop occupés à se regarder le nombril.

Testez l'autosuggestion positive

Je n'aime pas les gens faux. Ils prétendent être ce qu'ils ne sont pas, souvent pour impressionner les autres et c'est très désagréable.

Feindre l'optimisme en pratiquant l'autosuggestion positive est totalement différent : c'est vous convaincre que vous vous sentez bien quand ce n'est pas le cas. À force de vous le répéter, vous vous sentez de mieux en mieux. Ce pouvoir de conviction, le pouvoir que nous avons sur notre cerveau est incroyable !

Pratiquer l'autosuggestion positive est plus facile pour certaines personnes. Nous avons tous une aptitude différente à l'optimisme. Il y a le genre : « Oh mon dieu, ce sont les plus beaux rideaux du monde ! » et le genre : « Je trouve son optimisme déprimant. » Peu importe où vous vous situez, appliquer l'autosuggestion positive vous fera du bien !

Commencez par noter toutes les raisons pour lesquelles manger sans gluten est une chose positive pour votre vie (si vous avez besoin d'aide, consultez le chapitre 21). Peut-être allez-vous vous concentrer sur l'aspect nutritionnel, peut-être sur l'aspect humain, peut-être sur l'amélioration de votre santé, peut-être sur le fait que vous avez pu aider quelqu'un qui souffre de la même pathologie ou aider l'un de vos proches à se faire diagnostiquer.

Dressez votre liste et essayez de vous convaincre qu'adopter ce mode de vie est une chose merveilleuse pour votre vie. Soyez enthousiaste – dites-le à votre famille, à vos amis. Dites-leur à quel point vous vous sentez mieux et pourquoi. Sans vous en rendre compte, vous vous en serez convaincu et vous n'aurez plus besoin d'utiliser l'autosuggestion.

Diffusez vos ondes positives – elles sont contagieuses !

Les ondes que l'on dégage se propagent comme des germes invisibles et affectent ceux qui nous entourent.

Parfois, les humains transmettent leurs ondes négatives aux autres. Si vous n'êtes pas heureux dans votre vie sans gluten, et que vous n'avez pas suivi les conseils de ce chapitre pour vous aider, ne diffusez pas vos ondes négatives autour de vous. La majorité des gens ne sont pas familiers avec les problèmes liés au gluten, ni avec le mode de vie sans gluten ou les pathologies médicales qui en découlent. Il est plus que probable que vous soyez la première personne qui les informe à ce sujet.

Si vous vous sentez obligé de vous lamenter sur vos restrictions alimentaires, les gens autour de vous se sentiront tristes et impuissants devant votre « malheur ». Voulez-vous susciter leur pitié ? Essayez plutôt de leur montrer que ce mode de vie est un événement positif dans votre vie, une façon plus saine de vivre. Alors ils ressentiront la même chose.

Vous pouvez choisir de « pleurer » les aliments que vous ne pouvez plus manger ou bien de vous faire une joie de retrouver votre santé et vos forces.

Réinventez-vous

Si votre médecin vous a diagnostiqué sensible au gluten ou cœliaque, vous pouvez vous sentir différent des autres – c'est tout à fait normal. Nous sommes tous différents. Certains aiment le sport, d'autres sont doués pour la comptabilité. Nous acceptons volontiers le fait que nous sommes différents pour ce genre de choses, mais avec ce régime, parfois nous n'acceptons pas notre différence. Votre régime est différent – mais en général, vos restrictions alimentaires ne sont pas différentes de celles qu'ont les végétariens ou les personnes allergiques aux cacahuètes. Ils ont des restrictions différentes, c'est tout.

Oui, vous êtes différent des autres – mais vous n'êtes pas différent de la personne que vous étiez avant votre diagnostic. Votre mode de vie a changé, mais vous non.

Parfois, les gens laissent leur pathologie les définir. Essayez de ne pas céder à cette tentation. Avoir cette pathologie est une déception pour vous ? (J'espère qu'après avoir lu ce livre, cela ne le sera plus !) Mais bon, peut-être êtes-vous déçu et c'est normal.

Vous n'êtes pas une victime, un martyr ou un malade. En réalité, vous êtes sur la voie de la guérison. Nombreux sont ceux qui, dans la vie, sont confrontés à l'adversité. Ils font avec. Vous pouvez le faire également.

Vous suivez un régime. Cela vous rend-il différent ?

Vous ne pouvez pas manger certaines choses. Si vous le faites, vous aurez à en gérer les conséquences physiques. Vos choix sur un menu sont limités, vous devez faire attention à ce que vous mangez lorsque vous êtes en société, et vous ne pouvez pas toujours manger comme vos convives. Votre régime alimentaire est limité et c'est pénible ! Mais qu'est-ce qui vous rend si différent ? Vous êtes au régime, cela vous rend différent ? Je ne crois pas !

Vous pouvez suivre un régime pour de nombreuses raisons. Les gens suivent généralement un régime pour perdre du poids, mais il existe aussi des régimes spéciaux pour prendre du poids (au grand dam des gens qui essaient d'en perdre !). D'autres suivent un régime spécial parce qu'ils ont une pression artérielle élevée, un taux de cholestérol élevé, une maladie cardiaque, une allergie alimentaire, du diabète ou une maladie auto-immune comme l'arthrite ou la sclérose en plaques. Pour des raisons de santé ou d'éthique, certaines personnes choisissent de stopper la viande, les aliments qui contiennent des produits chimiques ou des hormones. Les sportifs doivent souvent suivre des régimes spéciaux ainsi que les femmes enceintes ou en période d'allaitement. Ceux d'entre nous qui suivent un régime sans gluten ont tendance à penser que leur régime est différent de celui des autres, mais à bien des égards, ce n'est pas le cas !

Si vous rencontrez des difficultés à gérer votre régime sans gluten d'un point de vue émotionnel ou psychologique, prenez du recul et regardez la situation dans son ensemble. Pourquoi renoncez-vous au gluten tout d'abord ? Probablement parce que manger du gluten compromet votre santé.

Forcez-vous à vous rappeler que le régime sans gluten est la clé de votre santé, et concentrez-vous sur l'impact positif que vous avez sur votre corps en adoptant ce mode de vie. Considérez encore ces quelques conseils qui peuvent vous aider à vaincre vos coups de blues :

- **Préparez-vous mentalement.** Changez votre point de vue sur les raisons pour lesquelles vous mangez, comment vous mangez, ce que vous mangez. Rappelez-vous que vous êtes censé manger pour vivre, et non pas l'inverse.

- **Sortez des sentiers battus.** Rester bloqué dans vos habitudes alimentaires, manger toujours la même chose, jour après jour, semaine après semaine, c'est facile ! Explorez de nouveaux aliments, trouvez-vous de nouvelles gourmandises favorites, soyez créatif dans votre recherche et émoustillez vos papilles.

- **Rappelez-vous : suivre votre régime deviendra plus facile avec le temps.** Si le mode de vie sans gluten vous semble difficile à gérer d'un point de vue pratique ou émotionnel, souvenez-vous qu'avec le temps, tout vous semblera plus facile. Vous accepterez les choses, vous vous adapterez et, espérons-le, vous apprendrez à l'aimer !

- **Demandez de l'aide.** Que l'aide provienne de membres de votre famille, de groupes de soutien, de vos amis, d'un coach ou de votre médecin, elle peut vous aider à mieux vivre cette transition de vie.

- ✔ **Évitez les gens aux influences négatives.** Purgez fondamentalement votre vie du négatif. Si le mode de vie sans gluten est un combat pour vous, la dernière chose dont vous ayez besoin, c'est d'un parent malveillant qui va saboter vos efforts.

- ✔ **Renouvelez vos vœux.** Parfois, vous aurez besoin de réaffirmer votre engagement en vous rappelant pourquoi vous avez choisi ce mode de vie.

Résistez à la tentation

Il existe des milliers de régimes alimentaires : faible en gras, riche en protéines, faible en glucides, faible en calories, à indice glycémique faible et bien d'autres encore. Leur seul point commun : les personnes qui les suivent font bien souvent des écarts. C'est un fait.

Mais si vous êtes cœliaque, vous ne pouvez pas faire d'écart. Non, pas même un de temps en temps. « Tout est dans la modération » ou « un peu ne peut pas te faire de mal » ne s'appliquent pas à la maladie cœliaque ni à la sensibilité au gluten.

Résister à la tentation commence par comprendre pourquoi vous voulez vous y adonner.

Comprenez pourquoi vous faites des écarts

Pourquoi faites-vous des écarts à votre régime ? De nombreuses causes peuvent en être responsables, mais pour autant que je sache, on peut les résumer en une seule : vous le voulez bien. Vous avez envie de ce cookie, de ce plat de pâtes ou de ce croissant au beurre. Après tout, si vous ne le vouliez pas, on ne parlerait pas de *tentation*.

Pour résister à la tentation, il est important de comprendre les motivations qui sous-tendent votre désir de consommer ces produits contenant du gluten. En voici les plus courantes :

- ✔ **C'est trop bon pour résister.** Je me rends compte que cette déclaration est digne d'un psychologue de talk-show. Mais il est vrai que la plupart de gens qui se ruent sur un aliment interdit le font juste parce que « c'est trop bon pour dire non ».

- ✔ **Juste une fois.** Ce n'est pas un bon plan. Il y a une pente très glissante entre « juste une fois » et un abandon de régime.

✔ **Vous voulez vous intégrer.** Si tout le monde allait se jeter d'une falaise, vous le feriez aussi ? (Spécialistes du saut à l'élastique, s'abstenir !) À vrai dire, les gens qui vous entourent ne portent probablement aucune attention à ce que vous mangez. La vie en société est fondée sur l'échange, les conversations, l'ambiance. Oui, mais aussi sur ce qu'on mange, non ? C'est vrai, mais les gens ne font pas attention à ce que vous mangez.

✔ **C'est un « aliment-confort » pour vous.** Dans les moments difficiles, les gens se tournent parfois vers certains aliments pour se sentir mieux. Si votre « doudou » est une gourmandise qui contient du gluten, un moment de faiblesse peut directement vous faire replonger.

✔ **C'est un événement spécial.** Cette excuse pourrait passer avec un autre régime mais pas avec celui-ci. Manger du gluten pourrait bien transformer cet événement important en véritable cauchemar. Aucune occasion ne mérite de compromettre sa santé. D'ailleurs, c'est l'événement qui compte, pas ce que vous y mangez.

✔ **Vous êtes las de suivre ce régime.** Si vous vous limitez à des galettes de riz et du céleri, je vous comprends totalement. Faites preuve de créativité et testez de nouvelles saveurs. Utilisez ce livre comme un guide pour comprendre ce que vous pouvez manger, puis relevez le défi de tester de nouvelles recettes. Si vous avez besoin d'un peu d'inspiration, rendez-vous au chapitre 9. Je vous y propose des idées de recettes sans gluten.

✔ **En manger un peu ne me fera pas de mal.** Oui, c'est possible. Si vous prévoyez d'utiliser cette excuse, il vous faut impérativement lire ou relire les chapitres 2 et 3.

✔ **Ce régime est vraiment trop difficile.** Souvenez-vous que ce livre est fait pour les Nuls ! Il est censé vous aider à comprendre facilement ce que vous pouvez manger, comment vous pouvez vivre (et apprécier !) ce mode de vie. Parfois, il est difficile de modifier sa façon de penser, mais je vais vous y aider. Vous *pouvez* le faire ! Et, avec vos amis, votre famille, des ouvrages comme celui-ci et toutes les ressources utiles listées au chapitre 6, vous avez de quoi vous sentir soutenu.

✔ **Quelqu'un est en train de saboter vos efforts.** Les gens font cela, croyez-moi ! En fait, souvent, ils n'en sont pas conscients et ils le font pour diverses raisons. Ils sont parfois jaloux de vous parce que vous êtes en meilleure santé qu'eux. Parfois ils pensent que vous ne devriez pas suivre ce régime (voir la partie intitulée : « Quand les autres sont dans le déni », plus haut). Parfois, ils le font pour ne pas avoir à suivre les règles d'hygiène en cuisine ou ne veulent pas faire l'effort de préparer des aliments sans gluten. Ne succombez pas à ces tentatives de sabotage. Au contraire, essayez de trouver quelqu'un qui vous soutiendra, qui sera sensible à votre mode de vie et demandez-lui de l'aide. Les gens aiment aider et ils trouveront une grande satisfaction à vous prêter leur épaule, une oreille attentive ou à vous tendre la main.

✔ **J'ai déjà tellement fait d'écarts que cela n'a plus d'importance.** Faux. Aujourd'hui est peut-être le premier jour du reste de votre vie sans gluten.

Même si toutes ces raisons semblent pouvoir justifier vos écarts, il faut résister à la tentation. Parfois, pour savoir dire non, il faut mesurer les conséquences de ses écarts.

Vous choisissez de faire des écarts – ou pas – parce que vous avez les pleins pouvoirs sur ce que vous ingérez. Lorsque vous faites un écart à votre régime sans gluten, c'est VOUS que vous trahissez et vous vous éloignez d'autant du chemin qui mène à l'amélioration de votre santé.

Mesurez les conséquences de vos écarts

Mesurer les conséquences de vos écarts n'est pas chose facile, d'autant que ces conséquences peuvent ne pas être immédiates, ni être très violentes. Alors, vous pourriez amoindrir leur importance. Les personnes qui suivent un régime amaigrissant ne remarquent souvent pas les conséquences d'un écart ou deux parce qu'ils ne voient pas les millimètres de graisse supplémentaires qui s'accrochent à leurs cuisses ou leur ventre quand ils mangent un bol de crème glacée – et ils pensent qu'une indulgence de temps en temps est acceptable.

Si vous avez une sensibilité au gluten ou la maladie cœliaque, cependant, les conséquences peuvent avoir des effets néfastes sur votre santé, et si vous faites des écarts régulièrement, ces effets peuvent s'additionner et avoir des conséquences à moyen et long terme. Vous pourriez développer d'autres pathologies comme l'ostéoporose, le lupus, une maladie de la thyroïde et bien d'autres, et je suis sûre que le jeu n'en vaut pas la chandelle. Pour en savoir plus sur les effets du gluten sur votre santé, rendez-vous aux chapitres 2 et 3.

Vainquez la tentation

Maintenant que vous connaissez les raisons qui vous poussent à faire des écarts et les conséquences, il ne reste plus qu'à apprendre à dire NON. Voici quelques conseils pour faire de la résistance :

✔ **Offrez-vous quelques gourmandises sans gluten**. Si vous avez envie d'un fondant au chocolat, mangez-le – sans gluten, bien sûr. Il est facile de trouver l'équivalent sans gluten de presque toutes vos gourmandises préférées. Si vous préférez vous jeter sur une barre de chocolat (sans gluten), c'est bon aussi ! Si vous êtes tenté de manger quelque chose qui contient du gluten, essayez de trouver son équivalent sans gluten et cela, j'en suis sûre, vous apportera la même satisfaction.

✔ **Récompensez-vous lorsque vous arrivez à résister.** Si vous avez été tenté et avez réussi à vaincre votre tentation, faites-vous plaisir. Cette récompense n'a pas à être uniquement de la nourriture – peut-être pouvez-vous vous offrir quelque chose de spécial et qui vous fasse plaisir. Faites-vous du bien. Cela renforcera votre volonté de maintenir le cap.

✔ **Simplifiez-vous la vie.** Si le régime vous semble pesant, peut-être en faites-vous trop, alors revenez à l'essentiel. Si vos menus vous paraissent trop compliqués à gérer, réorganisez-les, modifiez-les un peu pour avoir moins de choses à préparer. Vous pouvez manger des choses simples, ne l'oubliez pas ! Les chapitres 5 et 6 vous éclaireront à ce sujet.

✔ **Faites de votre mode de vie une priorité.** Manger sans gluten, c'est avant tout quelque chose que vous faites pour vous, pour votre santé, pour votre futur. Si vous trouvez ce mode de vie trop contraignant par rapport à votre travail, modifiez autant que possible votre emploi du temps. Si vous côtoyez des gens négatifs qui sabotent vos efforts, évitez-les autant que possible. Si certaines choses ne fonctionnent pas dans votre vie, changez-les. Vivre sans gluten, c'est bien plus que suivre un régime, c'est une façon de vivre et cela doit devenir une priorité pour vous.

Cinquième partie
La partie des Dix

Tu dramatises un peu, là ! Mais ok, je vais aller demander si les gants de boxe de ton adversaire sont bien sans gluten.

Dans cette partie…

Retrouvez dans cette partie l'essentiel à retenir : dix bienfaits du régime sans gluten, dix conseils pour vous aider à aimer votre vie sans gluten et dix mauvaises raisons de ne pas l'adopter.

Chapitre 21

Dix avantages à vivre sans gluten

- -

Dans ce chapitre :

▶ Prendre le chemin de la guérison

▶ Prévenir la maladie cœliaque (et autres pathologies)

▶ Ouvrir ses horizons culinaires

▶ Mieux gérer votre poids et les symptômes de la ménopause

- -

Fini, les diarrhées, les migraines, la fatigue, la déprime ou la dépression ; fini, le colon irritable, la fibromyalgie… alors, que dites-vous de tous ces avantages ? (Plus d'informations sur ces pathologies au chapitre 2.)

Si vous adoptez le régime sans gluten, c'est que vous avez une intolérance plus ou moins forte au gluten. Je n'ai pas besoin de vous expliquer que la clé pour vous sentir mieux est de vivre sans gluten. Pour vous, les avantages sont indéniables.

Mais si vous n'avez pas de pathologie qui nécessite de vivre sans gluten, les avantages de ce mode de vie restent vastes. En fait, je pourrais énumérer bien plus que dix avantages, mais cette partie s'intitule « la partie des Dix » et non « la partie des tonnes » alors je vais en lister les principaux.

Vous savez comment améliorer votre santé

Vous avez, contrairement à d'autres, la clé de votre santé entre les mains : le régime sans gluten.

Ceci est particulièrement vrai si vous avez été diagnostiqué sensible au gluten ou cœliaque. Vous avez de la chance. Nombreux sont ceux qui devraient éviter le gluten mais ne le savent pas encore. Ils se sentent mal mais ignorent souffrir d'une intolérance alimentaire. Ils essaient de réduire les produits laitiers, voire d'autres allergènes, leur chirurgien leur coupe un morceau de vésicule biliaire ou d'un autre organe mais rien n'y fait. Vous, au contraire, vous savez exactement ce qui vous rend malade et vous pouvez changer votre alimentation et profiter de votre santé retrouvée.

Si vous êtes intolérant au gluten, les bienfaits du régime sur votre santé vont se faire sentir très vite

Si vous êtes cœliaque, le gluten endommage votre tube digestif. Dès l'instant où vous arrêtez d'en ingérer, le processus de rémission démarre, vous absorbez les nutriments à nouveau et vous vous sentez bien mieux. Mieux que vous ne vous êtes jamais senti d'ailleurs ! Votre corps commence à se réparer immédiatement et votre état de santé s'améliore aussi vite.

Le régime sans gluten peut améliorer les troubles de l'humeur et du comportement

L'intolérance au gluten induit parfois des symptômes comme la dépression et les troubles de l'attention. Il semble que le régime sans gluten améliore certains troubles de l'humeur et du comportement. Les chercheurs continuent d'explorer ce sujet pour le prouver, mais de manière empirique des résultats probants ont été constatés (voir le chapitre 4).

Si vous n'avez pas la maladie cœliaque et ne mangez pas de gluten, vous ne la développerez jamais

Trois facteurs peuvent déclencher la maladie cœliaque : la prédisposition génétique, un élément environnemental déclencheur (un virus, une opération chirurgicale, un traumatisme, une grossesse, une détresse émotionnelle, par exemple) et un régime incluant du gluten. Si vous ne mangez pas de gluten, vous ne pouvez pas développer la maladie, si vous êtes « à risque ».

Vous réduisez les risques de développer des maladies auto-immunes associées

De nombreuses maladies auto-immunes vont de paire. Si vous en développez une, vous êtes susceptible d'en développer une autre. Si vous avez la maladie cœliaque et continuez d'ingérer du gluten, vos risques de développer d'autres maladies auto-immunes avec le temps sont en effet décuplés. Certaines études ont montré que plus tôt vous supprimez le gluten de votre alimentation, plus le risque de vous voir développer d'autres pathologies diminue (voir le chapitre 2).

Vous ouvrez vos horizons culinaires

Les aliments interdits au régime sans gluten sont bien moins nombreux que ceux autorisés. Grâce à votre régime, vous allez vous ouvrir de nouveaux horizons culinaires en découvrant de nouvelles saveurs, de nouveaux ingrédients souvent bien plus nutritifs que ceux que vous aviez l'habitude de manger. Bien souvent, les plats traditionnels d'autres cultures comme les cultures asiatique ou indienne sont naturellement sans gluten. S'aventurer vers d'autres saveurs vous apportera de nouvelles richesses et une grande variété dans votre alimentation.

Les symptômes de la ménopause peuvent s'améliorer

Certains médecins pensent que les aliments à base de blé peuvent exacerber les symptômes de la ménopause, comme les bouffées de chaleur, les sueurs nocturnes, les maux de tête, la fatigue et les sautes d'humeur. L'élimination des aliments qui contiennent de la farine blanche raffinée peut aider à réduire ces symptômes.

Vous maîtrisez votre poids

Si vous suivez les recommandations du chapitre 7, vous mangerez des aliments riches en protéines et à indice glycémique faible. Manger ces aliments stabilise les hormones du « J'ai faim » et du « Je suis rassasié » et pousse votre corps à utiliser la graisse stockée (dans vos « poignées d'amour » ou votre « culotte de cheval ») pour les transformer en énergie. De plus, ce régime peut avoir un impact sur votre rétention d'eau et favoriser le ventre plat.

Nombreux sont ceux qui vont se ruer sur des produits sans gluten comme des biscuits, des gâteaux, des pizzas, du pain et des pâtes. Certes, ils sont sans gluten mais restent à consommer avec modération. Si vous suivez un régime à base de produits naturellement sans gluten, vous aiderez votre corps à mieux fonctionner, diminuerez la sensation de faim et gérerez votre poids de manière plus optimale.

Vous dopez vos connaissances en matière de nutrition

Maintenant que vous vivez sans gluten, vous vous y connaissez bien plus que d'autres personnes en matière de nutrition. D'une part, vous savez lire les étiquettes des produits. Vous savez que les aliments transformés, avec une liste immense d'ingrédients aux noms de code obscurs, n'ont pas à entrer dans votre assiette. Vous savez que le malt provient en général de l'orge, que la maltodextrine ne contient pas de malt et que le glucose n'est pas du gluten. J'espère que vous avez même goûté aux joies du quinoa, du millet et d'autres céréales dont beaucoup n'ont jamais entendu parler et que vous avez découvert leur incroyable valeur nutritionnelle.

Votre taux de glycémie peut être plus stable

Si vous suivez le régime sans gluten selon les recommandations du chapitre 7, vous mangez essentiellement des aliments à indice glycémique bas, ce qui vous aide à stabiliser votre glycémie. Les produits à base de blé ont souvent un indice glycémique fort car ils se transforment rapidement en sucre dans le sang et provoquent des pics d'insuline qui retombent rapidement. Votre énergie et votre humeur peuvent suivre ces effets de yo-yo. Ce n'est pas sain. Un régime à base d'aliments naturellement sans gluten stabilise votre taux de sucre dans le sang et vous apporte une énergie constante pour la journée. Si vous êtes diabétique, cette approche peut vous être grandement bénéfique.

Chapitre 22

Dix conseils pour aimer votre vie sans gluten

*L*a transition entre vivre en « glutenovore » et « libre de gluten » peut s'avérer difficile pour certains. Apprendre à vivre sans gluten est une chose, apprendre à l'apprécier en est parfois une tout autre. Vous allez très bien l'accepter mais, un jour, pour d'obscures raisons, votre vie va se transformer en un enfer où vos amis tentateurs vous nargueront en permanence avec des mets *gluténisés* qui vous hanteront nuit et jour. Accrochez-vous ! Ce chapitre va vous aider à aimer votre vie sans gluten.

Concentrez-vous sur ce que vous pouvez manger

Ouvrir son placard et chercher des aliments contenant du gluten, c'est facile. Vous avez même parfois l'impression de trouver plus de gluten autour de vous que de molécules d'oxygène. C'est vrai. Le gluten est partout. Malgré tout, la liste des aliments que vous pouvez manger est immense, beaucoup plus longue que vous ne le pensez. Il vous faut juste changer votre vision de l'alimentation. Au lieu de penser aux aliments que vous ne pouvez plus manger, concentrez-vous sur ceux que vous pouvez cuisiner et en particulier, dans cette liste, sur ceux que vous aimez manger. Si vous vous sentez parfois un peu frustré, accordez-vous une gourmandise (sans gluten). Sortez des sentiers battus et explorez de nouveaux ingrédients ou essayez de trouver comment adapter votre plat préféré en version sans gluten (le chapitre 10 vous donnera quelques idées). Vous allez vite comprendre que le régime sans gluten peut comporter des restrictions mais n'est absolument pas *restrictif*.

Ouvrez vos horizons culinaires vers des territoires alternatifs inconnus

Un monde sans gluten vous attend, là-bas, riche d'ingrédients dont vous n'avez jamais entendu parler : quinoa, amarante, millet, teff, sarrasin, acai, kéfir, sorgho… Ne sous-estimez pas la capacité de vos enfants à goûter de nouveaux produits. Même s'ils peuvent traîner des pieds au début, ils sautent généralement facilement le pas. Si votre palais est habitué aux saveurs fades, vous allez découvrir un monde de nouvelles saveurs uniques et d'aliments incroyablement nutritifs.

Ouvrez-vous au monde

De nombreuses cultures ont pour bases des ingrédients naturellement exempts de gluten. La cuisine asiatique (thaï, vietnamienne et coréenne notamment), par exemple, est souvent fondée sur des ingrédients sans gluten, ainsi que les cuisines indienne et mexicaine. Plongez dans le chapitre 15 où vous trouverez des recettes de cuisine internationale simples et savoureuses. Faites des recherches sur Internet ou ouvrez des livres de cuisine ethnique. Vous pouvez même vous aventurer au restaurant pour aller à la rencontre de ces cultures et profiter d'une expérience gastronomique sans gluten.

Prenez le contrôle sur votre régime

Que vous ayez 10 ou 80 ans, si vous adoptez le régime sans gluten, vous devez prendre tout de suite le contrôle sur votre alimentation. Le régime peut vous imposer ce que vous mangez, où et quand vous mangez et même comment vous mangez, mais n'oubliez pas que c'est vous qui avez le contrôle. Vous décidez de ce que vous mangez, quand et avec qui. Au chapitre 9, je vous explique comment vous organiser. Il est important de vous assurer d'avoir toujours quelque chose à manger à portée de main quand vous avez faim. Au chapitre 18, je vous explique comment manger en toute sécurité lors de vos déplacements. Si votre enfant doit suivre un régime sans gluten, vous devez l'accompagner et l'aider à prendre le contrôle sur son régime, quel que soit son âge. Nous sous-estimons souvent les capacités d'adaptation de nos enfants (consultez le chapitre 19). N'oubliez pas que, si vous ne prenez pas le contrôle sur votre régime, c'est lui qui prendra le contrôle sur vous.

Mangez pour vivre et non le contraire

Votre corps est conçu pour utiliser la nourriture comme un carburant et non pas comme un doudou ou un substitut affectif. Il est vrai que la nourriture est devenue partie intégrante de nos relations sociales et les événements sociaux tournent bien souvent autour d'elle. Mais cela ne signifie pas qu'elle est le centre de toute activité sociale. Manger et avoir le ventre plein nous fait nous sentir bien, c'est vrai. Mais l'alimentation sert un but bien plus grand, envisagez-la comme votre carburant et pas seulement comme moyen de vous remplir la panse.

Vous êtes différent ? Et alors ?

Les gens veulent tous être uniques et pourtant ils grincent des dents quand ils ont l'impression d'être trop différents. Nous sommes tous différents même quand nous essayons de nous ressembler. Si vous êtes au régime sans gluten, votre pain peut avoir l'air différent du pain de votre voisin et vous pouvez paraître capricieux dans un restaurant. Et alors ? Tout le monde a des *desiderata* au restaurant : les végétariens, par exemple, ceux qui n'aiment pas le poulet, ceux qui n'aiment pas les laitages, ceux qui sont allergiques aux cacahuètes, ceux qui n'aiment pas le sel. Tout le monde a un style de vie et un régime différents. Le vôtre, ça tombe bien, est bon pour votre santé.

Allez, offrez-vous une gourmandise (sans gluten) !

Si vous vous imposez trop de restrictions, vous allez vous sentir frustré. Accordez-vous des pauses gourmandes. Que ce soit un dessert sans gluten, une assiette de frites maison avec du ketchup, peu importe. Il est important que vous trouviez un bon équilibre.

Accrochez-vous aux bienfaits de votre régime

Si vous vous concentrez sur les bienfaits de votre régime sans gluten (voir le chapitre 21), vous renforcez votre esprit et votre détermination. Si vous trouvez utile de noter tous les bienfaits que le régime apporte à votre vie, faites-le. Affichez cette liste sur votre réfrigérateur ou gardez-la dans un cahier sur votre bureau. Peut-être vous mettrez-vous au défi d'ajouter une ligne à cette liste chaque jour ? Lorsque vous vous attachez à toutes les bonnes choses que vous apporte ce mode de vie, votre vision de la vie, en général, change et vous vous armez d'un nouvel optimisme.

Déjouez les tentations

Évitez de vous mettre dans des situations où vous pouvez être tenté et économisez vos forces pour les moments où vous n'aurez pas le choix. Vous ne vous aidez pas si vous vous entourez de tentations, à la maison, sur votre lieu de travail ou en société. N'acceptez pas de travailler dans une boulangerie. N'imaginez pas vous forger plus de caractère en agitant une part de pizza en permanence devant votre nez en arrêtant de respirer. Réfléchissez à deux fois avant de vous lancer dans un concours de dégustation de tartes. Le monde est plein de gluten, ne vous poussez pas vous-même à la tentation et à la frustration.

Faites avec, mais n'en faites pas une fixation

Si vous vous sentez déprimé, frustré, en colère, triste d'être au régime sans gluten, c'est normal. Nous éprouvons tous un jour ou l'autre ces sentiments. Il vous faut apprendre à gérer ces émotions et à avancer. Trouvez du soutien auprès de votre famille, de vos amis, de votre médecin, de groupes de parole, de communautés d'intolérants au gluten sur Internet ou dans des associations. Si vous avez besoin de l'aide d'un professionnel, n'attendez pas pour consulter. Se complaire dans la négativité ne vous aidera pas et peut même faire empirer votre état émotionnel.

Chapitre 23

Dix fausses excuses pour ne pas adopter le régime sans gluten

Dans ce chapitre :

▶ Des excuses, toujours des excuses

▶ Sus aux idées reçues !

*V*ous ne souhaitez pas renoncer aux pizzas ou aux baguettes tradition et encore moins à la bière ? Je vous comprends. Et je sais que vous allez tenter de vous justifier pour ne pas les supprimer de votre alimentation. Certaines des excuses que j'ai pu entendre sont certes très créatives mais sont irrecevables à mes yeux. Vous pensez que vous avez une bonne excuse pour ne pas adopter le régime sans gluten ? J'espère juste que ce n'est pas l'une des suivantes…

« Je suis trop gros pour être cœliaque ou intolérant au gluten »

C'est l'une des excuses les plus compréhensibles, car la plupart des personnes qui souffrent d'intolérance au gluten ou de la maladie cœliaque ont un problème de malabsorption des nutriments et sont en général plutôt maigres. Mais le gain de poids peut être aussi, parfois, un symptôme. En raison de la malabsorption, vos hormones – y compris celles qui vous font stocker et utiliser vos graisses – peuvent être détraquées, semant toutes sortes de désordres dans votre métabolisme, affectant ainsi votre poids. Si vous suivez le régime comme recommandé au chapitre 7, vous pouvez réellement maîtriser votre poids.

« Je n'ai pas les symptômes de la maladie cœliaque ou de l'intolérance au gluten »

Plus de 250 symptômes caractérisent la sensibilité au gluten et la maladie cœliaque et je doute que vous n'en souffriez d'aucun. Maux de tête ? Fatigue ? Douleurs articulaires ? Ballonnements ? Dépression ? Aphtes ? Jetez un œil à la liste des pathologies du chapitre 2 et n'oubliez pas que cette liste n'est pas exhaustive. Chez certains sujets, la maladie cœliaque ou la sensibilité au gluten reste très longtemps asymptomatique mais l'ingestion de gluten provoque malgré tout des dommages internes importants.

« J'ai peur d'avoir des carences »

Vous parlez des vitamines et minéraux que vous trouvez dans les pizzas, le pain et la bière ? Croyez-moi, votre corps survivra très bien sans eux. Si vous avez une forme d'intolérance au gluten, vous privez déjà votre corps des nutriments qui lui sont vitaux. Le régime sans gluten peut être extrêmement sain, si vous le suivez comme indiqué au chapitre 7. Si vous êtes toujours inquiet au sujet des carences en vitamines et minéraux, vous pouvez prendre, sur conseils de votre médecin ou nutritionniste, des compléments alimentaires. Assurez-vous simplement qu'ils sont bien sans gluten.

« Je ne veux pas me priver de mon dessert favori »

Vous ne voulez pas renoncer à vos aliments préférés, bien sûr ! Mais si vous ne vous faites pas tester, continuer à manger du gluten ne fera pas disparaître, si vous en souffrez, vos symptômes. Ils peuvent même s'aggraver.

« Mon problème, ce n'est pas le gluten. J'ai juste du mal à digérer les pâtes et la bière »

Repérer les aliments que vous ne digérez pas très bien, c'est facile. Ce qui est plus compliqué, c'est de comprendre que vous pourriez avoir une sérieuse intolérance à ces aliments. Si vous avez remarqué que vous avez du mal à digérer certains aliments et que ceux-ci contiennent du gluten, posez-vous les bonnes questions !

« Je digère mal les pizzas. Je dois avoir une intolérance au lactose »

Nombreux sont ceux qui tirent ce genre de conclusion hâtive. Ils ont bien compris qu'un aliment les rend malades mais ne font pas le lien avec le gluten (bien souvent parce qu'ils n'ont jamais entendu parler du gluten). Ils pensent que le lactose contenu dans le fromage leur pose problème. Vous pouvez aussi blâmer le sucre dans les cookies, les bulles dans la bière ou la levure dans le pain. Bien sûr, vous pourriez être intolérant au lactose, mais le gluten pourrait être aussi à incriminer.

« J'ai le syndrome du colon irritable et mon docteur dit que ça n'a rien à voir avec mon régime alimentaire »

Le syndrome du colon irritable (qui n'est pas une maladie mais plutôt un groupe de symptômes, comme les gaz, les ballonnements, la diarrhée, la constipation) est le terme que les médecins utilisent lorsque les tests ne montrent pas de cause sous-jacente à tous ces symptômes. Mais ils peuvent être des signes d'une sensibilité au gluten ou de la maladie cœliaque. Les cœliaques ou intolérants au gluten sont souvent diagnostiqués, à tort, comme souffrant du syndrome du côlon irritable, de fibromyalgie, de fatigue chronique, de migraines, de maladie de la vésicule biliaire ou bien d'autres pathologies encore. Bien souvent, l'adoption d'un régime sans gluten améliore grandement tous ces symptômes. Si vous êtes traité pour une pathologie et que votre état ne s'améliore pas, peut-être faudra-t-il repenser votre diagnostic.

« J'ai eu la maladie cœliaque étant enfant mais j'en suis sorti »

Dans les années cinquante-soixante, les médecins pensaient que la maladie cœliaque disparaissait à l'âge adulte. Ils conseillaient alors aux patients de manger de nouveau du gluten et, si les symptômes ne réapparaissaient pas, les considéraient comme « guéris ». À présent, nous le savons et les médecins le confirment, on ne guérit pas de la maladie cœliaque. Vos symptômes peuvent évoluer, changer, voire disparaître, mais la maladie reste présente. Votre vie doit être exempte de gluten… toute votre vie.

« J'ai fait les tests de la maladie cœliaque mais ils sont négatifs »

Une fois ne veut pas dire toujours. La maladie cœliaque peut se déclarer à n'importe quel moment de votre vie. Même si vos résultats sont négatifs une fois, il vous faudra refaire les tests à nouveau si vous êtes « à risque » ou si vous en avez les symptômes. Par ailleurs, vous pouvez obtenir des faux négatifs si votre test est incomplet (voir le chapitre 2 pour plus de détails), si vous êtes IgA déficient ou si les tests sont mal effectués ou interprétés.

« Je n'ai pas les gènes de la maladie cœliaque »

Vous pouvez toujours souffrir d'une forme d'intolérance au gluten sans être cœliaque. Certaines personnes, testées négatives à la sensibilité au gluten et à la maladie cœliaque, se sentent mieux en adoptant un régime sans gluten (ce qui voudrait dire logiquement que le gluten leur fait du mal). Rendez-vous au chapitre 2 pour plus d'informations sur la sensibilité au gluten.

Index

Mes astuces, recettes
et bonnes adresses sans gluten

_____

_____

_____

_____

_____

_____

_____

_____

_____

_____

_____

_____

Mes astuces, recettes
et bonnes adresses sans gluten

Mes astuces, recettes
et bonnes adresses sans gluten

_____

_____

_____

_____

_____

_____

_____

_____

_____

_____

_____

Mes astuces, recettes
et bonnes adresses sans gluten

_____

_____

_____

_____

_____

_____

_____

_____

_____

_____

_____

Mes astuces, recettes
et bonnes adresses sans gluten

_____

_____

_____

_____

_____

_____

_____

_____

_____

_____

_____

Mes astuces, recettes
et bonnes adresses sans gluten

_____

_____

_____

_____

_____

_____

_____

_____

_____

_____

_____

Mes astuces, recettes
et bonnes adresses sans gluten